LA VIE
EN TRANCHES

4ᵉ ÉDITION

Camillo Zacchia, Ph. D.

PSYCHOLOGUE

Douglas

INSTITUT   MENTAL HEALTH
UNIVERSITAIRE EN   UNIVERSITY
SANTÉ MENTALE   INSTITUTE

Publié par l'**Institut universitaire en santé mentale Douglas**

Remerciements :
Journal Métro,
**Le service des communications et des affaires publiques
de l'Institut Douglas** et ses traducteurs.

Éditeur : **Communiplex**
Chargé de projet : **Delphine Givois**
Mise en pages : **Studio Idées en Page inc.**
Illustrations : **Mario Malouin**

Pour obtenir de plus amples renseignements :

Institut universitaire en santé mentale Douglas
6875, boul. LaSalle
Arrondissement de Verdun
Montréal (Québec) H4H 1R3

www.douglas.qc.ca

Dépôt légal : deuxième trimestre 2011
Bibliothèque nationale du Canada
Bibliothèque nationale du Québec

Imprimé au Canada
ISBN 978-2-9810385-0-0

Message du ministre de la Santé et des Services sociaux

*Je tiens à saluer la publication, par l'**Institut universitaire en santé mentale Douglas**, du recueil **Une chronique, 100 tranches**. Ce volume fort intéressant regroupe des chroniques d'un psychologue passé maître dans l'art de la vulgarisation en matière de santé mentale. Par un propos accessible et intimiste, **Camillo Zacchia** y présente de profondes réflexions sur différentes préoccupations quotidiennes en lien avec la santé mentale, invitant les lecteurs à réfléchir aux problématiques soulevées. Nous avons là une excellente initiative pour mieux comprendre les problèmes de santé mentale.*

La santé mentale est encore aujourd'hui teintée de préjugés qui sont malheureusement difficiles à faire disparaître. À cet égard, les efforts de sensibilisation et d'information doivent être en constante évolution pour parvenir à éliminer les idées préconçues au profit d'une connaissance éclairée des problèmes de santé mentale auxquels personne n'est à l'abri.

Voilà pourquoi notre gouvernement poursuit, depuis plusieurs années déjà, une vaste campagne de sensibilisation sur la dépression, une maladie répandue qui nous concerne tous et qui, fort heureusement, peut être guérie.

Bonne lecture à tous!

Yves Bolduc

Québec 🟦🟦

*C'est un grand plaisir pour moi de pouvoir vous présenter brièvement cette édition spéciale de l'ouvrage de **Camillo Zacchia** qui vise les médecins susceptibles de recevoir et traiter des patients souffrant de troubles mentaux. En effet, en tant que psychiatre et directeur national de la santé mentale, je sais que mes concitoyens font confiance aux médecins de famille plus qu'à tout autre professionnel de la santé lorsqu'un problème de santé mentale les préoccupe.*

Malheureusement, malgré cette confiance, bon nombre de Québécois, en particulier les hommes, hésitent à consulter même leur médecin. Pourquoi ? Parce que notre société juge sévèrement les personnes atteintes de troubles mentaux. Ces personnes rapportent presque toutes avoir été la cible des mêmes préjugés: on les dit faibles, paresseux, profiteurs du système, etc.

*Ce n'est donc pas surprenant que la littérature scientifique rapporte que cette stigmatisation est l'un des plus grands freins à la consultation professionnelle pour un trouble mental. Cette hésitation à demander de l'aide entraîne une souffrance prolongée, une **chronicisation** et une résistance aux traitements. Tout ceci contribue à faire de la maladie mentale la deuxième cause la plus importante des coûts de morbidité, tout juste derrière les maladies cardiaques et loin devant tous les cancers réunis.*

*Il est donc extrêmement important de lutter contre cette stigmatisation. Depuis déjà 2005, Monsieur **Zacchia** fait paraître dans le journal Métro des billets qui informent et contestent l'image qu'on se fait des « malades mentaux », faisant de **Camilo Zacchia** l'un des artisans les plus créatifs et prolifiques dans cette lutte à la stigmatisation. Ses chroniques nous amènent à réfléchir et à (nous) remettre en question.*

*Vous trouverez dans les pages qui suivent certaines des meilleures chroniques que Monsieur **Zacchia** a fait paraître au fil des ans. Je suis certain qu'elles vous intéresseront. De plus, si vous les rendez disponibles dans votre salle d'attente, elles contribueront également à éduquer vos patients. Plus important encore, elles leur indiqueront peut-être aussi qu'ils peuvent vous faire confiance et vous parler de leurs plaintes et souffrances psychiques. Vous serez ainsi non seulement des participants à la lutte à la stigmatisation, mais vous aurez « mis la table » pour mieux soulager vos patients. N'est-ce pas là ce qui nous définit et nous réunit tous en tant que médecins ?*

*Merci à toi **Camillo** pour ces « **tranches de vie** » qui nous inspirent.*

André Delorme, md, frcpc
Directeur national de la santé mentale
Ministère de la Santé et des Services sociaux

L'**Hôpital Douglas** a été désigné comme institut universitaire en santé mentale en 2006 par le ministère de la Santé et des Services sociaux. Le **Douglas** constitue une force vive fondée sur une forte tradition d'excellence et de soins humanitaires. Les personnes sont le cœur de notre mission. Un de nos objectifs fondamentaux est de participer à la lutte contre la stigmatisation en santé mentale. Nous croyons fermement que la réduction de la stigmatisation diminuera non seulement la souffrance, l'isolement, la peur et la honte qu'éprouvent les personnes vivant avec des problèmes de santé mentale, mais qu'elle améliorera également leur qualité de vie.

Pour cette raison, l'**Institut Douglas** a rehaussé son programme d'éducation du public. Ce programme englobe une variété d'initiatives, dont l'**École Mini-Psych**, une série de cours sur différents sujets de la maladie mentale (également accessible sur YouTube et Canal Vie), les **Vues de l'esprit,** une série de films suivis de discussions touchant différents thèmes de la santé mentale et s'adressant au grand public, et la chronique bimensuelle du psychologue **Camillo Zacchia**. La chronique du **Dr Zacchia** rejoint l'ensemble des lecteurs puisqu'elle aborde la psychologie, la nature humaine et les défis et difficultés de la vie de tous les jours. L'**Institut Douglas** est fier de vous présenter cette collection de certains de ses meilleurs articles dans l'espoir qu'ils sauront mettre en lumière les enjeux reliés à la maladie mentale et à la santé mentale, et contribueront à l'atteinte de notre objectif de réduire le stigma qui les entoure.

Jacques Hendlisz
Directeur Général
Institut universitaire en santé mentale Douglas

Au nom de l'**Institut universitaire en santé mentale Douglas**, c'est avec un plaisir renouvelé que je vous présente le nouveau recueil de **Camillo Zacchia**.

Ce recueil regroupe 100 chroniques publiées dans le **journal Métro** depuis plus de cinq ans, lesquelles marquent le début de cette belle aventure entre le **Dr Zacchia** et le public.
Cette année encore, nous avons ajouté à quelques-unes d'entre elles des illustrations de M. Mario Malouin, célèbre bédéiste québécois qui a accepté de partager son art pour la cause. **Merci M. Malouin !**

Chronique après chronique, nous sommes amenés à nous interroger sur nos pensées, nos croyances ainsi que sur notre attitude face aux problèmes de santé mentale.

Par ses mots, et avec persévérance, **Camillo** nous force à prendre du recul et à confronter nos préjugés. Ces efforts représentent un outil important pour la lutte contre les stigmates qui entourent la maladie mentale.

Félicitations et merci **Camillo** pour ton combat pour une société plus juste.

Je vous souhaite une agréable et captivante lecture.

Jean-Bernard Trudeau, M.D.
Directeur des services professionnels et hospitaliers
Institut universitaire en santé mentale Douglas

Mot de l'auteur

Chers lecteurs,

C'est un honneur pour moi de pouvoir vous offrir cette nouvelle édition.

Les recueils précédents m'ont valu beaucoup de beaux compliments. Les principes abordés sont souvent simples, mais la plupart des gens s'accordent pour dire qu'il est bon de se les faire rappeler de temps en temps.

« Vous me parlez (à travers vos écrits) comme si j'avais cinq ans tout en respectant mon intelligence. » Ce dernier compliment me touche particulièrement puisqu'il exprime à lui seul tout ce que j'essaie de faire par le biais de mes chroniques. Je crois sincèrement que l'on peut tirer de profondes conclusions à partir de la simple observation des faits banals du quotidien. On y retrouve les mêmes principes qui régissent nos grands défis intérieurs, tout comme ceux qui régissent les conflits entre individus ou nations, mais aussi les comportements destructeurs et autodestructeurs, la ségrégation et la stigmatisation, la peur et la dépression, pour n'en nommer que quelques-uns. Bien sûr, je traite de sujets délicats, mais vous retrouverez aussi, parsemées çà et là, des réflexions sur le côté moins sérieux de la nature humaine. J'espère même que vous vous reconnaîtrez dans certaines situations…

*J'aimerais profiter de l'occasion pour remercier tous ceux qui m'ont encouragé et appuyé au fil des ans. Pour n'en nommer que quelques-uns : **Stéphanie Lassonde**, qui m'a mis du vent dans les voiles en envoyant mon premier éditorial au **Devoir**; **Catherine Dion** et **Claudia Morrisette**, pour avoir initié la collaboration avec le journal **Métro**; **Dr Jean-Bernard Trudeau**, pour son appui enthousiaste et inépuisable; **Delphine Givois**, **Christian Denis** et **Soraya Zarate**, pour avoir compilé ces textes. D'autres intervenants-clés ont été: **Ray Barillaro**, **Marie-France Coutu**, **Lyna Morin**, **Marie-Gabrielle Ayoub**, **Chritine Limoges**, **Cédric Lavenant**, **Jessica Dostie** et **Marie-Ève Shaeffer**. Enfin, je veux témoigner toute ma reconnaissance à l'équipe de traduction qui a réussi à reproduire fidèlement mon style et à rendre mes écrits accessibles au public francophone.*

*La vie peut nous mener par bien des chemins. J'ai eu la chance de bénéficier de l'amour inconditionnel de mes parents, **Maria** et **Giuseppe**. J'ai ensuite trouvé un coeur aussi aimant en ma compagne **Lori**, qui est, depuis plus de trente ans, le pivot de notre famille. Plus tard, notre vie s'est enrichie de nos quatre enfants adoptifs, **Joshua**, **Amy**, **Tommy** et **Thi Thu**. Aujourd'hui, nourris par leurs rires, leur esprit et leur simple présence, et ce, malgré leurs bravades d'adolescents, de six nous ne formons plus qu'un.*

Rien ne pourrait me rendre plus heureux.

Camillo Zacchia

Paroles de psy avec le Dr Z

*Le point de vue d'un clinicien sur la psychopathologie,
la nature humaine et la vie quotidienne.*

*Si ce recueil de publications vous a intéressé, nous vous suggérons de lire ou
de vous abonner au blogue du **Dr Zacchia** à l'adresse suivante :*

http://www.blog.douglas.qc.ca/psychospeak

*Ce blogue fait appel au savoir scientifique, au raisonnement critique et au sens pratique pour parler
du monde qui nous entoure, qu'il s'agisse de questions d'actualité qui traitent de santé mentale
ou tout simplement d'événements de la vie de tous les jours qui révèlent certains aspects de la
nature humaine.*

*Il sera possible d'ajouter vos commentaires après chaque blogue, ce qui le rendra plus interactif.
Vous êtes donc tous invités à partager vos opinions et expériences personnelles.*

*Toutes les publications à venir, y compris les notes documentaires,
feront dorénavant partie du blogue.*

Bien que ce blogue soit rédigé en anglais, il vous sera possible de consulter
la version française des chroniques publiées dans le **Journal Métro** en suivant
les liens dans le blogue.
http://www.journalmetro.com/columnist/16501

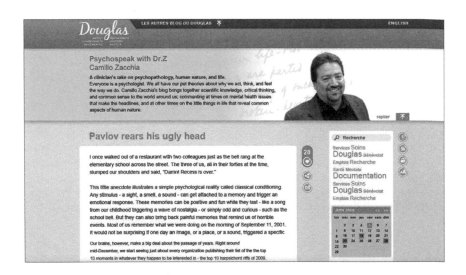

Préface

Pourquoi *La Vie en Tranches*?

*Pourquoi ai-je intitulé ma chronique du **journal Métro** « La vie en tranches »?*

*Voici un extrait de mon premier article publié en septembre 2005 qui explique le choix du titre. Il y avait déjà un bon moment que je l'avais rédigé et lorsque l'on m'a demandé de contribuer au **journal Métro**, cet article semblait tout à fait à propos pour une première publication.*

> J'adore mon emploi ! J'aime avoir une idée de ce que vit quelqu'un d'autre pendant un petit moment... avoir une idée des situations vécues par mes patients, notamment au travail... vivre une petite partie de leurs vies.
>
> Je suis un gars ordinaire, fils d'immigrants ayant fréquenté l'école publique et qui travaille pour le gouvernement. Déjà, je me doute un peu de ce qu'est la vie d'un éducateur en garderie, d'un avocat, d'un producteur de disques et d'un nettoyeur. J'ai travaillé avec des gens qui vivent seuls ou ayant une famille nombreuse, avec des retraités et des adolescents.
>
> Malheureusement, je sais bien ce qu'on ressent après avoir perdu un enfant, noyé ou encore tué par une personne ivre au volant de sa voiture. Je me considère malgré tout chanceux de pouvoir partager tout autant les victoires et les richesses de mes patients. Je sais qu'aucun autre emploi ne pourrait être aussi enrichissant et gratifiant.
>
> Vivre ces tranches de vie m'a permis d'ouvrir une fenêtre unique sur les sentiments des gens qui me disent ce qu'ils pensent vraiment (à l'opposé de ceux qui disent ce qu'ils veulent que les autres pensent qu'ils pensent!). Il n'y a pas de magie dans ce travail, mais la perspective que je gagne en échangeant ouvertement avec tant de gens est inestimable.
>
> Je suis très heureux d'avoir l'occasion d'écrire cette chronique qui me permettra de partager une certaine perspective sur une grande variété de thèmes et de parler de ce qui nous rassemble dans la vie. Je ne pourrais espérer un meilleur emploi!

*Bien qu'il se soit écoulé près de cinq années depuis la publication de cette première chronique, je peux sans hésitation affirmer que je n'y changerais pas un seul mot... à l'exception peut-être du mot « **chanceux** » que je remplacerais par « **extrêmement chanceux** ».*

Table des matières

Table des matières

Table des matières

Lectures additionnelles

Les multiples facettes de la schizophrénie

La plupart des jours, alors que je quitte mon bureau pour me rendre dans le stationnement de l'hôpital, j'aperçois Jeff, assis sur l'un des bancs près de la promenade. Je sais qu'il se nomme Jeff parce que c'est inscrit sur le côté de la semelle de ses chaussures avec du correcteur liquide. Un jour, je l'ai vu sortir un papier à cigarettes et une poignée de mégots qu'il avait méticuleusement ramassés. Il a alors rempli sa cigarette avec les restes de tabac, se roulant ainsi une cigarette recyclée. Plusieurs pensées me viennent à l'esprit lorsque je songe à la schizophrénie. L'image de Jeff roulant ses cigarettes en est un bon exemple.

Je suis toujours déçu de voir que malgré tant d'éducation populaire, une grande partie de la population croit encore que la schizophrénie réfère au trouble de la personnalité multiple. La schizophrénie est une maladie comportant plusieurs facettes, mais le seul dédoublement touche l'habileté des malades à penser et à ressentir comme ils le faisaient auparavant.

La schizophrénie est une maladie qui affecte le cerveau, comme la maladie d'Alzheimer ou celle de Parkinson, même si aucun autre désordre neurologique ne s'attaque à l'essence de notre humanité, notre esprit. Il s'agit d'une maladie dont on ne peut parler facilement. Les schizophrènes ne peuvent raconter leurs expériences parce que leurs émotions et leurs perceptions sont affectées. Certains peuvent entendre des voix qui leur disent qu'ils sont diaboliques, d'autres peuvent croire que vous montez une conspiration contre eux. Plutôt qu'engendrer de l'empathie et de la compréhension, ces comportements aliènent les proches. Certains passent des heures à se demander ce qu'ils ont fait pour ruiner leur vie. Leur enfer est vécu dans la solitude.

Je suis certain que je ne serais pas gêné d'admettre que l'un de mes enfants est atteint de leucémie. Si mon enfant développait la schizophrénie, par contre, je sais qu'il serait difficile d'en parler. Plusieurs personnes pourraient même remettre en question ma compétence en tant que parent, ou se demander si je suis moi-même sain d'esprit. La triste réalité de cette maladie est que non seulement les personnes atteintes, mais également leurs familles, doivent porter le double fardeau de la maladie et du stigma qui l'accompagne.

Les patients ne doivent pas avoir honte de leur maladie, et nous, en tant que société, ne devons pas les traiter comme des parias.

Pourquoi tout le monde est plus intelligent que moi?

Imaginez que vous êtes dans une réunion ou assis dans une classe où les gens parlent d'un article qu'ils ont lu. Étrangement, même si vous avez lu le même texte, vous n'avez pas la moindre idée de ce qu'ils racontent. Ou encore, vous sortez du cinéma avec des amis, et ceux-ci discutent de la beauté et de l'ingéniosité d'une des scènes du film que vous avez vu. Or celle-ci vous a laissé dans la confusion la plus totale! Que se passe-t-il? Êtes-vous idiot?

Ah! Ce bon vieux sentiment que vous n'êtes pas aussi intelligent que les autres. On le désigne souvent comme le syndrome de l'imposteur et il touche vraisemblablement tout le monde.

Lorsque vous étiez étudiant, vous aviez sûrement l'impression que votre collègue de classe assimilait la matière avec beaucoup plus de rapidité et de profondeur que vous. Au travail, ce sentiment se manifeste lorsque des collègues font des blagues que vous ne comprenez pas. Au parc, il surgit lorsque vous entendez une conversation entre parents qui vantent l'intelligence de leur progéniture. Comment en suis-je arrivé là? Comment ai-je pu obtenir cet emploi? Je ne sais rien! J'ai réussi à tromper tout le monde, mais bientôt je serai démasqué. J'ai été chanceux jusqu'à présent, mais bientôt tout va s'écrouler.

Lorsque j'étais étudiant, je comprenais peu ce que je lisais et mon niveau d'attention en classe n'était pas très élevé. J'avais l'impression d'être entouré de génies qui comprenaient tout. J'étais à la fois impressionné et en état de panique. Comment vais-je faire pour réussir si je ne comprends que 10 % de ce que je lis? Puis, je me suis mis à me poser de sérieuses questions. J'obtiens de bons résultats malgré le fait que plusieurs informations m'échappent, comment est-ce possible? Ça doit être de la chance. Je dois avoir la faculté de bien deviner.

Peut-être que j'étais un étudiant normal. Peut-être que les humains ont une faculté de concentration et d'apprentissage imparfaite et que personne ne comprend tout ce qu'il lit ou tout ce qui lui est enseigné.

Voici la vérité. Dans les faits, les gens n'en connaissent pas autant que vous croyez. Nous avons tous tendance à parler des choses que nous connaissons ou que nous avons observées. Si les gens ont lu un livre ou vu un film, ils parleront des éléments qui les ont marqués. Chacun accorde de l'attention à des choses différentes. Nous faisons fausse route en pensant que tout le monde comprend ce que nous avons capté, et bien plus encore. En réalité, ils ont seulement soulevé différentes informations, pas plus d'informations.

Vous pouvez vous libérer de cette insécurité en reconnaissant que le cerveau humain, même s'il fonctionne bien, est imparfait. Nous cachons notre ignorance en parlant uniquement des choses que nous connaissons. Et ce faisant, nous donnons l'illusion aux autres que nous comprenons tout.

Croyez-moi, la prochaine fois que vous êtes en classe ou en réunion - en état de semi-panique - vous demandant pourquoi tout le monde est plus intelligent que vous, soyez rassurés… Au moins 90 % des gens dans la salle se posent exactement la même question.

Vous avez dit protection?

Laissez-moi vous raconter l'histoire d'une jeune fille qui, à l'âge de 12 ans, a eu la malchance de perdre sa mère atteinte de cancer. Son père, qui trouvait qu'une maison pleine de garçons plus vieux n'était pas la place pour une adolescente vulnérable, l'a placée sous la protection de la DPJ. Une semaine plus tard, on la violait. C'était là sa première expérience en famille d'accueil. Les agressions se produisaient chaque semaine. Je vous épargne les détails, mais la situation s'est aggravée dans la seconde famille d'accueil. Quelque temps plus tard, elle a décidé de s'enfuir et a passé sa première nuit sous la tour de l'île Sainte-Hélène. Que faisais-tu quand tu avais 12 ans?

« Un jour, je jouais avec des poupées Barbie, et le lendemain, je dormais dans les rues de Montréal », répond-elle.

Rapidement, elle est revenue dans les familles d'accueil, mais elle était rebelle et elle avait développé des mécanismes de défense pour se protéger. Ainsi, en l'espace d'une année, elle a déménagé dans 18 familles différentes. Ces transferts ont dépouillé l'adolescente de sa jeunesse. Plus encore, on lui a volé le sentiment de sécurité indispensable à toute relation amoureuse. Elle est devenue une adulte remarquable, mais elle est profondément handicapée. Quand elle est amoureuse, elle est terrifiée à l'idée d'être rejetée ou dominée. Elle se sent différente des autres et a perdu son sentiment d'appartenance.

En tant que psychologue, je peux dire qu'il n'y a rien de pire que la perte du sentiment de sécurité. Rien. Imaginez si chaque deux mois, on vous disait : « Nous allons vous enlever votre fils et voici un autre enfant pour le remplacer » ou « Oubliez Jacques, votre nouveau mari sera Philippe. » Voilà des situations impensables, et pourtant, nous demandons à des jeunes de faire face à des situations semblables chaque fois qu'ils sont transférés d'une famille à l'autre.

Le film « Les voleurs d'enfance » présente un portrait peu flatteur du système de protection de la jeunesse. Ce documentaire devrait nous sensibiliser non seulement aux problèmes du système, mais aussi à nos valeurs, tant personnelles que celles que notre société véhicule. Comment les choses peuvent-elles être aussi déplorables alors que nos intentions sont si bonnes, incluant celles des intervenants de la DPJ? Est-ce parce que peu d'entre nous sommes prêts à devenir famille d'accueil? Les transferts sont-ils effectués trop rapidement dès que le moindre problème apparaît? Abandonnons-nous trop vite les enfants? Est-ce que les principes des conventions collectives telles que la séniorité et la supplantation sont de plus grandes priorités que le maintien d'une certaine stabilité dans la vie des résidents. Attendons-nous trop longtemps, dans l'espoir que les parents biologiques se reprennent en main, avant de trouver une solution stable et permanente pour les jeunes?

Toutes les réponses, je le crains, sont bonnes.

Faire face graduellement à ses peurs et à ses angoisses peut produire d'impressionnants changements.

La psychologie de l'écureuil

Voyons voir… Qu'est-ce que les écureuils peuvent nous apprendre sur la nature humaine et sur l'anxiété?

Supposons que vous vous baladez dans le boisé d'une banlieue peu habitée et qu'un écureuil croise votre chemin. Que fera-t-il? S'il se comporte comme la majorité des écureuils, il évaluera rapidement la situation - cela semble être grand, vivant et très menaçant - et il prendra la poudre d'escampette. Autrement dit, son anxiété innée se déclenchera pour le protéger d'un prédateur potentiel.

Maintenant, prenons son cousin de la ville, un écureuil qui se tient dans le coin du Chalet du Mont-Royal. Avez-vous déjà remarqué que lorsque vous marchez dans ce secteur, vous êtes rapidement entouré par plusieurs écureuils? Ils semblent n'avoir aucune crainte des humains. Au contraire, si vous tendez la main, ils avanceront souvent jusque dans le creux de votre paume. Un écureuil du Mont-Royal ne semble pas avoir peur des humains; il se sauvera seulement si vous faites un mouvement brusque ou menaçant.

La différence entre ces deux types d'écureuils ne réside pas dans leur constitution fondamentale; ils sont tous deux programmés génétiquement pour avoir peur des humains. La différence tient plutôt à leur expérience. En ayant été exposés fréquemment aux humains sans être attaqués et, encore mieux, en ayant été nourris par eux, les écureuils du Mont-Royal ont appris à surmonter leurs peurs innées, pourtant très puissantes.

Cela semble une comparaison un peu étrange, mais il s'agit là d'une importante leçon. Nous avons tous des peurs et nous éprouvons tous de l'anxiété. La plupart des peurs sont naturelles et nous en avons tous notre lot, mais elles varient en intensité d'une personne à l'autre. Bien que ces différences individuelles puissent être attribuables à des facteurs génétiques, c'est l'expérience qui les atténuera ou les amplifiera. Ainsi, peu importe la cause, les peurs peuvent être réduites ou surmontées par des expériences positives.

Nos peurs et notre anxiété peuvent facilement nous contrôler et devenir des phobies. En évitant les situations anxiogènes, vous vous sentirez mieux temporairement, mais au bout du compte, cela ne fera qu'empirer les choses. L'évitement érode notre confiance. Inversement, en faisant face à nos peurs, on peut arriver à développer une étonnante confiance en soi. La clé, c'est de ne pas s'attendre à se sentir à l'aise tout de suite. Voyez-le comme une occasion d'apprendre et essayez de faire face à vos peurs graduellement. Vous serez surpris du résultat!

Un exemple? Auparavant, j'étais très nerveux lorsque je devais prendre la parole en public. Je l'ai fait quand même en acceptant mon sentiment d'inconfort comme étant normal. Aujourd'hui, je suis très à l'aise quand vient le temps de m'adresser à un groupe. Les gens me disent souvent :

« Ça semble si naturel pour vous! » Ah, si seulement ils savaient à quel point c'était difficile pour moi avant… J'imagine qu'avec le temps et la pratique, je suis devenu comme les écureuils du Mont-Royal.

C'est la même chose pour vous. Affrontez vos peurs! Ne les évitez pas! Ainsi, vous ne serez plus leur esclave.

Les tempéraments innés. Je ne pouvais pas faire mieux que de parler de ma fille!

Ma fille Thi Thu

Ma fille Thi Thu, ma très chère Thi Thu, est l'enfant la plus joyeuse au monde. En plus d'être malentendante, elle a passé les sept premières années de sa vie dans un orphelinat de DaNang, au Vietnam.

Nous avons tous entendu des histoires d'horreur à propos des orphelinats dans les pays en voie de développement. La question se pose : comment se fait-il que cette enfant qui a grandi dans un environnement sans amour, avec un handicap, soit si heureuse? En fait, elle était très aimée. Grâce à sa personnalité enjouée, elle a été dorlotée par les nourrices de l'orphelinat.

Thi Thu est au Canada depuis maintenant quatre ans et demi. Elle a appris le langage des signes et apprend aussi à lire et à écrire à l'école du Centre Mackay. À travers tout cela, sa force réside dans son caractère. Elle est facile à aimer. Elle nous fait rire aux éclats très souvent dans ses gestes quotidiens. Elle est tout simplement une personne amusante et toujours de bonne humeur. Pourquoi suis-je en train d'écrire à son sujet, mis à part le fait que ça me rend heureux? Eh bien, je ne peux imaginer meilleur exemple pour parler du rôle que joue le tempérament inné pour définir notre personnalité.

Alors que notre éducation, nos expériences et les situations que nous vivons jouent un rôle important pour définir ce que nous sommes, les personnalités sont généralement très stables. Regardez autour de vous. Certaines personnes sont détendues; d'autres, plus sérieuses. Certaines voient la vie en rose alors que d'autres anticipent le pire. D'autres sont tout simplement drôles et amusantes. N'ont-elles pas toujours été comme cela? Avez-vous déjà connu une personne sérieuse devenir tout à coup le petit comique du groupe ou encore une personne sociable se transformer en ermite?

En tant que psychologue, mon travail est d'aider les gens à changer. Cependant, aucune thérapie ou autre traitement n'altérera profondément le caractère d'un individu. Les changements mineurs que nous pouvons apporter à notre comportement peuvent avoir un impact majeur sur nos vies. Le problème survient lorsque les personnes sont trop exigeantes envers elles-mêmes et leurs proches. Si nous choisissons des carrières ou des relations adaptées à notre personnalité, il y a fort à parier que nous serons plus heureux que les personnes qui essaient de trop modifier leur personnalité et celles des autres pour répondre à leurs attentes déraisonnables.

Acceptez-vous et acceptez vos proches comme ils sont. Votre vie en sera simplifiée et cela contribuera à vous rendre plus heureux. Et si vous avez la chance d'avoir le même tempérament que Thi Thu, vous serez peut-être aussi heureux qu'elle.

Le bonheur en trois temps

Pourquoi certaines personnes semblent plus satisfaites de leur vie? Pourquoi certains d'entre nous ont l'habileté de traverser plus facilement les temps durs que les autres? Voilà des questions auxquelles il n'est pas aisé de répondre, puisque la satisfaction et le bonheur impliquent une multitude de facteurs, notamment le bagage génétique, la personnalité et les différentes situations. En fait, l'un des facteurs importants se trouve dans l'équilibre que nous établissons entre les trois rôles que nous devons jouer quotidiennement.

■ Le gars du bureau

Il y a des gens qui me connaissent comme psychologue. Des patients, des collègues, des étudiants – et même vous – me voyez sous cet angle. La plupart d'entre nous avons un rôle professionnel. Ce rôle est une importante facette de notre identité et contribue à notre sentiment d'utilité et d'accomplissement. Être fier de ce que l'on fait et bien le faire peut grandement contribuer à notre sentiment de bien-être.

■ Le gars sociable et père de famille

Quand je vais au parc, vêtu d'une paire de shorts et d'un t-shirt décontracté pour encourager mes enfants dans les petites ligues, je suis simplement un papa comme tous les autres. Très peu de parents savent ce que je fais dans la vie et cela n'a aucune importance. Je pourrais tout autant être vendeur ou ouvrier de la construction; je serais traité de la même façon. Nous avons tous un rôle non professionnel, un rôle où nous sommes reconnu comme ami, fils, parent ou voisin. Nos rapports avec les autres, dans notre famille et les cercles sociaux, sont aussi importants pour notre identité et notre bien-être que notre profession.

■ Le « Moi » tout simplement

J'ai des passions. Nous en avons tous. Quand je fais du vélo seul, j'apporte habituellement mon iPod. Et si je me retrouve sur un parcours désert, les oiseaux sont les seuls « heureux » à m'entendre chanter à tue-tête avec Tom Waits. Quel bonheur!
Nous avons tous besoin d'être nous-mêmes occasionnellement et de trouver du temps pour nous amuser. Le problème, c'est que certains d'entre nous laissent leur boulot ou leurs responsabilités sociales ou familiales interférer dans la pratique de leurs passions.

■ L'équilibre comme objectif

Un bon nombre de personnes malheureuses ou déprimées ne s'accomplissent pas entièrement dans leurs trois rôles ou se consacrent trop à un seul d'entre eux. Il s'agit de trouver l'équilibre entre les trois rôles que nous devons jouer dans la vie pour nous protéger si les choses devaient mal se passer dans l'une de ces sphères. Si vous ressentez une certaine frustration face à votre existence, il peut être bon d'examiner vos trois rôles et de voir si l'un d'entre eux (ou plus) a besoin davantage d'attention.

En terminant, je vous mets en garde. Si vous vous passionnez de vélo et que, par un beau jour, nous nous retrouvons sur le même parcours, je vous conseille d'apporter des bouchons pour les oreilles!

J'ai écrit cette chronique pour commémorer les 16 ans de la tuerie à l'Université de Montréal.

Drame de Poly : 14 tragédies

Pour tourner à gauche sur le chemin Queen-Mary en conduisant vers le nord sur Côte-des-Neiges, je dois emprunter la rue Decelles. Souvent, je dois attendre un bon bout de temps au feu de circulation de cette intersection. À ma gauche se trouve le petit parc érigé à la mémoire des quatorze jeunes femmes abattues par Marc Lépine il y a aujourd'hui 16 ans. Invariablement, je regarde le parc jusqu'à ce que le feu change. Et lorsqu'il tourne au vert, je m'éloigne de l'intersection très lentement, envahi d'une profonde tristesse qui m'empêche presque de me concentrer sur la route. Ça m'arrive chaque fois!

J'ai déjà marché à travers ce parc. Ce qui m'a le plus frappé du mémorial, ce sont les quatorze prénoms écrits au sol de façon créative et inhabituelle. On met un certain temps à déchiffrer les noms, puisque ce sont les espaces entre les lettres, et non pas les lettres elles-mêmes, qui sont remplis. Une façon très puissante qu'a utilisée l'artiste Rose-Marie Goulet pour symboliser la perte, en laissant vide ce qui est disparu. Une visite dans ce parc a toujours pour effet de me vider émotivement.

Comment arriver à expliquer une tragédie aussi horrible? Chaque personne a son opinion et chaque expert sa théorie: c'est la faute d'un individu devenu fou, c'est le résultat d'une société sexiste, c'est la faute de tous les hommes, c'est la faute de quelques hommes, c'est la faute des radicaux, ce n'est la faute de personne. Bien entendu, les vraies raisons ne peuvent être que complexes et multifacettes.

En ce qui me concerne, j'ai un problème avec toutes ces théories et jeux d'accusations qui ont suivi le massacre. Plutôt que de nous aider à surmonter le drame, ou peut-être même de nous aider à éviter d'éventuelles tragédies, nous ne faisons qu'entretenir plus d'amertume et de haine, plus de pensées dichotomiques - « nous » versus « eux » -, plus de généralisations, plus d'intolérance. Cela nous éloigne de la seule vraie leçon à tirer de ce drame monstrueux : le respect des individus. C'est cela qui me lie à ce parc, le souvenir de chacune de ces quatorze brillantes et talentueuses jeunes femmes.

Ces quatorze femmes étaient des filles, des sœurs, des copines, des épouses, des meilleures amies et bien plus. Chacune d'elle a touché des centaines de vies directement et des milliers d'autres indirectement. Chaque perte est une tragédie. Se souvenir de quatorze vies souligne la magnitude de ces quatorze tragédies séparées.

Souvenez-vous d'elles. Visitez le mémorial et sentez leur présence.

Le Journal Métro m'a demandé de contribuer à un cahier spécial sur l'obésité.
Ma première réaction fut : "Vous plaisantez ?"

Confession d'une personne « XL »

Aujourd'hui, je porte des vêtements « extra large » et je suis fier de dire que je ne porte plus « extra-extra-large ». Je n'ai peut-être pas la crédibilité requise pour parler d'obésité et de stratégies de perte de poids, mais j'ai pensé qu'en partageant mes propres difficultés dans ce domaine, et en ajoutant certains principes de base, j'apporterais une amélioration aux douzaines de nouvelles stratégies inefficaces - mais ô combien populaires - de perte de poids qui sont lancées chaque année sur le marché.

■ Soyez honnête

Commencez par être honnête avec vous-même et avec les autres. Si vous pesez 300 livres, vous ne tromperez personne en mangeant une salade lors d'une rencontre pendant l'heure du lunch. Personne ne vous croit lorsque vous dites que vous mangez moins que les autres. Dites la vérité et peut-être obtiendrez-vous davantage de soutien et d'encouragement.

■ Laissez tomber les régimes, changez le vôtre!

Arrêtez de suivre des régimes! Opérez plutôt des changements permanents à votre alimentation. Même si certains régimes spéciaux fonctionnent très bien et donnent des résultats impressionnants, vos efforts auront été inutiles si vous reprenez toujours le poids que vous avez perdu. Il est facile d'arrêter de consommer du pain ou des pâtes un certain temps, mais pouvez-vous le faire tout le temps? Faites plutôt des changements permanents avec lesquels vous serez à l'aise. Par exemple, je bois mon café noir. J'ai dû m'y habituer, mais maintenant, je trouve qu'il goûte aussi bon que n'importe quel autre café, sans les calories qui viennent avec la crème et le sucre.

■ Perdez du poids lentement, mais sûrement.

Une livre, c'est une livre. Une livre, c'est aussi 3 500 calories. Retrancher seulement 100 calories par jour représente environ dix livres par année. Il ne s'agit peut-être pas là d'une importante perte de poids, mais vous le maintiendrez. Faites de petits changements permanents et soyez patient. Si vous maigrissez trop vite, vous ne ferez que ralentir votre métabolisme, et en fin de compte, vous reprendrez le poids perdu.

■ Évitez les formats géants

Pourquoi payer un dollar pour un petit sac de croustilles au dépanneur quand vous pouvez en obtenir quatre fois plus pour le même prix à l'épicerie? Parce que vous arrêterez de manger quand le petit sac sera vide. Voilà pourquoi. Vous en mangerez au moins le double dans le gros sac, peut-être même le finirez-vous au complet. Plusieurs d'entre nous paieraient cher pour perdre une livre et ne pas la reprendre. Alors pourquoi achetons-nous deux fois plus de nourriture que nécessaire simplement parce que ça signifie une économie de quelques sous ?

■ Ralentissez et coupez votre appétit

Quelque 20 minutes après avoir commencé à manger, votre cerveau reçoit un message de satiété. C'est pourquoi les enfants coupent leur appétit quand ils mangent juste avant un repas. Le problème, c'est qu'il est possible de consommer une grande quantité de nourriture en 20 minutes! Essayez donc de ralentir le processus. Si vous êtes assez affamé pour deux sandwichs, mangez-en un et attendez une demi-heure avant de décider si vous voulez le second.

■ La forme d'abord, la minceur ensuite

Vous pouvez perdre du poids pour votre apparence physique ou pour votre santé. Il y a longtemps, j'ai décidé que je m'inquiéterais d'abord de ma santé. Je n'en ai peut-être pas l'air, mais je pourrais facilement monter sur ma bicyclette et faire une randonnée d'une centaine de kilomètres en moins de quatre heures. Pas mauvais pour un homme de ma taille! Je fais de l'exercice parce que c'est important. Seul, l'exercice n'est pas une méthode très efficace pour perdre du poids, mais il produit les mêmes avantages que la perte de poids pour la santé. S'entraîner et mieux manger est la combinaison idéale, mais n'abandonnez pas l'entraînement même si vous ne perdez pas de poids.

■ Mieux vaut prévenir...

Quand j'étais enfant, mes proches me pinçaient les joues et disaient à ma mère combien j'avais l'air en santé. Mes ancêtres italiens ont dû souffrir du manque de nourriture pendant la Deuxième Guerre parce que croyez-moi, une fois émigrés à Montréal, nous n'en avons plus jamais manqué ! Sachez ceci : une fois qu'une cellule graisseuse est produite dans le corps, elle ne peut que diminuer ou augmenter. Elle ne disparaît pas. Assurez-vous que vos enfants mangent des portions raisonnables et tentez par tous les moyens d'empêcher que ces cellules graisseuses se multiplient. Tout cela leur épargnera bien des difficultés.

Les montgolfières et nos présomptions

Il y a plusieurs années, lorsque les frères Montgolfier inventèrent leur fameux ballon, un chimiste français du nom de Joseph-Louis Gay-Lussac y vit la possibilité de mener des expériences en altitude.

Ce qui vient du ciel... Il s'éleva ainsi au-dessus des nuages grâce au ballon et commença ses travaux. Un jour, il se mit à perdre de l'altitude à un moment critique et craignit de devoir mettre fin à son expérience. Réfléchissant rapidement, il décida d'alléger sa charge en jetant par-dessus bord une vieille chaise qu'il avait apportée avec lui. Une petite fille, qui n'avait jamais entendu parler de la montgolfière, se trouvait aux champs lorsque la chaise tomba du ciel. Qu'auriez-vous pensé à sa place ? Comment expliquer ce phénomène autrement? Cette chaise devait assurément venir de Dieu!

La vraie explication est simple pour nous, puisque nous disposons de tous les faits. Malheureusement, dans la vie, nous ne détenons pas toujours toutes les informations nécessaires pour vraiment comprendre ce qui se passe.

Fréquemment, nous sautons aux conclusions pour expliquer des situations ambiguës. Ces présomptions sont basées sur une multitude de facteurs, comme notre compréhension du monde, nos perceptions, nos humeurs et le nombre limité de faits à notre disposition. Les présomptions que nous invoquons peuvent faire une nette différence sur la façon dont nous nous sentons.

Que pensons-nous lorsqu'un collègue passe près de nous sans même dire bonjour ? On se demande s'il est fâché en raison de quelque chose que nous avons fait. On s'en inquiète. Mais qu'arriverait-il si vous appreniez plus tard qu'il avait perdu ses verres de contact et en attendait une nouvelle paire? Vos préoccupations se dissiperaient.

Vous passez près d'un groupe de gens qui éclatent de rire au moment où vous vous éloignez. Que pensez-vous? Quelqu'un vient-il de raconter une blague ou se moquent-ils de vous?

Votre analyse de la situation déterminera si vous devez vous sentir dénigré - ou non - par ce groupe.

Vous ne retrouvez plus votre porte-monnaie? Si vous jugez qu'on vous l'a volé, vous serez très fâché et irez peut-être même jusqu'à accuser une personne innocente.

Même s'il est difficile de ne pas faire de présomptions quand les choses ne sont pas claires, de grâce, faites-vous - ainsi qu'à tout le monde – un grand bien en les considérant comme des possibilités et non comme des certitudes.

Vous ne le saurez jamais si cette chaise tombée du ciel venait de Dieu ou d'un chimiste désespéré. Peut-être que vous vous êtes fait voler votre porte-monnaie. Mais il se pourrait également qu'il ait glissé de vos poches et que vous le retrouviez entre les coussins de votre divan.

Cette démangeaison me rend fou!

Si je vous disais que le premier symptôme important de la grippe aviaire est une démangeaison cutanée, combien de temps cela prendrait-il avant que vous vous grattiez?

Voilà le problème de l'hypocondriaque. Il ne sait jamais si un symptôme est réel ou s'il est le fruit de son imagination. Des symptômes étranges peuvent signifier n'importe quoi, d'un état normal à une mort imminente.

Deux choses arrivent quand on s'inquiète de sa santé de manière excessive. D'abord, on centre son attention sur des symptômes normaux. Cette fatigue que je ressens, pourrait-elle être un signe de leucémie ? Si l'on vérifie sur Internet, on apprend que cela pourrait être possible. Bien sûr, ce pourrait être simplement un signe de… fatigue! Cette focalisation amplifie la présence des symptômes. La deuxième étape survient lorsque l'hypocondriaque s'informe d'un autre symptôme jamais ressenti auparavant, par exemple, des douleurs aux articulations. Il se met alors à penser : -« Comment sont mes articulations? » En peu de temps, celles-ci commenceront à être douloureuses.

Comme n'importe quelle autre forme d'anxiété, l'hypocondrie résulte en partie de notre volonté de s'assurer que tout soit sous contrôle. Malheureusement, nous ne pouvons jamais être en contrôle de tout. Quand nous essayons de nous rassurer, nous nous souvenons d'histoires de gens qui ont quitté la clinique médicale avec un excellent bilan de santé et qui sont décédés trois jours plus tard.

Donc, comment distinguer les vrais problèmes de ceux qui émanent de notre imagination? C'est impossible. Du moins, pas avec certitude. Nous devons accepter de vivre avec un certain niveau de risque, tout comme nous le faisons lorsque nous conduisons notre voiture ou descendons les escaliers. Toutefois, voici quelques façons de distinguer la vraie maladie de l'état anxieux.

Premièrement, en général, les vraies maladies ne se déplacent pas dans le corps humain. Typiquement, après avoir consulté un neurologue pour des maux de tête, l'hypocondriaque verra la douleur disparaître, puis se déplacer et se transformer en douleur à la poitrine. Deuxièmement, les vraies maladies n'apparaissent pas immédiatement après qu'on en ait entendu parler. Par exemple, un reportage au bulletin de nouvelles ou la mort d'une connaissance ne nous rendra pas malade. Troisièmement, les vraies maladies sont généralement évidentes. Je me souviens d'un patient qui avait dû se rendre à l'urgence pour une douleur insoutenable causée par une pierre au rein. L'expérience l'avait soulagé. « Maintenant, je sais quand j'ai un vrai problème! », avait-il reconnu.

Il y a d'autres différences, mais en fin de compte, nous ne pouvons qu'essayer de vivre en bonne santé et suivre les conseils de notre médecin. Nous devons accepter le fait que notre vie se terminera un jour. Notre défi est de ne pas laisser notre inquiétude ruiner cette vie que nous tentons, au prix de tant d'efforts, de préserver.

À l'origine, cette chronique s'intitulait Moments Carpe Diem. Un des secrets du bon-
heur est de savoir apprécier le moment présent. Je me suis servi de mes souvenirs
du Vietnam et de la crise du verglas pour illustrer l'importance de saisir ou de créer
des moments mémorables.

Le pouvoir des souvenirs

Que vous rappelez-vous de la crise du verglas en 1998? Comme vous, j'ai plusieurs souvenirs de cette semaine, mais un en particulier ressort du lot. Après que le courant a été coupé, ma belle-sœur et sa famille sont venus habiter chez moi parce que nous avions un poêle à bois. Nous avions placé tout ce que contenait notre congélateur sur le balcon.

Le mercredi, troisième journée de la crise, la température s'est réchauffée et tout ce qui se trouvait sur le balcon a dégelé. Quand j'ai ouvert le contenant de deux litres de crème glacée au chocolat, j'ai vu qu'elle avait complètement fondu. J'ai alors fait la seule chose rationnelle à laquelle je pouvais penser. J'ai appelé mes deux enfants, de même que mon neveu et ma nièce, et je leur ai distribué chacun une paille, en prenant soins d'en garder une pour moi aussi. Puis, j'ai placé le contenu au milieu de la table et je les ai invités à se servir. « Allez, les enfants, buvez! » Imaginez la scène : cinq têtes penchées au-dessus du contenant se disputant chaque goutte.

Les moments marquants accentuent la connexion que nous avons avec les autres. Ces moments peuvent être drôles, doux-amers ou ironiques. Comme des photographies, ils croquent sur le vif un événement, une relation ou une période de nos vies. Tels sont les moments dont nous nous souvenons quand nous faisons l'éloge d'un être cher, quand nous célébrons un collègue qui prend sa retraite ou quand nous rencontrons un vieil ami après de nombreuses années.

Même s'ils arrivent souvent spontanément, les moments marquants peuvent aussi être encouragés ou planifiés. Si vous vous éloignez de votre routine et faites quelque chose d'inhabituel, vous trouverez que vous vous souviendrez non seulement de cette situation spécifique, mais également de son contexte.

Par exemple, je me souviens d'une visite au restaurant sur China Beach, au Vietnam. Même si j'étais pressé, je me rappelle avoir demandé aux gens qui m'accompagnaient de m'excuser quelques minutes. J'ai roulé mes pantalons et suis allé marcher dans l'eau chaude de la mer.

Ce faisant, je savais que je me rappellerais toute ma vie de ce pays extraordinaire et des expériences vécues.

De la même manière, le souvenir de la crise du verglas que j'ai décrit me rappelle cette semaine entière: le véritable défi à relever pour trouver du bois, des couvertures, des chandelles et des jeux de cartes, et par-dessus tout, le plaisir que nous avons eu et le rapprochement que nous avons ressenti.

C'est toujours la faute de l'autre, que ce soit sur la route ou dans la vie!

Le chauffard, c'est pas moi, c'est lui!

Avez-vous déjà remarqué que lorsque quelqu'un nous coupe le chemin sur l'autoroute, nous klaxonnons et crions: « Imbécile! Tu ne sais pas conduire! » À l'inverse, quand c'est nous qui coupons accidentellement un autre conducteur qui nous klaxonne, nous lançons : « On se calme, je t'ai vu. Ne fais pas le con! » Et quand vous racontez ce qui s'est passé à vos collègues de bureau, tous sont d'accord pour dire que c'est l'autre conducteur qui a été stupide, pas vous.

Ce même phénomène se reproduit dans plusieurs autres situations. Je me souviens que lorsque j'étais étudiant, la plupart d'entre nous pensait que le comportement des professeurs était inacceptable. Ils n'expliquaient pas bien les choses, ne prenaient pas le temps de nous rencontrer et étaient complètement injustes dans l'évaluation de nos travaux. Mes compagnons et moi nous accordions tous pour dire que la plupart d'entre eux n'étaient que de mauvais enseignants. Lorsque j'ai commencé à enseigner, j'ai réalisé que les étudiants avaient des demandes déraisonnables, se souciaient seulement d'apprendre la matière qui serait à l'examen et se plaignaient sans arrêt de leurs notes. Mes collègues et moi avons alors convenu que la plupart d'entre eux n'étaient que de mauvais étudiants.

Quand nous avons un conflit avec quelqu'un, tous ceux qui nous entourent sont d'accord pour dire que l'autre personne est la seule responsable du problème. Cette affirmation nous permet certainement de nous sentir bien et de confirmer notre position, mais nous empêche de comprendre le point de vue de l'autre personne.

■ Un art

Comment pouvons-nous toujours avoir raison? Et comment se fait-il que les gens avec qui nous discutons soient toujours d'accord avec nous ? Je suppose que nous pouvons penser que, grâce à une chance incroyable, nous avons raison à tout coup. Comme le pensent également nos amis et nos collègues. Mais si c'est le cas, où sont donc tous ceux qui ont tort ? Je sais ! Il doit y avoir une sorte d'univers parallèle où se trouvent toutes les personnes dans l'erreur.

Cet univers parallèle existe. C'est vrai, je l'ai vu. J'en ai parfois un aperçu lorsque je me regarde dans le miroir.

Les raisons de notre colère

La colère est une de nos émotions les plus fondamentales. C'est une réaction naturelle de protection qui nous aide à lutter pour notre survie. Pourtant, c'est peut-être l'émotion la plus importante à gérer. Incontrôlée, elle peut conduire à de graves conflits interpersonnels et à des agressions physiques et verbales. Pour gérer cette puissante émotion, il est important de savoir pourquoi nous nous mettons en colère. Il existe deux raisons de base à la colère : les attentes non comblées et le sentiment d'injustice.

■ Les attentes non comblées

Si votre mécanicien vous promet que votre voiture sera prête à midi et qu'elle ne l'est pas quand vous arrivez à deux heures, il est normal que vous soyez en colère. Si, par contre, vous savez d'expérience que votre voiture n'est jamais prête à temps et que vous seriez chanceux qu'elle soit prête avant la fin de la journée, ce délai ne vous affectera pas. Il est normal de ressentir de la frustration si une chose que vous attendez ne se produit pas.

■ Le sentiment d'injustice

Si quelqu'un entre après vous à la clinique médicale et que cette personne est appelée avant vous dans le bureau du médecin, vous serez probablement en colère et vous vous demanderez quel passe-droit vous faudrait-il pour être servi aussi rapidement. Mais imaginez que cette personne était là deux heures avant vous et qu'elle était simplement sortie remettre de l'argent dans un parcomètre? Nos réactions à chaque situation sont dictées par la compréhension que nous en avons. Si nous avons l'impression qu'on nous traite injustement, nous nous mettrons toujours en colère.

■ Première étape: posez-vous des questions

Que faire si vous êtes trop souvent en colère? Commencez par examiner vos attentes. Sont-elles réalistes? Avez-vous besoin de tenir plus souvent compte des situations inattendues? Vos normes sont-elles trop élevées? Puis, examinez vos perceptions. Sont-elles exactes? Disposez-vous de toute l'information? Auriez-vous besoin de faire plus confiance aux gens? En vous posant de telles questions, vous réaliserez peut-être que tout va bien et qu'il n'y a pas d'injustice. En d'autres mots, il vous faut peut-être changer votre façon de voir les choses.

■ Deuxième étape: faites face au problème

Parfois, vos attentes sont réalistes et votre perception des choses est juste. Dans ces situations, il est normal de ressentir de la colère. Lorsque cela se produit, la meilleure solution est de faire face au problème directement afin d'éliminer le traitement injuste. C'est peut-être le temps de vous affirmer, d'avoir des demandes sensées et d'établir des limites raisonnables. En d'autres mots, il vous faut peut-être changer votre comportement à l'égard des autres.

Si aucune de ces étapes ne fonctionne, il est peut-être temps de changer de mécanicien.

Les personnes souffrant de dépression ont tendance à déformer la réalité, ce qui a pour effet d'exacerber leur sentiment d'abattement. Cette chronique décrit les principes d'une thérapie d'approche cognitive contre la dépression.

Espresso ou expresso?

Comment appelez-vous ces petites tasses de café italien? Posez la question à n'importe qui et vous constaterez qu'environ la moitié d'entre eux disent « EX-presso » et l'autre, « ES-presso ». Est-ce important? Cela dépend de votre état d'esprit.

J'ai déjà reçu dans mon bureau un homme très déprimé qui avait l'impression que sa vie était un échec complet. « J'ai un emploi pourri, je suis obèse, j'ai des problèmes de peau et mon propre frère me trouve stupide. » Quelques jours auparavant, il avait commandé un expresso au restaurant, et son frère l'avait corrigé en disant : « Il faut dire 'ES-presso', pas 'EX-presso'. » « Il m'a fait sentir complètement idiot! », m'a expliqué mon patient. Cet exemple illustre très bien ce qui rend certaines personnes vulnérables à la dépression.

Si quelqu'un corrigeait votre prononciation du mot « espresso », vous auriez sensiblement l'une de trois réactions suivantes : une attitude positive, « Ah bon, c'est intéressant, il n'y a pas de X dans 'espresso'? »; une réaction neutre, « Bon d'accord, mais quelle importance, la moitié du monde dit 'EX-presso' », ou une réaction négative, « Oh, que je suis stupide! »

Nous avons tous et toutes une perception fondamentale de nous-mêmes et du monde qui nous entoure. On appelle ça des convictions et ce sont ces filtres que nous utilisons pour interpréter les événements de notre vie. Mon patient, lui, avait déjà la conviction d'être un raté. Il avait donc tendance à faire une interprétation négative du commentaire de son frère. Son préjugé lui faisait entendre les commentaires comme des critiques et lui faisait rejeter les compliments ou les louanges comme de simples signes de politesse plutôt que comme une reconnaissance sincère de la qualité de son apport.

Lors d'une thérapie pour dépression, nous tentons de conscientiser les gens à leurs préjugés et nous les aidons à comprendre le rôle des interprétations négatives qui entretiennent et qui exacerbent leur sentiment d'abattement. Il ne suffit pas de s'autopersuader du contraire. On doit passer par une analyse critique des faits pour en venir à changer ces biais d'interprétation.

Les patients apprennent à prendre un peu de recul face à leur monologue intérieur habituel pour voir les choses de façon plus juste et réaliste.

En fait, cet homme est loin d'être un raté. Sa famille l'adore, c'est un entraîneur de soccer très populaire, il a beaucoup d'amis et son travail lui vaut toujours des commentaires favorables. S'il pouvait apprendre à reconnaître objectivement ces faits, il ne ferait pas une interprétation aussi négative des commentaires et des événements.

Ainsi, la prochaine fois qu'on lui offrira un EXpresso, il pourra sourire et se dire: « Qu'importe la prononciation, je vais en prendre un double! »

*J'ai écrit cette chronique pour célébrer le 125ᵉ anniversaire de l'**Hôpital Douglas**.*

L'asile

Lorsque les gens apprennent que je travaille comme psychologue à l'Hôpital Douglas, ils réagissent habituellement de deux façons. Certaines personnes me prennent à part pour me parler d'un membre de leur famille chez qui on a récemment diagnostiqué une schizophrénie, une dépression ou une autre maladie mentale. D'autres me posent des questions du genre « Quel effet ça vous fait de travailler avec des fous? » ou encore, « Quel est le cas le plus étrange que vous ayez eu à traiter? ». Si je travaillais auprès de cancéreux, je doute que personne ne me demande jamais de lui décrire l'agonie la plus atroce à laquelle j'aurais assisté…

Je demeure toujours ébahi qu'une profession ou un milieu de travail suscite deux réactions aussi différentes. Je suppose que cette divergence prend racine dans l'incompréhension généralisée face à la maladie mentale. Les gens qui ont été touchés par ces problèmes, directement ou non, ont une vision noble de notre hôpital et de sa mission. Quant aux autres, eh, bien!, ils le voient comme un carnaval. Ils ne se rendent pas compte que 25 % de la population vit avec une maladie mentale. Qui d'entre nous ne connaît pas quelqu'un aux prises avec un problème de dépression, d'autisme, de schizophrénie ou un trouble de l'alimentation comme l'anorexie ou la boulimie?

L'Hôpital Douglas a été bâti à une époque où les malades mentaux étaient refoulés dans des asiles. Ces établissements étaient généralement situés hors des villes et les patients, une fois hospitalisés, pouvaient y être oubliés, habituellement jusqu'à la fin de leurs jours.

Aujourd'hui, il reste très peu de lits pour l'hospitalisation à Douglas, tout comme dans les autres établissements en santé mentale. C'est le fruit d'avancées récentes dans les traitements, notamment depuis cinquante ans. Mais malgré tous les progrès accomplis en psychiatrie et en santé mentale, nous sommes toujours aux prises avec le concept de l'asile qui reste ancré dans l'imaginaire collectif. Lorsque nous installons des patients stables dans des appartements et des foyers de groupe, nous nous heurtons encore à l'inévitable résistance d'un public qui préfère les tenir à distance. Combien de ces patients accepteriez-vous comme voisins?

Mon arrière-grand-père a fini ses jours dans un établissement psychiatrique. S'il avait vécu aujourd'hui, une médication efficace et le soutien continu d'une équipe de professionnels lui auraient peut-être permis de mener une vie relativement normale, comme la plupart de nos patients. Mais il n'aurait hélas pu vivre en homme complètement libre. Il aurait toujours porté le fardeau du stigma, épargné aux gens qui souffrent d'une maladie physique.

Nous avons accompli de grands progrès, mais avant de pouvoir accepter et soutenir les personnes souffrant de troubles psychiques, comme nous le ferions pour des patients atteints de toute autre maladie, il nous reste encore beaucoup de chemin à faire.

La gestion du stress

Parlons un peu de la gestion du stress. Comment pouvons-nous gérer nos facteurs de stress quand nous avons aussi peu de contrôle sur tout ce qui nous entoure?

■ De quoi parle-t-on exactement?

Le stress comprend deux éléments : les choses avec lesquelles nous devons composer, et la façon dont nous les traitons. Pour bien gérer le stress, il faut tenir compte de ces deux aspects. Par exemple, si l'on vous donne trois heures pour rédiger une lettre, vous pourrez sans doute le faire sans grand effort. Mais qu'arrive-t-il si vous êtes le genre de personne qui hésite sur chaque mot et tend à écrire et réécrire chaque phrase dix fois? Dans le premier cas, vous ne ressentirez pas de stress alors que, dans le deuxième, vous en vivrez beaucoup plus. Maintenant, imaginons que votre patron vous demande de rédiger cinq lettres avant midi. Dans ce cas, votre niveau de stress sera élevé, indépendamment de vos aptitudes en rédaction.

■ Gérer vos affaires

Bien des gens se sentent trop stressés, sans nécessairement avoir plus de responsabilités que les autres. Le problème s'explique habituellement par le niveau élevé d'anxiété concernant leur rendement ou leurs attentes irréalistes. Si vous avez l'impression que votre travail n'est jamais de qualité suffisante, vous ressentirez énormément de stress, indépendamment de la quantité de travail à faire. Dans une telle situation, l'objectif est d'en venir à accepter vos limites, imaginaires ou réelles, et de reconnaître que « trop, c'est comme pas assez ». Rappelez-vous qu'il y a plusieurs façons de dire ou de faire chaque chose; il est rare qu'une seule manière soit la bonne. Apprenez à lâcher prise. Et, en passant, se tromper à l'occasion n'est vraiment pas une catastrophe. Vous donnez sans doute aux autres le droit à l'erreur; pourquoi ne pas commencer à vous consentir le même niveau de tolérance?

■ En prendre trop

Il arrive souvent que nous fassions assez bien les choses, mais que nous en ayons simplement trop à faire. Cela peut se produire quand nous disons oui à toutes les requêtes. Les gens qui travaillent bien sont particulièrement vulnérables à ce problème, parce qu'elles deviennent celles sur qui tout le monde compte. Si vous acceptez toutes les demandes et que vous vous en acquittez bien, elles continueront à augmenter jusqu'à votre point de rupture. Vous reconnaissez-vous dans ce portrait? Maîtrisez l'art d'hésiter et d'y penser deux fois avant d'accepter de nouvelles responsabilités. Du moins, pourriez-vous essayer de mettre l'accent sur les véritables priorités et reporter les tâches moins importantes à plus tard.

Et ne croyez pas que cela fera de vous quelqu'un de paresseux... Personne ne peut changer à ce point. On appréciera quand même l'excellence de votre travail.

Alors, allez-y. Regardez autour de vous et prenez quelques trucs de vos collègues plus paresseux. Après tout, le stress semble un peu moins les affecter que vous, n'est-ce pas?

L'effet gourou

Les psychologues et les psychiatres se font constamment poser toutes sortes de questions sur la nature humaine: qu'est-ce que ça veut dire quand telle chose arrive? Est-il normal de faire ceci? Pourquoi les gens font-ils cela? Que devrais-je faire au sujet de …? Laissez-moi vous confier un petit secret : la plupart du temps, nous n'en avons aucune idée.

À vrai dire, la majorité des situations dans lesquelles se retrouvent les gens n'ont jamais fait l'objet d'études scientifiques. Pourtant, le public continue à poser des questions, et des experts en santé mentale continuent de leur répondre. Dans la plupart des cas, c'est tout à fait approprié, mais il faut toujours se méfier de « l'effet gourou » : la tendance à se fier trop naïvement à l'opinion d'un spécialiste.

Il n'y a pas si longtemps, on qualifiait de « mères-réfrigérateurs » les mamans d'enfants autistes parce qu'aux dires de certains auteurs, c'était par manque d'affection maternelle que ces jeunes se repliaient sur eux-mêmes. La schizophrénie était, elle aussi, associée à une fonction parentale déficiente. Pourtant, nous savons aujourd'hui que chacune de ces conditions relève de la biologie. Ce ne sont que deux exemples d'opinions « d'experts » qui seraient maintenant reconnues comme erronées ou dépassées.

À titre de psychologue, je dispose de trois outils : plus d'un siècle de connaissances scientifiques établies, le vécu que mes patients m'ont confié au cours des années et, finalement, mes opinions personnelles. Ce sont de bonnes sources d'informations, mais c'est loin d'être complet. Ainsi, les conseils que je donne sont rarement beaucoup plus qu'un jugement approximatif. Il n'y a certainement rien de mauvais à cela, et je tente toujours d'offrir des opinions réfléchies et équilibrées, mais les gens doivent comprendre qu'une opinion n'est pas une vérité absolue.

Le problème que vivent les psychologues, les psychiatres et autres professionnels de la santé vient du fait qu'ils sont identifiés comme spécialistes de la nature humaine et de la santé mentale. La population croit qu'ils ont toutes les réponses. Nous en savons sans doute plus que la plupart des gens, mais la part d'inconnu demeure bien supérieure. La nature humaine est ainsi faite : nous savons que lorsque nous n'avons pas étudié un sujet, nous n'en savons rien. Quand nous en apprenons un peu plus sur une chose, nous imaginons facilement tout connaître à ce sujet. Ce n'est que lorsque nous accumulons beaucoup de savoir que nous réalisons à quel point nous en savons peu. Et encore faut-il savoir le reconnaître…

Donc, allez-y et demandez conseil aux experts, si vous voulez. Assurez-vous de ne pas les traiter comme des gourous infaillibles. Et surtout, gardez vos distances face aux personnes convaincues de tout savoir…

Euh!... merci

J'ai été étonné du nombre de gens qui m'ont félicité, ce mois dernier. Au début, je ne savais pas pourquoi, jusqu'à ce que je comprenne qu'ils faisaient allusion à la victoire de l'Italie à la Coupe du monde. Étrangement, alors que personne n'accepterait d'être accusé par association, les gens n'ont aucune objection à être louangés par association. Oui, mes parents sont arrivés d'Italie et je fais d'assez bonnes boulettes de viande. Mais je ne suis pas certain de mériter plus de félicitations pour la victoire italienne que quelqu'un d'origine française, asiatique ou autre. Cela m'a fait réfléchir à la nature du nationalisme et des associations que nous formons avec un groupe identifiable.

À bien des égards, la fierté nationale est une bonne chose. Elle nous fournit un sentiment d'appartenance, nous aide à définir notre identité et nous fait nous sentir plus forts que si nous étions seuls. Il en est de même pour toute autre affiliation, qu'elle soit basée sur la religion, la culture, la langue, le genre ou l'origine. Malheureusement, ces distinctions peuvent aussi nous diviser. Un simple coup d'œil dans n'importe quel quotidien le prouve amplement. Même mon petit coin du monde est touché. Quelqu'un a couvert les boîtes à lettres et la piste cyclable de mon quartier de graffitis « F--- Italy ».

Ce qui est particulièrement intéressant dans les événements où figurent des membres de groupes identifiables, c'est la façon dont des changements d'affiliation créent des émotions radicalement différentes. Par exemple, les différences raciales sont moins marquées lorsque des Noirs et des Blancs jouent dans une même équipe. Pareillement, les différences linguistiques tendent à disparaître quand des Canadiens anglophones et francophones d'une même équipe jouent au hockey contre les Américains, mais elles refont vite surface quand ils jouent les uns contre les autres. Avez-vous remarqué à quel point les joueurs – comme leurs partisans – présentent une belle unité quand leur équipe gagne, mais comme on trouve qu'« ils » sont trop nombreux dans « notre » équipe lorsqu'elle perd?

J'ai grandi dans un quartier de la ville où prédominaient les Italiens. Comme dans tous les groupes, mes compatriotes confondaient souvent une fière identité culturelle et un sentiment de supériorité. C'est la face sombre du nationalisme. Je n'aimais pas cela, et c'est pourquoi j'ai été heureux de déménager vers un quartier plus diversifié au plan culturel.

Maintenant que j'ai pris mes distances, je peux endosser fièrement mon héritage culturel et même accepter, prudemment, les félicitations. Mais à vrai dire, ma véritable culture est un mélange des influences de l'ensemble des gens qui m'entourent.

Ne sommes-nous pas tous des « paesanos », d'une façon ou d'une autre? À ce titre, il me semble que nous avons tous droit à des félicitations. Peut-être alors pourra-t-on y aller mollo sur les graffitis...

J'ai écrit cette chronique pour commémorer le 5ᵉ anniversaire de l'attaque du 11 septembre.

De quoi se nourrit la haine?

Cinq années se sont écoulées depuis les attentats du 11 septembre et la violence se poursuit. Bali, Madrid, Londres et un complot déjoué récemment qui avait comme objectif de faire exploser dix vols transatlantiques. Qu'est devenu notre monde?

Commentant son œuvre la plus célèbre, Sa Majesté des Mouches, William Golding déclarait qu'on peut attribuer les défauts d'une société aux tares de l'individu. Mais quelle tare peut alimenter ce terrorisme où quelqu'un choisit de s'écraser avec un avion sur un édifice en sachant que des milliers de personnes vont mourir et en croyant qu'il s'agit d'un geste honorable?

Il faut commencer par les grandes questions. Pourquoi sommes-nous sur terre et qu'advient-il de nous après la mort? Qui peut répondre en toute connaissance de cause à ces questions? Personne. Nous ne pouvons compter que sur nos convictions personnelles. Malheureusement, nos convictions personnelles déforment notre perspective et deviennent des certitudes. Tout événement, qu'il s'agisse d'une catastrophe naturelle ou du décès d'un enfant, est analysé selon nos croyances. Cela devient problématique lorsque celles-ci se transforment en puissantes idéologies qui se heurtent à d'autres idéologies. Nous ne pouvons accepter que la nôtre soit erronée et qu'une autre soit fondée. Nous avons beaucoup trop investi pour admettre que nous nous trompons. Nous sommes prêts à miser notre existence – et nos convictions de vie éternelle – sur ces idéologies. Notre vision de Dieu ne peut être que la seule véritable. Comment concilier ces différences? Après tout, George Bush et Oussama Ben Laden n'ont-ils pas tous deux proclamé accomplir l'œuvre de Dieu au cours de la semaine suivant les attaques du 11 septembre?

L'imperfection de la nature humaine nous habite. C'est elle qui s'exprime lorsque nous croyons avoir toujours raison, lorsque nous déformons les faits pour justifier nos croyances, lorsque nous blâmons les autres pour nos problèmes. Elle nous habite particulièrement lorsque nous refusons de nous remettre en question. Ce manque de pensée critique est dangereux. Dangereux parce que nous cherchons des réponses simples et claires à des événements qui sont généralement complexes.

Les idéologies puissantes sont presque toujours dangereuses. Combien de gens ont perdu la vie faute de n'avoir jamais remis en question leurs croyances les plus profondes? Pol Pot n'essayait-il pas de créer une société noble et juste lorsque son régime a supprimé deux millions de Cambodgiens?

Il est possible de bâtir un monde juste et équitable, mais nous n'y arriverons ni par la violence, ni par l'idéalisme. Nous pouvons le réaliser en appliquant un principe très simple: le respect de nos pairs. Mais aussi: en ayant l'humilité d'admettre que la plupart des grandes questions sur la vie demeureront sans réponse universelle. Ce monde est réalisable si nous apprenons à accepter que nous n'avons pas les réponses qui nous permettent d'obtenir un sentiment de contrôle sur nos vies. Par contre, nous avons mieux. Nous avons le contrôle sur la façon dont nous traitons les autres.

39

J'ai écrit cette chronique peu de temps après la fusillade au Collège Dawson.

État de choc

Je suis encore en état de choc après la fusillade au Collège Dawson. Deux de mes nièces se trouvaient dans l'atrium où ont été tirés la majorité des coups de feu. Soudainement, cette tragédie – comme celles qui se produisent habituellement ailleurs dans le monde – me frappait en plein coeur. Il n'a fallu que quelques instants pour confirmer qu'elles étaient saines et sauves, mais cela a suffi pour que je ressente les émotions que nous vivons tous quand la tragédie frappe. Comment sommes-nous supposés réagir à pareille situation? Comment pouvons-nous aider les victimes? Qu'est-ce qui constitue une réaction normale et quand devient-elle un problème?

◼ Venir en aide aux victimes

Après une tragédie, notre première réaction est d'offrir de l'aide aux victimes. Des équipes de psychologues et d'experts sont souvent mobilisées. L'aide professionnelle est utile, mais le besoin le plus important et le plus immédiat de chaque victime est de pouvoir se défouler et parler de son expérience avec des personnes de confiance. Il s'agit habituellement d'ami-es, d'autres témoins et de membres de leur famille. Les experts, ça va, mais quand arrive un traumatisme, rien ne se compare aux accolades d'une personne aimée. Soyez là pour la personne en détresse, mais laissez-lui de l'espace.

◼ Une réaction normale

Il n'existe pas de réaction universelle ou « correcte » à la suite d'un traumatisme. Certaines personnes demeurent stoïques et introverties, alors que d'autres sont complètement submergées par l'émotion, avec des larmes et des tremblements incontrôlables. Ce sont là des réactions normales, tout comme la propension à revivre les moments traumatisants. Tout ce que nous pouvons faire, c'est de vivre ces émotions. Si nous les laissons venir et les acceptons, elles deviendront plus faciles à surmonter avec le temps.

◼ Quand les choses ne s'arrangent pas

Même si la majorité des victimes retrouvent leur état d'esprit normal, quelques-unes d'entre elles verront leur condition s'aggraver progressivement. Elles peuvent alors développer un trouble de stress post-traumatique qui les amène à revivre constamment le traumatisme initial. Cette condition risque plus d'affecter les personnes ayant déjà vécu d'autres traumatismes ou celles qui sont plus vulnérables. Elles peuvent commencer à éviter tout ce qui leur rappelle l'événement – les hommes en manteau noir, le Collège Dawson ou la Place Alexis-Nihon, par exemple. Ce faisant, elles compromettent graduellement leur confiance en soi et renforcent l'idée que le monde est un endroit dangereux. En fin de compte, elles se retrouvent complètement emprisonnées par leurs craintes.

◼ Une fois suffit

Nous ne pouvons jamais effacer les événements à caractère traumatisant de notre passé. En fin de compte, nous n'avons pas d'autre choix que celui de faire face à notre inconfort pour retrouver le cours normal de notre vie. Avoir été victime une fois suffit. L'évitement ne peut qu'aggraver la douleur et nous victimiser jour après jour. Nous ne devons jamais accorder aux meurtriers cette ultime victoire.

L'école secondaire peut être particulièrement difficile pour les personnes souffrant de phobie sociale. J'ai écrit cette chronique pour les encourager à ne pas laisser leur anxiété contrôler leur vie.

Trouver sa place

Je donnais récemment une conférence sur l'anxiété chez les jeunes dans le cadre du « Volet Jeunesse » de l'organisation Phobie-Zéro. À la fin de la soirée, un petit garçon a finalement amené sa mère à poser la dernière question de l'auditoire. Elle m'a demandé ce que pouvait faire son fils pour avoir plus d'amis à l'école secondaire. Très petit pour son âge, il est gêné et se sent intimidé par ses camarades.

J'ai demandé au garçon son nom et ce qui l'intimidait tant. Il m'a dit qu'à cause de sa taille, il avait peur de ses camarades beaucoup plus grands. J'ai trouvé ce témoignage très touchant : voilà un jeune garçon qui semble normal à tous égards, sauf le fait d'avoir l'air beaucoup plus jeune que son âge. Je lui ai alors parlé de deux personnes. La première est mon épouse, née avec des doigts manquants. L'autre est un ami du secondaire qui souffrait d'une difformité au visage. Chacune de ces personnes avait été amenée à se sentir différente des autres, mais était finalement devenue un adulte tout à fait normal et bien adapté.

Les enfants d'âge scolaire réagissent de trois façons face à des camarades aux différences visibles. Certains vont les agacer et les ridiculiser, d'autres vont se sentir mal à l'aise et garder leurs distances, tandis que les autres vont les traiter tout à fait normalement. Ce que ma femme et mon ami ont réussi à faire, c'est d'ignorer les quelques ignorants pour laisser des amitiés se développer naturellement avec leurs camarades plus tolérants. Les gens qui n'arrivent jamais à surmonter leurs différences sont ceux qui s'attendent à être acceptés par les moins ouverts de leurs camarades de classe. Ces jeunes laissent les personnes intolérantes décider à l'avance de leur bonheur.

Ce soir-là, j'ai dit à ce garçon qu'il n'avait rien à perdre en prenant sa place socialement et en se mêlant aux jeunes de plus grande taille. Ceux qui l'acceptent comme il est deviendront ses amis, tandis que les autres qui l'agacent ou le traitent différemment font simplement la preuve qu'ils ne sont pas le genre d'amis qu'il rêve d'avoir.

Affronte l'adversité, mon ami, et tu trouveras ta place.

J'ai écrit cette chronique avant l'effondrement des ponts de Laval et du Mississippi, pour mettre en évidence comment nos perceptions du danger sont beaucoup plus influencées par nos expériences que par les probabilités. Ceci explique pourquoi les syndromes de stress post-traumatiques sont si paralysants.

Mettre le danger en perspective

Comment évaluons-nous les dangers qui nous entourent? De quoi devrions-nous nous préoccuper en vue de nous protéger? Et pourquoi les gens ne peuvent-ils pas s'entendre sur ce qui est ou non dangereux? Par exemple, certaines personnes refusent de prendre l'avion ou de rouler sur une autoroute, mais plusieurs d'entre elles n'hésiteraient pas à faire de la voile, même si cette activité est statistiquement considérée plus dangereuse... Tout dépend de notre perception de la gravité des risques qui nous entourent. L'aspect relatif de ces risques se base sur plusieurs facteurs qui influencent notre évaluation du danger et plus particulièrement sur nos expériences passées, spécifiquement les plus marquantes.

Imaginons que vous avez déjà été impliqué dans un grave accident de la route auquel vous avez miraculeusement survécu et qui a nécessité plusieurs mois de rétablissement. Supposons maintenant qu'aujourd'hui, nous partagions la banquette arrière d'un taxi. Lequel de nous deux serait le plus à risque d'être impliqué dans un accident grave?

La réponse rationnelle est évidente. Notre risque réel serait identique puisque nous sommes à bord du même véhicule au même moment. Mais comme je n'ai jamais vécu d'accident grave et que je me déplace tous les jours en voiture, je suis rarement conscient du danger. Si on me pose la question, je reconnaîtrai l'existence d'un risque, mais il sera très rare que je le ressente. En contrepartie, si vous avez déjà vécu un accident grave, vous aurez sans doute l'impression qu'une telle infortune peut se reproduire à tout moment, même si le risque que vous la viviez est identique au mien. Vous ressentirez sans doute beaucoup d'angoisse.

Voilà le défi que doivent affronter les personnes ayant vécu des événements traumatisants tels des agressions, des viols ou des accidents de la route: celui de tenter de composer avec le risque normal inhérent à nos activités, sans se retrouver handicapés par ces expériences horribles du passé. Bien sûr, le fait que des tragédies semblables ou autres peuvent se produire dans notre avenir demeure un risque réel. Ce risque est cependant infime. À bord de notre taxi, nous aurions tous deux d'excellentes chances d'atteindre notre destination sans incident.

Donc, malgré un passé qui a pu être traumatisant, il nous faut comprendre que les risques qu'un tel événement se reproduise sont réels, mais très restreints. Nous n'avons d'autre choix que d'y faire face si nous voulons fonctionner normalement. Le risque est omniprésent, mais il est aussi extrêmement faible. Les gens qui veulent s'assurer de ne courir aucun risque se berceront souvent d'illusions ou éviteront complètement certaines situations. Par contre, la capacité de remettre le danger en perspective sera toujours garante d'une vie beaucoup plus enrichissante.

Réaliser ses rêves

Combien d'entre vous pensent que gagner le gros lot serait un rêve qui se réalise?

Supposons que vous gagniez dix millions de dollars au Lotto 6/49 et que le lendemain on vous diagnostique un cancer en phase terminale. Échangeriez-vous votre rêve pour une chance de vivre? Une vie normale en santé ne deviendrait-elle pas votre nouveau rêve? Et n'est-ce pas ce que la plupart d'entre nous possède déjà?

Je me souviens du jour où, il y a quelques années, j'étais coincé dans un embouteillage sur le pont Champlain. Comme la plupart des autres automobilistes cette journée-là, je maugréais contre la circulation. En regardant de l'autre côté du fleuve, j'ai aperçu au loin l'Hôpital Royal Victoria. Dans l'une des chambres de cet hôpital se trouvait une bonne amie. Jeune universitaire dans la trentaine, c'était une femme intelligente, jolie, généreuse, qui adorait la vie. Elle souffrait également d'un cancer particulièrement agressif qui allait la tuer quelques semaines plus tard. J'ai alors compris ma chance de ne subir qu'un embarras de circulation.

Lorsque quelqu'un meurt, on dit que cela nous amène à mieux apprécier la vie. C'est certainement vrai… pour un court moment, du moins. Apprendre la mort d'une jeune personne ou être au fait d'un événement malheureux provoque en nous deux réactions. Nous ressentons d'abord un mélange de peur et de soulagement, comme si nous avions évité une balle de fusil. Puis nous nous ressaisissons, nous inspirons profondément et faisons le vœu de transformer nos vies et de cesser de pleurer sur notre sort.

Combien de temps dure cette résolution? C'est variable, mais la plupart des gens retournent à leurs vieilles habitudes en une journée ou deux. Combien de temps s'écoule-t-il entre un décès, une maladie grave ou une quelque autre tragédie et la reprise de nos jérémiades? Au sujet du patron, de la surcharge de travail, du coût de l'essence, de nos maux et douleurs, de n'importe quoi…

Je ne veux pas laisser entendre que nous n'avons pas le droit de nous plaindre. Protester est utile : cela nous force à faire face aux problèmes. Mais quand nous nous plaignons de choses que nous ne pouvons pas résoudre, cela devient des lamentations, et se lamenter ne sert qu'à nous ancrer dans une attitude négative. Je me trompe peut-être, mais il me semble parfois que nous nous plaignons un peu trop pour une société qui semble si bien pourvue.

Gagner à la loterie serait très agréable, mais la plupart d'entre nous possèdent quelque chose d'encore plus précieux: la santé et la vie. Notre défi est de tirer le meilleur parti de notre gain dans la loterie de la vie.

Contestation et crédibilité

Je reconnais ne pas avoir rendu la vie facile à mon professeur de sixième année, M. Leclerc. Dès que nous nous agitions trop en classe, il écrivait nos noms au tableau noir. Nous écopions alors d'une page de devoir supplémentaire, qui consistait à la transcription d'une longue liste de mots. Si nous ne nous calmions pas, M. Leclerc ajoutait des X après nos noms. Chaque X signifiait une page de devoirs de plus. Nous étions quelques-uns à figurer régulièrement sur ce tableau, mais j'étais un cas exceptionnel. Des gens ont dû croire à l'époque que je m'appelais CamilloXXXXX. C'est de cette façon que je suis devenu excellent en orthographe.

J'étais tout de même un bon élève. Malgré ma tendance aux coups pendables, je savais quand être sérieux et j'étais toujours honnête. Un vendredi, M. Leclerc est resté après les cours, nous laissant jouer au soccer. Quand il nous a signalé l'heure de partir, j'ai lâché un juron à son égard, sans réaliser qu'il pouvait m'entendre d'où il se trouvait. Ce n'était pas méchant : je tentais simplement d'impressionner les copains. Il m'a dit que j'étais puni et que je pouvais oublier mes récréations de la semaine prochaine. Le lundi après-midi suivant, il me vit debout dans le corridor durant la récré et me demanda ce que je faisais là. Je lui ai rappelé ma punition. « Ah, oui! », dit-il. Il avait oublié.

Puis est arrivé l'incident. Un jour, un de mes camarades faisait du bruit avec son pupitre. M. Leclerc inscrivit nos deux noms au tableau. Je lui demandai d'effacer le mien puisque je n'avais rien fait de mal. Il ajouta un X à mon nom. Plus je discutais, plus il augmentait le nombre de X. Et comme je persistais à refuser ces devoirs supplémentaires, il perdit patience et vint me saisir par les cheveux pour me jeter hors de la classe. Je me retournai et lui donnai un coup de poing sur le bras pour qu'il me lâche. Il décida alors de me priver de récréation pour deux semaines. Le matin suivant, à l'heure de la récré, je sortis dans la cour avec tous les autres. Je n'avais aucune intention de céder. M. Leclerc n'en reparla jamais.

Je ne raconte pas cela pour justifier toute rébellion contre l'autorité. Au contraire, j'ai beaucoup de respect pour l'autorité. J'en parle pour illustrer la puissance que nous accorde la crédibilité. J'ai toujours accepté les punitions sans me plaindre, comme le jour de la partie de soccer. Mais quand une punition s'est avérée injuste, mon attitude inhabituelle de contestation a prouvé à mon enseignant qu'il avait commis une erreur.

Si vous contestez tout, on vous écoutera rarement. Mais si vous traitez l'autorité avec respect et réservez la contestation aux cas exceptionnels, vous serez crédible. Et c'est alors que les gens vous écouteront.

Mémoire défaillante

Un jour, je me suis retrouvé devant un guichet automatique bancaire et j'y ai inséré ma carte. L'étape suivante consistait à introduire mon NIP. Pour une raison quelconque, mon cerveau interpréta cette demande comme signifiant « Veuillez insérer votre carte ». J'ouvris donc mon portefeuille pour extraire ma carte et fis alors la constatation qu'elle ne s'y trouvait pas. Je fus immédiatement pris de panique: « Où diable ai-je bien pu mettre ma carte? » Tentant de demeurer calme, j'entrepris de revoir les gestes que j'avais posés plus tôt ce même jour. Pour une raison quelconque, j'avais le vague souvenir de l'avoir vue récemment. Était-ce au dépanneur? Au restaurant? Quelques instants d'inquiétude plus tard, je relus les instructions pour me rendre compte que l'on ne m'invitait pas à introduire ma carte, mais plutôt à composer mon NIP. C'était donc là que j'avais justement vu ma carte : « Elle était dans mes propres mains, imbécile! »

Je relate cette anecdote chaque fois qu'un patient m'affirme qu'il est en train de perdre la mémoire.

Vous est-il déjà arrivé de rencontrer un ancien ami au centre commercial et d'omettre de lui présenter les personnes qui vous accompagnent parce que vous avez oublié leur nom? Certainement, puisque cela arrive à chacun d'entre nous. Les trous de mémoire revêtent un caractère parfaitement normal et sont extrêmement courants. Ils sont susceptibles de se produire plus souvent lorsque nous sommes fatigués, stressés ou distraits. Mais ils peuvent aussi frapper les esprits les plus alertes.

La plupart d'entre nous n'accordent pas plus d'importance qu'il ne le faut à de tels oublis. D'autres s'inquiètent en se disant qu'il s'agit là des premiers signes de la maladie d'Alzheimer ou d'une autre forme de démence. Une mémoire imparfaite n'est pourtant pas un signe de démence. C'est simplement le signe d'un cerveau imparfait. Comme le mien… et le vôtre également.

Les démences sont des maladies très graves. Si nous perdons la mémoire, c'est notre existence même qui disparaît. Cependant, contrairement à la plupart d'entre nous qui avons parfois de simples oublis, les personnes frappées de démence agissent fréquemment d'une manière qui s'inscrit véritablement dans un cadre de perte de mémoire. Elles oublieront même qu'elles ont oublié certaines choses. Il se peut, par exemple, que j'angoisse en constatant que j'ai temporairement oublié ce que j'ai mangé au déjeuner, mais si je souffrais de la maladie d'Alzheimer, dans les faits, je recommencerais à préparer le déjeuner.

Détendez-vous donc, car si vous deviez être affligé d'une maladie grave, les signes en seraient beaucoup plus manifestes que ceux que l'on associe à d'occasionnels oublis. Cependant, sachez que plus souvent vous stimulerez votre cerveau, mieux il fonctionnera. La meilleure chose que vous puissiez faire pour votre mémoire est de la mettre constamment au défi. Lisez plus de livres et, par exemple, tentez d'avoir moins souvent recours aux calculatrices ou aux fonctions de numérotation abrégée.

Et, je vous en prie, ne vous vexez pas si, la prochaine fois que nous nous rencontrerons par hasard au centre commercial, je ne vous présente pas.

Alors, pensez-vous vraiment connaître quelqu'un?

À quel point connaissez-vous vraiment quelqu'un? Vous êtes-vous déjà dit : « Incroyable, je ne me serais jamais attendu à cela de sa part. » ?

Prenez un moment pour penser à la personne que vous respectez le plus. Imaginez maintenant cette même personne à bord du Titanic, alors qu'il est sur le point de couler. Il ne reste qu'une place sur le dernier canot de sauvetage et un garçon de dix ans s'apprête à la prendre. Vous voyez alors la personne que vous respectez le plus au monde agripper cet enfant par le collet et le sortir du canot de sauvetage pour s'approprier la dernière place disponible. Respecteriez-vous toujours autant cette personne?

Je sais pertinemment qu'il s'agit d'un scénario plutôt invraisemblable. Il illustre néanmoins un aspect important de nos personnalités. La personnalité est une chose complexe, qui comporte de multiples facettes. Non seulement est-elle définie par nos traits intrinsèques, mais également par l'interaction de ces traits avec les situations dans lesquelles nous nous retrouvons. Chaque contexte situationnel présente des caractéristiques particulières qui peuvent fréquemment révéler des aspects d'une personnalité qui étaient jusqu'alors demeurés insoupçonnés.

Nous ne pouvons jamais savoir avec certitude comment une personne réagira, à moins que nous ne l'observions directement, dans chaque contexte. Cependant, il est vrai que nous pouvons faire certaines généralisations raisonnables. Les personnes généreuses ont tendance à donner beaucoup d'elles-mêmes tandis que les gens honnêtes ont tendance à dire la vérité. Néanmoins, nous ne pouvons jamais faire abstraction de la situation, tout particulièrement lorsqu'elle présente un défi unique, comme dans le cas d'une décision de vie ou de mort à bord d'un navire qui est en train de couler.

Lorsque vous vous retrouverez dans une situation difficile, qui sera là pour vous aider et qui vous critiquera? Quelle personne vous crachera au visage si vous décidez de la quitter, et laquelle acceptera votre décision en faisant preuve de respect et de maturité? Qui tentera de tenir compte de votre point de vue, en cas de conflit, et qui tentera de vous imposer son choix? Qui pourrait vous surprendre en commettant un délit de fuite, et qui pourrait vous étonner en sauvant la vie d'un inconnu sur la rue? Jusqu'à ce que vous observiez quelqu'un dans de telles situations, vous ne pourrez jamais dire avec certitude comment il réagira.

C'est la raison pour laquelle nous ne devrions jamais nous fier aveuglément aux premières impressions. Il y a peu d'avantages à juger quelqu'un rapidement, en se fiant à notre intuition initiale. Ne soyez pas trop pressé à vous engager à long terme avec quelqu'un, malgré ce que vos hormones vous commandent. Donnez à chacun le temps de dévoiler son véritable caractère, à travers diverses situations. Si vous agissez ainsi, vous aurez rarement de désagréables surprises.

Chronique sur les comportements superstitieux et les fausses relations.

Toucher du bois

Mes vieux parents sont toujours en vie et mes enfants sont tous en bonne santé… je touche du bois!

Vous êtes-vous déjà demandé pourquoi nous touchons du bois ou adoptons d'autres comportements superstitieux? Pourquoi, par exemple, certains joueurs de hockey décident de ne pas changer de bas après une victoire? Ou pourquoi, à l'occasion, certains de leurs proches vont secrètement prier pour une défaite tout en se croisant les doigts?

Plusieurs événements de la vie sont désagréables, voire horribles à imaginer. Lorsque nous pensons à ceux-ci, il est parfaitement normal que nous souhaitions contrôler notre destinée et faire tout ce que nous pouvons pour éviter qu'ils ne surviennent. Cependant, la plupart des malchances sont imprévisibles et peuvent se produire à tout moment. Les êtres humains ont du mal à accepter ce fait. Nous avons plutôt tendance à rechercher quelque chose qui nous procure un sentiment de contrôle, qu'il s'agisse de toucher du bois, de caresser une patte de lapin ou d'adresser nos prières à une tranche de pain aux raisins qui ressemble étrangement à la Vierge Marie.

Ne serait-il pas agréable d'exercer un tel type de contrôle sur notre destinée? Bien sûr! Mais le fait de souhaiter que quelque chose se produise ne veut pas forcément dire que cet événement se réalisera. Nos comportements superstitieux n'ont aucune incidence réelle sur nos vies et n'assurent pas notre sécurité. Cependant, puisque nous ne sommes pas tous les jours victimes d'événements horribles, nos superstitions sembleront pratiquement toujours avoir eu l'effet escompté. Nous pouvons ainsi facilement toucher du bois des centaines de fois sans que rien de désagréable ne survienne le lendemain. Ce lien fallacieux transmet, à la partie émotionnelle de notre cerveau, le message que le fait de toucher du bois porte fruit. Même si la partie rationnelle de notre cerveau sait pertinemment que cela n'a aucun sens, cette répétition constante contribue à renforcer continuellement le lien émotionnel.

Bien que les comportements superstitieux soient, pour la plupart, sans danger, ils illustrent bien les fréquents conflits entre la raison et les émotions. Pour survivre, les êtres humains ont besoin autant de la raison que des émotions. Les émotions nous protègent de dangers plus immédiats, comme d'un autobus qui se dirige vers nous lorsque nous traversons la rue, tandis que la raison nous protège de dangers à plus long terme. C'est elle, qui nous incite à mieux nous alimenter ou à faire plus d'exercice. Nos émotions sortent parfois gagnantes de ce conflit et nous posons alors des gestes irrationnels. Espérons tout simplement que nous ne laisserons pas ces comportements étranges occuper trop de place dans nos vies… Touchons du bois!

J'ai écrit cette chronique à l'occasion de la Semaine de prévention contre le suicide.

L'histoire de Jessie

Je travaille à l'Hôpital Douglas depuis 20 ans et ma mère ne m'a jamais appelé au travail. C'est la raison pour laquelle, lorsque j'ai entendu sa voix au téléphone, j'ai immédiatement su qu'elle allait m'annoncer une mauvaise nouvelle. En fait, il s'agissait d'une nouvelle horrible. Ma cousine Gessie venait de se suicider.

Jessie souffrait de dépression bipolaire. Finalement, cette maladie l'a tuée aussi brutalement que le cancer l'aurait fait.

■ Mon cousin préféré

Un jour, pendant que je donnais une conférence, je fus surpris de voir Jessie parmi l'auditoire. Une fois ma présentation terminée, elle me dit : « Je ne raterais pour rien au monde une conférence de mon cousin préféré. » Au salon funéraire, le mari de Jessie me rappela : « Tu sais, elle disait toujours que tu étais son cousin préféré. » Si son intention était de me réconforter, ses paroles eurent l'effet d'un couteau qui me transperçait.

Malgré la douleur que je ressentais, ma souffrance ne pouvait se comparer à celle de sa famille et à la souffrance que celle-ci continuerait à éprouver.

■ Représentations déformées

La dépression altère notre perception de l'avenir, du monde qui nous entoure et, surtout, de nous-même. Elle confère à toute chose un aspect négatif. Des problèmes mineurs se transforment en faiblesses insurmontables. Nous ne percevons que le côté sombre de l'humanité. L'optimisme et la dépression étant incompatibles, nous ne percevons aucun espoir dans l'avenir. Ces représentations exagérées et déformées sont les principales cibles des traitements. Au rang de ceux-ci figure la thérapie cognitive, la prise de médicaments ou une combinaison de ces deux approches.

■ Il vaut mieux pour ma famille que je ne sois plus là

Dans sa note de suicide, Jessie a écrit que sa famille et son entourage seraient beaucoup mieux sans elle. De toutes les distorsions qu'entraîne la dépression, celle-ci est peut-être la plus tragique. En effet, elle a permis à Jessie de passer à l'acte. Si elle avait été en mesure de voir les choses plus clairement, elle aurait réalisé à quel point cette pensée était complètement fausse. Sa famille et ses amis ne seront jamais mieux sans elle. Jamais.

C'est la Semaine de prévention contre le suicide. Il n'existe aucune solution miracle face au taux élevé de suicide que l'on retrouve au Québec. Chacun d'entre nous sera un jour ou l'autre touché par cette dure réalité. Cependant, j'ai choisi de raconter cette histoire en espérant qu'avant de faire un choix si tragique et irréversible, les personnes qui songent au suicide comprendront qu'ils sont importants aux yeux des autres.

Cette chronique a été écrite à l'occasion de la semaine de sensibilisation contre le racisme.

Le racisme en nous

On a récemment beaucoup entendu parler de racisme, de tolérance et d'accommodements raisonnables. De tels débats nous forcent inévitablement à nous poser certaines questions déplaisantes au sujet de nos valeurs fondamentales. Dans les faits, notre société est-elle raciste?

Je vous avoue que je crois sincèrement que, de manière générale, la société canadienne, et tout particulièrement la société québécoise, ne sont pas spécifiquement racistes. Par contre, nous sommes loin d'être aussi tolérants que nous le croyons.

Au cœur de tout phénomène de racisme et de discrimination se trouvent deux facteurs. Le premier tient à la tendance que nous avons de percevoir négativement toutes les valeurs différentes des nôtres. Nous oublions que le fait que des valeurs soient différentes ne signifie pas nécessairement qu'elles sont mauvaises. Le deuxième facteur tient à notre tendance de percevoir, chez une personne, le groupe qu'elle représente plutôt que ses qualités personnelles. Lorsque nous sommes en désaccord avec certaines des valeurs du groupe ou que celles-ci ne nous plaisent pas, nous sommes portés à attribuer ces croyances à chacun de ses membres. En effet, il est vrai que les membres d'un groupe peuvent avoir certains points en commun, mais tous les membres d'une sous-culture n'adhèrent pas nécessairement aux mêmes valeurs. Si toutefois c'était le cas, il se pourrait que ce ne soit pas avec le même niveau de conviction. Lorsque nous omettons de tenir compte de ces facteurs, nous nous limitons à nous concentrer seulement sur des généralisations négatives et nous nous privons de voir les qualités intérieures ainsi que les valeurs personnelles de la personne qui est en face de nous.

Notre société étant de plus en plus diversifiée, nous avons moins d'occasions de percevoir les différences entre les groupes, et nous devons en être fier. Cependant, nous ne devons pas nous faire d'illusions. La nature humaine est telle que nous avons tous fortement tendance à craindre l'inconnu et à généraliser. Même si nous devenions une société pour laquelle la race ne constituerait plus un enjeu, nous aurions toujours probablement tendance à nous arrêter sur d'autres différences perceptibles comme la religion, la langue ou l'ethnicité. Si vous portez attention aux conversations qui se déroulent autour de vous, vous remarquerez combien les généralisations sont fréquentes. Vous aurez assez rapidement l'occasion d'entendre le point de vue de quelqu'un sur les hommes, les femmes, les homosexuels, les Allemands ou quelque autre groupe.

Si nous devons être fiers de l'ouverture d'esprit de notre société, nous devons être conscients que nous sommes loin d'être immunisés face aux préjugés, qu'il s'agisse du racisme ou de toute autre forme de discrimination. Concrètement, je veux être jugé pour la personne que je suis et non selon le groupe que je représente. Ce respect envers moi, à titre d'individu, c'est ce que je mérite, tout comme vous. Cependant, la vie est une question d'échange. Si nous exigeons le respect des autres, nous devons être tout aussi disposés à les respecter en retour.

Se plaindre, se défouler et chialer

Vous plaignez-vous souvent? Les gens autour de vous se plaignent-ils? Quand est-il utile de se plaindre et quand dépasse-t-on les bornes? Selon moi, il existe trois moyens d'exprimer son mécontentement. Deux de ces moyens sont utiles, l'un ne l'est pas.

■ Se plaindre

On se plaint pour réagir à un problème et dans le but de corriger la situation ou, du moins, d'éviter que celle-ci ne se reproduise. Se plaindre est à la fois important et productif. Dans les faits, les plaintes permettent souvent d'améliorer la plupart des services et produits. Les plaintes s'avèrent particulièrement efficaces lorsqu'elles sont faites à bon escient. Ainsi, à titre d'exemple, il est inutile de se plaindre à une serveuse de la lenteur du service lorsque celle-ci est la seule à s'être présentée au travail ce jour-là. Les plaintes s'avèrent également plus significatives lorsqu'elles sont utilisées avec retenue. En effet, on a tendance à ignorer les plaintes agressives, trop fréquentes ou déraisonnables.

■ Se défouler

Parfois, même si nos plaintes n'ont aucun effet sur la situation dans laquelle nous nous retrouvons, nous devons tout de même manifester notre mécontentement. Un jour, j'ai demandé à une amie pourquoi elle se plaignait de quelque chose. Elle m'a répondu : « Parce que si je ne le fais pas, je vais exploser. » En fait, elle avait raison. Il est agréable, à l'occasion, de déballer ce que l'on a sur le cœur. Ainsi, on se défoule en adoptant une attitude qui vise purement à se satisfaire soi-même et à se plaindre de quelque chose, même lorsque l'on sait que cela ne changera rien à la situation. Faire part de la frustration que l'on éprouve après cinq journées de pluie ininterrompue constitue un bon exemple de situation dans laquelle chacun d'entre nous peut avoir besoin de se défouler.

■ Chialer

Évidemment, certaines personnes ne savent pas quand s'arrêter. Elles reviennent sans cesse sur des situations sur lesquelles personne n'a de contrôle, comme le fait de vieillir ou des choses qu'elles ne peuvent raisonnablement s'attendre de voir changer, comme le monde entier. Les personnes qui se plaignent de manière excessive de choses sur lesquelles elles n'ont aucun pouvoir « chialent ». Et cette attitude n'est d'aucune utilité.

N'hésitez donc pas à vous plaindre si vous en éprouvez le désir. Assurez-vous que vos propos servent à changer quelque chose et choisissez la bonne cible. De plus, lorsque vous êtes confronté à une situation désagréable sur laquelle vous n'avez aucun contrôle, vous avez parfaitement le droit de chialer... un peu. Mais assez, c'est assez! Vous devriez faire attention de ne pas dépasser les bornes et de transformer vos plaintes en chialeries. Vous devez apprendre à garder certaines choses pour vous. Ça fera plaisir à tout votre entourage. Et à bien y penser, cette attitude vous rendra service à vous aussi.

Ongles d'orteil et relations amoureuses

Comme les Beatles l'ont si bien chanté: « love is all you need »: l'amour est la seule chose dont nous avons besoin. Mais qu'est-ce que l'amour, et quels sont les signes d'une bonne relation amoureuse? Je n'ai pas de recette secrète, mais voici une brève liste de ce qui me semble être quelques ingrédients essentiels.

■ Acceptation

Lorsque des gens m'interrogent au sujet de leur relation amoureuse, il m'arrive de leur poser une question qui peut sembler étrange : « Vous sentez-vous à l'aise d'être assis, nu, devant votre partenaire, tandis que vous vous coupez les ongles d'orteil? » Sans doute est-ce une image déplaisante pour tous, mais selon moi, nous pouvons faire ce type de choses seulement si l'on se sent parfaitement accepté par notre partenaire. N'est-ce pas là un signe d'une excellente relation amoureuse? Il n'y a rien de plus triste qu'une personne qui a honte d'elle-même ou qui craint de présenter des signes de faiblesse, de peur que son partenaire ne la quitte. Comment peut-on vivre avec quelqu'un si l'on craint constamment que celui-ci ne découvre notre véritable nature et ne s'intéresse plus à nous? Voudriez-vous vraiment vivre avec une personne qui porte toujours des jugements? Qu'avez-vous à perdre en étant d'abord honnête et en prenant le temps de découvrir le caractère de l'autre avant de vous engager à long terme?

■ Confiance

Toute relation dépourvue de confiance est vouée à l'échec. Je ne sais pas pour vous, mais pour ma part, je ne suis pas intéressé à vivre avec quelqu'un qui ne me fait pas confiance, quelqu'un qui pose sans cesse, des questions telles que : « Où étais-tu? » ou « Que veux-tu dire par cela? » Je peux comprendre que quelqu'un puisse avoir, à l'occasion, un doute. La confiance n'a pas à être absolue. Cependant, lorsque le doute est omniprésent, les problèmes ne sont pas loin. La méfiance est une prophétie qui s'exauce. Le manque de confiance engendre des tensions. Les tensions mènent très souvent à des discussions, puis à des efforts qui visent à éviter de telles discussions. Ces efforts peuvent parfois se traduire par le mensonge qui sera éventuellement découvert, justifiant ainsi le manque de confiance initial.

■ Respect

Toute bonne relation amoureuse doit également se caractériser par un respect mutuel. Ce qui signifie respecter les valeurs, les intérêts ou les désirs de chacun. Sans respect pour l'autre, nous le rejetons et cherchons des failles dans sa personnalité ainsi que dans ses opinions. Nous finissons alors par essayer de contrôler notre partenaire ou de lui imposer nos opinions.

Alors, qu'en est-il donc de l'amour? Bien que je ne puisse pas définir avec certitude ce qu'est l'amour, si vous avez les trois ingrédients ci-dessus, je suis sûr que vous êtes sur le bon chemin.

Plus jamais… jusqu'au lendemain

« Plus jamais! », dit le joueur, alors qu'il s'éloigne de la table de roulette après avoir perdu un autre chèque de paye au casino. Une telle détermination est généralement suffisamment forte pour lui permettre de tenir promesse jusqu'au prochain chèque de paye, mais rarement assez forte pour tenir au-delà de cette limite.

Vous êtes-vous déjà demandé pourquoi il est si difficile de corriger de mauvaises habitudes et de se défaire de dépendances malsaines? Chacun d'entre nous prend des résolutions pour éliminer des comportements indésirables. Cela ne devrait-il pas suffire à nous permettre d'apporter les changements que nous souhaitons?

Buvez-vous trop? Fumez-vous, mangez-vous trop ou dépensez-vous trop d'argent? Êtes-vous prisonnier d'une relation intime malsaine, mais sans être capable de résister à une dernière visite au lit? Qu'en est-il du fait de voler votre employeur ou de consommer de la cocaïne? Que le problème soit un irritant mineur dans votre vie ou qu'il présente un caractère plus autodestructeur, le modèle est similaire. Les promesses que l'on fait le soir sont bien souvent oubliées avec la rosée du matin.

Ceci s'explique par l'omniprésence du combat entre notre cœur et notre esprit ou, plus précisément, entre les parties émotionnelle et rationnelle de notre cerveau. Quand nos envies ont été comblées, nos émotions n'ont plus de pouvoir. Notre cerveau rationnel prend alors le dessus et nous décidons d'éliminer nos comportements indésirables. Le problème survient lorsque ces envies reviennent inévitablement. Ces montées de nos tentations prennent le contrôle de la partie émotionnelle de notre cerveau, laquelle prend le dessus sur la partie rationnelle faisant ainsi basculer notre détermination.

Ce n'est pas facile de contrôler une dépendance malsaine, mais nous pouvons nous faciliter la tâche en reconnaissant que nos émotions fluctuent constamment et que notre détermination varie avec celles-ci. Cela signifie qu'il est plus facile de contrôler nos dépendances malsaines lorsque nous comprenons et gérons les émotions qui nous fragilisent.

Ainsi, le simple fait de gérer les situations autour de nous peut s'avérer utile. En présence de nos tentations, la seule volonté ne suffit pas. La personne trop dépensière aura de la difficulté à résister à une aubaine, même si elle n'avait l'intention « que de jeter un coup d'œil », tandis que la personne qui consomme de la cocaïne et qui va au bar « uniquement pour prendre un verre avec des amis » cédera facilement une fois que l'effet combiné de l'alcool et de l'atmosphère l'aura plongée dans un autre état émotionnel.

« Plus jamais » est une déclaration ambitieuse. Cependant, si vous vous éloignez des situations et des personnes qui éveillent vos émotions, vous parviendrez sans doute plus facilement à tenir vos promesses au-delà du lendemain.

Investir dans l'honnêteté

Que feriez-vous si l'erreur d'une caissière vous permettait d'épargner beaucoup d'argent? Serait-il préférable pour vous de garder le silence ou de faire preuve d'honnêteté?

Il y a quelques années, j'avais besoin d'acheter des câbles de système d'allumage pour ma voiture. Lorsque je suis allé les commander, le propriétaire du magasin de pièces a consulté son ordinateur et s'est montré très surpris de leur prix. « Je sais », ai-je dit, « ils sont très chers. La dernière fois que j'en ai acheté, ils m'ont coûté plus de 60 dollars. »

« Eh bien, ils sont beaucoup plus chers maintenant! » m'a-t-il répondu. Sans m'informer du véritable prix, il m'a offert plutôt un ensemble de câbles moins chers au coût de 25 dollars. Puisque ma voiture était déjà vieille, j'ai décidé d'accepter son offre. Il ne les avait pas en stock, mais il les commanderait, et je les aurais dans deux jours.

Deux jours plus tard, lorsque je suis revenu au magasin, le propriétaire me remet mes câbles et me remercie. Je lui rappelle alors que je n'ai pas encore payé. « Oh, je pensais que c'était déjà fait », m'a-t-il répondu. Je lui ai alors remis l'argent et il m'a remercié de mon honnêteté.

De retour chez moi, j'ai découvert que les câbles moins chers ne convenaient tout simplement pas à mon moteur. Je n'avais d'autre choix que de les ramener et de payer plus cher pour acheter les câbles appropriés. Lorsque je les ai retournés au magasin, le propriétaire a déposé un ensemble de câbles de silicone bleus de qualité supérieure sur le comptoir. Après avoir de nouveau vérifié le prix à l'écran, il a soupiré et m'a dit : « Prenez-les. »

Sa générosité m'a étonné, c'était incroyable. Je n'ai jamais su le véritable prix de ces fils bleus, mais je suis certain qu'ils valaient plus de 100 dollars. Puisque j'avais été honnête en payant mes premiers câbles, je me suis retrouvé avec un ensemble de meilleure qualité pour le même prix.

Je vous raconte cette histoire puisqu'elle me procure toujours un sentiment de bien-être, même après plus de 15 ans. Si j'avais été malhonnête lors de mon premier achat, j'aurais économisé 25 dollars. À la place, je me suis retrouvé avec des câbles de qualité supérieure pour presque rien… et je continue toujours à éprouver un sentiment de fierté, même plusieurs années après que la voiture a rendu l'âme. Finalement, le petit investissement que j'ai fait au chapitre de l'honnêteté m'aura rapporté gros!

L'expérience : est-ce indispensable?

Chaque fois que nous embauchons un psychologue à l'Institut, les directeurs me demandent de sélectionner un candidat ayant, idéalement, au moins cinq années d'expérience. Je leur demande alors de penser au plus mauvais professeur leur ayant enseigné à l'université. Combien d'années d'expérience ce professeur possédait-il? Plusieurs, me répondent-ils, en général. Pourquoi, dans ce cas, semblait-il si mauvais?

Tout le monde s'entend sur le fait que l'expérience est une bonne chose. Comment se fait-il qu'un grand nombre d'enseignants, de médecins, de psychologues et autres professionnels chevronnés soient tout de même mauvais? La réponse est simple : les années d'expérience ne valent que dans la mesure où elles reposent sur des bases solides.

◼ La valeur de l'expérience

L'expérience est indispensable. Elle peut nous aider à nous indiquer ce qui fonctionne et ce qui ne fonctionne pas. Nous devenons ainsi plus efficaces et apprenons comment cibler nos efforts. L'expérience du travail nous expose à une multitude de situations que nous n'aurions jamais pu imaginer pendant nos études. Pour ma part, je pense être un bien meilleur psychologue avec l'expérience que j'ai acquise. (À savoir si je le suis véritablement, je laisse le soin à d'autres personnes de se prononcer là-dessus !)

◼ Le coût de l'expérience

L'expérience contribue grandement à accroître la confiance que nous avons en nos capacités. Et, si un tel sentiment peut être agréable, il peut également nous mener à cesser de nous remettre en question. Voyez-vous, même les plus incompétents éprouvent un sentiment de confiance qui croît avec les années. Pour ma part, je ne voudrais jamais qu'un professionnel, ayant très confiance en lui, mais étant néanmoins incompétent, m'enseigne ou me soigne, et ce, malgré toutes les années d'expérience à son actif.

◼ Construire sur des bases solides

L'expérience peut même se révéler néfaste si elle ne repose pas sur des bases solides. Ces bases se fondent sur la pensée critique, les connaissances ainsi que sur l'humilité nécessaire pour prendre conscience de nos limites. L'expérience peut alors transformer le novice que vous êtes en un professionnel aguerri qui tentera de s'améliorer constamment, devenant ainsi une source d'inspiration pour ceux qui l'entourent.

De nombreuses personnes ont un potentiel exceptionnel. Cependant, si nous exigeons toujours que les candidates et candidats aient de l'expérience, nous raterons bien des occasions de découvrir ce potentiel. Nous augmenterons aussi le risque d'engager des professionnels arrogants et incompétents, inconscients du tort qu'ils pourraient causer. Et, bien sûr, si vous osez vous plaindre de leurs services, ce type de personne ne manquerait certainement pas de vous rappeler qu'il, ou elle, possède de nombreuses années d'expérience!

Aider les personnes à faire face à leur sentiment de culpabilité est une des tâches les plus ardues pour un psychologue. Cette histoire explique pourquoi prendre du recul contribue à ce sentiment.

Prendre du recul

Il y a plusieurs années, j'ai rencontré un patient qui avait sauvé son voisin du suicide. Il s'était inquiété, car celui-ci ne répondait pas à la porte. Il était entré par effraction chez lui et avait découvert son voisin dans sa baignoire, les poignets tailladés. Il s'agissait d'un geste extraordinaire dont ce patient était extrêmement fier.

Quelques années plus tard, ce même voisin a assassiné sa femme. Comment mon patient devait-il se sentir? Le geste héroïque qu'il avait posé, en sauvant un désespéré du suicide, avait ultimement mené au meurtre brutal d'une innocente victime.

Je pense que cette histoire illustre bien les effets de la rétrospection. Nous avons tendance à nous concentrer sur le résultat de nos gestes, quelle que soit l'intention de ceux-ci. Par conséquent, il nous arrive d'être tourmenté par des événements et des décisions du passé qui se sont mal terminés.

■ Une expérience imaginaire

Imaginons que l'on vous demande de piger une bille dans l'un des deux vases qui vous sont présentés. Une bille noire entraînera le décès d'un être cher tandis qu'une bille blanche permettra de le sauver d'une mort prochaine. Maintenant, supposons que chaque vase contienne 100 billes et que l'on retrouve 90 billes blanches dans le premier vase et seulement 10 dans le second vase. Dans quel vase allez-vous choisir de plonger la main?

À moins que vous ne sachiez pas compter, ou que vous ayez d'étranges superstitions, vous choisirez sans doute le premier vase. Mais que se passera-t-il si le pire survient et que vous pigez une bille noire? Vous éprouverez sans doute un énorme sentiment de culpabilité parce que vous aurez causé le décès d'un être cher. Vous souhaiterez alors pouvoir remonter dans le temps et tout recommencer. Mais cette fois, plongerez-vous la main dans le second vase? Bien sûr que non! La seule décision intelligente consistera toujours à choisir le premier vase.

Ce dilemme imaginaire illustre le problème que pose le recul qu'on prend face à une situation. Nous souhaitons souvent revenir en arrière et modifier nos choix. Le problème est que ces choix ont été faits selon les connaissances que nous avions à ce moment et non selon celles que nous possédons maintenant. En considérant ce que nous savions à ce moment, la décision aurait été exactement la même.

■ Vivre en ayant pris la bonne décision

Nous ne pouvons nous blâmer d'être incapable de prédire l'avenir. Nous n'avons d'autre choix que d'accepter certaines conséquences imprévues. L'homme décrit ci-haut a regretté son geste en raison de la manière dont les choses se sont terminées. Cependant, dans le contexte, il a posé le bon geste et a pris la bonne décision. Son défi et celui de tous ceux qui prennent des décisions qui tournent mal consiste à apprendre à vivre avec ces décisions.

Ne comptez pas sur ma loyauté

Les Américains aiment répéter : « Mon pays, pour le meilleur ou pour le pire. » Il s'agit d'une forte expression de patriotisme et d'un parfait cri de ralliement en temps de guerre; un parfait cri de ralliement si, faut-il le souligner, vous souhaitez vous assurer de la confiance aveugle de vos citoyens.

La foi, la loyauté et le patriotisme sont tous des termes auxquels nous attribuons généralement un caractère positif. Cependant, si dans certains cas ces concepts peuvent être louables, ils peuvent également être dangereux.

■ Loyauté : le bon

Le bon côté de la loyauté est plutôt impressionnant. Dans le monde des affaires, les entreprises s'appuient sur la loyauté pour bâtir leur succès. Sans loyauté, l'indiscipline compromettrait probablement les progrès réalisés par l'entreprise, jusqu'à ce qu'un inévitable échec se produise. Cette caractéristique est également importante en temps de guerre. C'est seulement grâce à la loyauté indéniable et la détermination acharnée des Alliés que les Nazis ont pu être vaincus.

■ Loyauté : la brute

Cependant, le problème de la loyauté est qu'elle peut étouffer la créativité. Toute entreprise doit être en mesure de soumettre ses hypothèses et stratégies à un examen critique pour véritablement s'assurer de progresser. Parfois, malheureusement, la personne qui critique sera perçue comme pessimiste et sera accusée de manquer de loyauté envers la cause ou l'entreprise. De puissants tyrans ont l'habitude d'éliminer de tels éléments de leur entourage afin de seulement conserver autour d'eux les « moutons ». Les résultats sont pratiquement toujours destructeurs.

■ Loyauté : le truand

Nous pouvons adhérer à plusieurs causes, mais si nous sommes incapables de reconnaître la légitimité d'un point de vue opposé, notre motivation à lutter pour notre cause augmente. Cette situation entraîne généralement toujours des conséquences très graves. La loyauté aveugle à l'égard d'une cause constitue un aspect fondamental de la plupart des batailles, qu'elles soient personnelle, politique ou militaire. Peu importe si la confrontation se déroule devant un tribunal ou sur le champ de bataille, celle-ci prend fin seulement lorsque les deux parties impliquées ont dépensé d'immenses sommes d'argent ou provoqué d'indécents bains de sang.

■ Je ne veux pas de votre loyauté. Je désire seulement votre confiance

Comment pouvons-nous résoudre ce dilemme et arriver à un équilibre entre la foi aveugle et l'indiscipline totale? J'estime qu'il est beaucoup plus important d'exiger la confiance de quelqu'un que sa loyauté. Lorsque nous avons confiance, nous faisons ce qui nous est demandé, car nous croyons que notre supérieur hiérarchique a de bonnes intentions et possède les connaissances nécessaires pour prendre les décisions appropriées. Il arrive, à l'occasion, que des gestes qui a priori semblent inexplicables s'avèrent finalement tout à fait justifiés lorsque tous les faits sont exposés. Accordez-leur le bénéfice du doute.

Par contre, lorsque vous savez comment fonctionnent les choses, vous devez être en mesure de remettre en question les décisions sans vous faire accuser de manquer de loyauté. L'expression « Vous êtes avec nous ou contre nous » vous dit-elle quelque chose? Les supérieurs qui ne parviennent pas à faire une telle distinction finiront probablement un jour par se gratter la tête en se demandant comment les choses ont pu si mal tourner.

Peu de risques, grands dangers

Une histoire tragique, qui a récemment fait la manchette, a mis en évidence les problèmes auxquels nous sommes souvent confrontés lorsque nous évaluons les dangers et les risques sans tenir compte de la situation dans son ensemble. Cette nouvelle rapportait le comportement héroïque d'un jeune homme qui s'était précipité à l'intérieur d'une maison en feu pour sauver son petit cousin. Après avoir ramené le bébé en lieu sûr, il est retourné dans la maison dans l'espoir d'y sauver un deuxième enfant. Malheureusement, il a péri dans les flammes. Il a été retrouvé tenant cet enfant dans ses bras. Leur mort est partiellement attribuable au fait que la porte arrière avait été clouée, pour se protéger des voleurs.

Cette histoire me rappelle d'autres situations où des gens se placent dans une situation encore plus précaire en tentant d'éviter des dangers réels ou perçus comme tels. Prenons, par exemple, le cas des armes à feu. Certaines personnes achètent une arme à feu pour se protéger, tout particulièrement des braquages à domicile. Pourtant, le risque de suicide est trois fois plus élevé dans les foyers où l'on retrouve une arme à feu. Le fait d'avoir facilement accès à un moyen efficace permettant de s'enlever la vie augmente automatiquement le taux de mortalité chez les personnes ayant des pensées suicidaires. De plus, cette arme est 43 fois plus susceptible de causer la mort d'un membre de la famille ou d'une connaissance, soit par accident, soit à la suite d'une crise de rage ou de désespoir, que de servir à tuer un voleur. Pour ma part, je pourrais tolérer le fait d'être victime d'un cambriolage. Cependant, je ne pourrais accepter le fait d'avoir tué mon fils accidentellement.

Dans les années 1970, le monde a connu pour la première fois une vague d'explosions d'avions. Pour éviter ces dangers, plusieurs citoyens de l'Amérique du Nord ont décidé de prendre leurs vacances dans leur propre pays plutôt que d'aller à l'étranger et de risquer leur vie. Malheureusement, le risque de mourir dans un accident de la circulation sur nos autoroutes demeurait largement supérieur à celui de périr à la suite d'un écrasement d'avion, même à l'époque où les attentats terroristes étaient plus fréquents.

Être bien informé est une nécessité indéniable. Si nous connaissons les dangers qui nous entourent, nous nous sentirons plus en sécurité. Cependant, ne pas en savoir assez peut aussi constituer un danger. En vérité, les certitudes sont rares dans la vie. En nous montrant raisonnables et en nous informant, nous pouvons vivre dans un monde relativement sûr et sécuritaire. Si nous accordons trop d'importance à un aspect angoissant de notre vie et perdons de vue la situation dans son ensemble, nous risquons d'échanger un réel sentiment de sécurité, contre un grand sentiment de fausse sécurité, qui nous sera bien inutile.

Faire un autre essai

Combien de fois avez-vous entendu quelqu'un vous dire quelque chose comme « Ma copine et moi sommes revenus ensemble » et appris quelque temps plus tard qu'il avait à nouveau rompu?

Une telle situation peut s'expliquer simplement. Aucune relation ou personne n'est entièrement bonne ou mauvaise et notre humeur peut varier selon l'angle avec lequel nous la considérons. Lorsque nos décisions sont issues de ces humeurs changeantes, nous avons tendance à ne plus savoir quoi faire.

■ Je t'aime, je te déteste

Lorsque les couples se disputent, ils concentrent toute leur attention sur les facteurs irritants de leur relation et, par conséquent, sur des émotions négatives. Certains couples en viennent même à se séparer dans de telles circonstances. Le problème est que ces émotions négatives ne sont pas éternelles. Ainsi, à titre d'exemple, lorsque nous mettons fin à une relation sous l'emprise de la colère, nous finissons éventuellement par nous calmer. Une fois que nous avons pris du recul, notre partenaire commence à nous manquer. Nous nous souvenons à quel point il nous faisait rire et comment nous étions bien dans ses bras. Les émotions agréables que suscitent ces pensées peuvent nous inciter à « faire un autre essai ».

■ Quelque chose doit changer

Une chose est certaine : il faut qu'un changement se produise, car les problèmes de couple ne disparaissent pas par magie. Une séparation temporaire ne peut pas réparer une relation qui, déjà, ne fonctionnait pas. Si la seule chose qui change est le ressentiment ayant mené à la rupture, alors votre union ne durera jamais.

Le changement peut porter sur une nouvelle façon de communiquer, un nouvel accommodement ayant trait aux activités ou au travail ou encore sur l'adoption de nouvelles habitudes. Le changement peut être aussi simple que de prendre la décision d'accepter votre partenaire tel qu'il est, mais cette fois-ci, sans vouloir le changer. Quelle qu'en soit la nature, ce changement doit être bien réel.

■ Vivre avec une personne qu'on accepte dans son ensemble

Toute relation de couple procure de grandes joies et suscite d'importantes frustrations. Chaque personne avec laquelle nous tombons en amour forme un tout. Nous ne pouvons pas séparer les parties que nous aimons de celles que nous détestons. Le seul choix qui s'offre à nous est d'accepter l'autre dans son ensemble et d'adopter cette attitude même lorsque nous sommes influencés par des émotions temporaires liées à des situations particulières.

Si les bons côtés de notre partenaire sont plus nombreux que les mauvais, nous devons apprendre à lâcher prise et à accepter les caractéristiques que nous souhaiterions différentes. Si les mauvais côtés prennent le dessus, nous devons nous préparer à vivre sans les quelques aspects agréables que nous aimions chez lui. Si nous ne percevons qu'une seule partie de l'ensemble de notre partenaire et que nous réagissons selon les émotions qui y sont liées, chaque nouvel « essai » ne fera que mener à une autre séparation douloureuse.

J'ai écrit cette chronique au moment où le débat sur les accommodements raisonnables avait dépassé la raison.

Nous sommes tous des immigrants

Dans les années 1960, mon père était un jeune immigrant. Un jour, alors qu'il nettoyait le plancher à l'aéroport, il a entendu deux hommes parler du problème que représentaient « tous les immigrants ». Cette remarque l'a tellement blessé qu'il leur a répondu: « N'êtes-vous pas aussi des immigrants? »

Il a vu juste. Notre société est composée d'immigrants ou de descendants de ces derniers. La seule différence est le nombre de générations qui se sont succédées depuis l'arrivée des premiers migrants. Nous pouvons aussi utiliser l'argument que la présence des Autochtones en Amérique du Nord est le produit de la même culture nomade qui a caractérisé les humains à travers chacune de leurs migrations.

Nos politiciens ont décidé de tenir des débats ouverts sur les accommodements raisonnables des minorités religieuses et ethniques. Je suppose que c'est mieux que les débats à voix basse d'autrefois, mais je ne peux m'empêcher d'éprouver un certain malaise. Ce genre de débat a tendance à diviser les gens. Il permet d'entendre l'opinion de personnes ouvertes et tolérantes, mais il offre également une tribune aux extrémistes et aux fanatiques.

Au cœur de la question se trouve l'idée, voire la « crainte », selon laquelle les immigrants vont changer notre manière de vivre. Effectivement, ils vont l'influencer, mais nous devons nous demander dans quelle mesure, sous quelle forme et jusqu'à quel point il s'agit là de quelque chose de négatif. Notre société évolue constamment de toute façon, même sans l'influence de l'immigration. De la laïcité à la baisse du taux de natalité, de la venue d'Internet à la langue des affaires, il semble que des changements importants se soient produits sans une influence significative des minorités ethniques. Ces minorités représentent-elles véritablement une menace dans une culture aussi solide, vivante et dominante que la nôtre?

Regardez autour de vous. Ces « groupes » ne constituent en fait rien de plus qu'un ensemble d'individus uniques avec lesquels nous interagissons quotidiennement. Regardez vos confrères et consœurs de classe, vos collègues de travail et vos meilleurs amis. Combien d'entre eux appartiennent à une autre nationalité? Quelle langue parlent-ils à la maison? Combien d'entre eux ont un nom vietnamien ou arabe? Ne font-ils pas partie intégrante de notre patrimoine culturel? Michaëlle Jean, par exemple, n'est-elle pas tout aussi québécoise que les autres?

Toute société ouverte et accueillante a généralement tendance à mieux intégrer les immigrants. Ils ne seront jamais assez nombreux pour modifier radicalement le monde dans lequel nous vivons. Ils viendront plutôt enrichir notre société subtilement. Par contre, les sociétés fermées isolent les immigrants dans des ghettos. Cette situation ne fait qu'accentuer nos différences, en plus d'engendrer, de part et d'autre, un esprit de rivalité. Il n'en découle jamais rien de bon.

Combien de jours allez-vous vivre?

Est-ce que les personnes atteintes de cancer vivent plus longtemps si elles adoptent une attitude positive? Une importante étude sur cette question vient d'être publiée dans la revue *Cancer*. Cette recherche conclut que l'état de bien-être émotionnel n'a aucun effet sur la survie. Ce résultat peut paraître étonnant pour plusieurs personnes puisque l'idée qu'une attitude positive s'avère bénéfique pour lutter contre le cancer ou pour freiner la progression de la maladie est largement répandue. D'un autre côté, peut-on véritablement dire que l'attitude n'a aucun effet sur la survie?

■ Les jours du calendrier

Nous souhaitons tous croire qu'une attitude positive permet aux personnes atteintes de cancer de vivre plus longtemps, surtout que les premières études réalisées à ce sujet ont permis de démontrer un effet positif de façon significative. L'une de ces études a pu observer que la simple adhésion à un groupe de soutien permettait aux femmes souffrant de cancer du sein de vivre en moyenne dix-huit mois de plus. Les études menées par la suite ne sont pas arrivées aux mêmes résultats. Cette nouvelle étude publiée dans la revue *Cancer* confirme tout simplement ce qui est désormais relativement clair, soit que le cancer emporte chacun d'entre nous au même rythme, que nous adoptions une attitude particulièrement optimiste ou que nous nous complaisions dans le désespoir.

Cela signifie que si nous nous limitons à compter le nombre de jours sur un calendrier, l'attitude ne changera en rien le résultat final. Cependant, selon moi, ce n'est pas l'aspect que nous devrions mesurer.

■ Les jours d'une vie

Comment pouvons-nous définir une journée d'existence? Sur le plan technique, la réponse est évidente. Si nous ne sommes pas morts avant minuit, nous pourrons mettre un X à notre calendrier. Cependant, de quel type de vie s'agit-il? Si je parviens à consacrer ma journée à faire quelque chose qui me plaît, à être en interaction avec des amis et des personnes que j'aime, ou si je parviens tout simplement à profiter des petites choses qui font de nous des êtres humains, comme écouter une pièce de musique, rire ou sentir l'odeur des feuilles qui viennent de tomber, j'aurai accompli beaucoup plus que le simple fait d'exister.

■ Une leçon pour nous tous

Chacun d'entre nous dispose d'un nombre précis de journées d'existence sur cette Terre. La plupart d'entre nous ne connaissent pas précisément ce nombre. Ce n'est peut-être pas particulièrement agréable d'envisager cette question, mais je pense qu'il est important de tirer une leçon de cette étude. En soi, une bonne attitude ne va peut-être pas ajouter des jours à notre vie, mais pourrait en améliorer la qualité. Qu'on soit atteint du cancer ou non.

Cette chronique est la suite de « Espresso ou expresso ? »
Elle explique comment les croyances négatives que nous entretenons envers
nous-mêmes et notre attention sélective contribuent à la dépression et à la tristesse.

« Vous souvenez-vous de mon nom? »

Vous êtes-vous déjà demandé pourquoi certains individus semblent presque toujours malheureux? Vous connaissez sans doute plusieurs personnes de ce type ou peut-être même faites-vous partie de cette catégorie. Est-ce que certaines personnes peuvent être malheureuses en permanence et, si oui, pourquoi?

Cette situation s'explique en partie parce que ces individus ont généralement tendance à avoir une opinion fondamentalement négative d'eux-mêmes. Ce préjugé déforme la manière dont elles perçoivent les événements et alimente constamment leurs sentiments négatifs. Voici un exemple.

Un jour, j'ai reçu un homme qui souffrait de dépression. Il avait très peu d'estime de soi et pensait avoir échoué dans la vie. Il répétait souvent qu'il n'était qu'un simple préposé à l'entretien et que ses collègues de travail ne connaissaient même pas son nom.

Environ deux ans après notre dernière rencontre, nous nous sommes revus dans un parc, alors que nous assistions à une partie de baseball. Nous nous sommes reconnus et avons échangé quelques mots. Quelques minutes plus tard, il m'a regardé et m'a dit : « Vous rappelez-vous de mon nom? » Puisque nous ne nous étions rencontrés qu'à quelques reprises, c'est véritablement par chance que je me suis rappelé de son nom. J'aurais vraiment pu me tromper puisqu'il m'arrive à l'occasion d'oublier le nom de mes propres enfants!

Ce qui est intéressant dans cette anecdote, c'est que cet homme a probablement oublié notre échange. Je suis certain qu'il s'est dit « Bien sûr qu'il s'est rappelé de mon nom! J'étais tout de même son patient ! », avant de simplement passer à autre chose. Il serait improbable que cet événement change sa conviction d'être une personne sans importance.

Mais que serait-il arrivé si j'avais oublié son nom? Je suis certain que cette situation aurait été pour lui une preuve additionnelle qu'il est un perdant et un être sans intérêt. « Vous voyez, même mon psychologue ne se souvient pas de mon nom! » Il continuerait probablement à se remémorer cet incident, vingt ans plus tard.

Telle est la nature des préjugés ou de ce que l'on qualifie de conviction de base négative. Elles ont tendance à se confirmer d'elles-mêmes, par un procédé d'attention sélective. Nous rejetons ou nous oublions les choses qui ne cadrent pas avec nos certitudes ou nous ne retenons que celles qui correspondent à ces préjugés.

Une faible estime de soi est attribuable à plusieurs causes. Le problème est, qu'une fois installée, une faible estime de soi cause une distorsion de la réalité qui s'alimente elle-même. C'est pourquoi les personnes qui croient qu'elles ne sont pas à la hauteur ont tendance à demeurer malheureuses une bonne partie de leur vie. Elles finissent par trouver constamment des preuves qui confirment leurs convictions… et ce, généralement, de façon plutôt injuste.

Une note personnelle… sur l'importance des symboles.

L'étoile de Noël

■ Noël 1981

En 1981, j'étais un jeune étudiant au doctorat, nouvellement marié, vivant à Tallahassee en Floride. Mon appartement était typique : une bibliothèque faite de blocs de béton et de tablettes contreplaquées, un vieux lit affaissé ainsi qu'un tapis au motif écossais jaune et vert. L'objet le plus cher dans l'appartement était ma raquette de tennis. Comme vous pouvez vous en douter, une police d'assurance contre les incendies et le vol aurait été plutôt inutile.

Cette année-là, Noël m'avait semblé difficile. Pour la première fois, nous étions loin de chez nous et nous nous sentions bien seuls. Malgré tout, ce n'était pas si pire. Nous pouvions compter sur les nombreuses coquerelles pour nous tenir compagnie ! Nous avions peu d'argent, mais nous avions réussi à économiser 15 $ pour acheter un petit arbre de quatre pieds (un vrai, bien entendu!). Nous l'avions décoré avec des rouleaux de papier de toilette et des papiers de différentes couleurs. Pour couronner le tout, j'avais découpé une étoile dans le carton de la boîte de notre télévision noir et blanc à 69,95 $ et je l'avais recouverte de papier d'aluminium. J'avais bricolé un cône en carton pour pouvoir poser l'étoile sur l'arbre et voilà, le tour était joué!

■ Noël 2006

L'an dernier, c'était au tour de mon fils Tommy de poser cette étoile au sommet de notre arbre de onze pieds (lequel est toujours, bien évidemment, naturel). Cette étoile est devenue une icône familiale. Je suis certain que si ma maison était en feu, la première chose que je tenterais de sauver serait cette étoile. Du moins, peut-être que ma famille et mes animaux de compagnie passeraient avant l'étoile… mais tout juste!

Ma femme pleure toujours lorsqu'elle sort cette étoile défraîchie de sa boîte. Elle représente désormais le symbole de tout ce qui s'est passé dans nos vies durant les vingt-cinq années qui se sont écoulées entre ces deux Noëls : les naissances et les décès d'êtres chers, des remises de diplômes, deux hypothèques, quatre adoptions, de nombreux fous rires; un quart de siècle de vie!

■ L'importance des symboles

Il est difficile de savoir quels moments prendront de l'importance avec le temps. À l'époque, le découpage de cette étoile semblait être un geste banal. Mais dans les faits, il s'agissait de la première étape d'un long parcours. Je pense à cette étoile lorsque je réfléchis aux symboles et à pourquoi ils deviennent si importants pour nous. Ils marquent, en quelque sorte, nos existences. Ce n'est qu'en prenant un peu de recul et en observant ces symboles que nous pouvons prendre conscience du chemin que nous avons parcouru et des multiples étapes de notre parcours.

Aujourd'hui je réalise que ce Noël de 1981 fut le meilleur. C'est à ce moment que l'étoile est née!

C'est dans cet état d'esprit que je tiens à vous souhaiter de passer des moments chaleureux durant ce temps des Fêtes. Profitez de chaque instant. On ne peut jamais prévoir ceux qui marqueront nos vies!

J'ai utilisé l'exemple d'un embouteillage pour présenter l'impact qu'un simple geste peut avoir sur le monde qui nous entoure et les conséquences qu'il peut engendrer lorsqu'on considère son effet cumulatif.

Deux heures vs deux heures et cinq secondes

Quel impact le geste simple et banal d'un être humain peut-il avoir sur le reste du monde?

Une journée d'été, il y a plusieurs années, ma femme et moi avons été coincés dans un énorme embouteillage. Après deux heures d'attente, nous n'en pouvions plus. Nous avons quitté l'autoroute, stationné notre voiture dans une petite rue et avons marché jusqu'à notre destination. Nous sommes donc passés devant l'endroit où était survenu l'accident qui nous avait retardés. Un camion avait frappé un viaduc alors qu'il roulait de l'autre côté de l'autoroute! Le bouchon de circulation dans lequel nous avions perdu près de deux heures était causé par la simple curiosité des automobilistes!

Chaque fois qu'une voiture roulant dans l'autre sens arrivait vis-à-vis du lieu de l'accident, son conducteur ralentissait afin de jeter un coup d'œil au camion tordu, ainsi qu'au viaduc, dont une partie de la structure en béton avait été arrachée. Les conducteurs ne ralentissaient que quelques secondes avant d'accélérer de nouveau et la majorité d'entre eux ne s'attardaient pas plus de cinq secondes. Ils attendaient depuis deux heures, pourquoi ne prendraient-ils pas à leur tour cinq secondes de plus pour jeter un coup d'œil à quelque chose d'intéressant? Bien sûr, le fait que chacun ait pris ces cinq secondes était la véritable cause de ce terrible embouteillage.

Ce bouchon de circulation illustre comment un geste simple, qui peut sembler banal aux yeux de la personne qui le pose, peut avoir d'énormes conséquences lorsqu'on considère son effet cumulatif.

Le vote d'un seul électeur ne déterminera pas le résultat d'une élection. Le vol d'un simple article n'entraînera pas une augmentation des prix. Un véhicule polluant de plus sur la route ou un sac de plastique jeté par la fenêtre d'une voiture ne détruiront pas notre planète. Une seule fausse réclamation d'assurance n'aura pas de conséquences sur les primes. Considérés isolément, aucun de ces événements n'a véritablement d'impacts significatifs.

De toute façon, qui cela peut-il déranger vraiment ? C'est seulement cinq secondes de plus!

Nous avons parfois tendance à nous préoccuper de nos petits gestes personnels sans trop nous soucier de leur effet cumulatif. En agissant ainsi nous évitons de nous responsabiliser face à plusieurs problèmes qui affectent le monde. Il est bien plus facile de pointer les autres ou les gouvernements du doigt et d'exiger des solutions plutôt que de se regarder dans le miroir et de se questionner.

Un reportage télévisé sur la dangerosité des patients psychiatriques m'a donné l'idée d'écrire cette chronique. Bien que ceci soit une réalité, elle ne touche qu'un léger pourcentage des patients souffrant de schizophrénie. Ce genre de reportage ne fait qu'effrayer le public et stigmatise davantage la maladie mentale; il ne fera que diminuer la vraisemblance d'une consultation et du traitement optimal nécessaire pour prévenir les tragédies.

Le respect qu'ils méritent

Il m'arrive assez fréquemment d'entendre parler de la schizophrénie dans les médias. Et d'une façon qui me dérange. C'est le cas d'un récent fait divers dans lequel on rapportait qu'un couple avait été assassiné par leur enfant schizophrène.

Pourquoi est-ce que cette nouvelle me dérange? Ça me dérange parce que la population, en général, a si peu de contact avec les personnes qui souffrent de schizophrénie ou d'autres maladies mentales graves que ces faits divers dressent un portrait injuste de la situation. Les patients psychiatriques sont souvent présentés comme une menace pour la société alors que nous essayons de les aider à normaliser leur existence et à s'intégrer à la communauté.

■ L'effet de la ségrégation

Lorsque vous connaissez bien un groupe, vous êtes portés à le percevoir dans sa globalité. Tout comportement anormal est alors perçu comme une exception. Lorsque vous connaissez peu un groupe, tout événement qui fait les manchettes donne l'impression « qu'ils sont tous pareils ».

C'est là que le bât blesse. Comme toute autre forme de ségrégation, l'absence d'interaction avec un autre groupe suscite la peur, l'intolérance et la méfiance. Nous isolons les personnes atteintes d'une maladie mentale depuis si longtemps que, pour fonder son jugement, la population dispose de très peu d'information autre que ces faits divers sensationnalistes.

■ L'image de la psychose

Il ne faut pas se leurrer. Les troubles psychiatriques graves, comme la schizophrénie, n'ont rien qui soit réjouissant. Les personnes qui en sont atteintes ont souvent une mauvaise hygiène personnelle, éprouvent de la difficulté à échanger avec autrui et accusent les autres de les persécuter. Elles ne nous attirent pas et ne peuvent toucher nos cœurs comme pourrait si bien le faire une personne atteinte de sclérose en plaques, par exemple. Les personnes souffrant de maladie mentale suscitent la peur plutôt que la compassion. Pourtant, elles ne sont pas plus responsables de leur état que nous. Le meilleur espoir qu'elles peuvent nourrir réside dans un traitement respectueux de notre part, peu importe ce que nous éprouvons. Elles le méritent.

■ Atténuer la stigmatisation et réduire le danger

Il est vrai que certains patients ne sont pas traités de manière optimale et qu'il est possible qu'à l'occasion ils représentent un danger pour eux-mêmes (souvent) ou pour les autres (rarement). Certainement, il est nécessaire d'agir afin de contrer les problèmes graves de manque de ressources et les difficultés liées à l'administration des soins de santé. Néanmoins, ces derniers représentent de petits obstacles à surmonter comparativement aux conséquences que peut entraîner la stigmatisation.

Des incidents dangereux se produisent rarement lorsqu'une personne fait l'objet d'un suivi rigoureux. Il est ironique de constater que le principal obstacle à un bon suivi est précisément notre crainte exagérée de ces incidents. Plutôt que de discuter avec des personnes atteintes de maladie mentale, de travailler avec elles et d'apprendre à les connaître, le malaise et la peur que nous éprouvons à leur égard maintiennent leur isolement.

Cet isolement empêche l'établissement de liens de confiance. Sans ces liens, il y a moins de suivis rigoureux, une réduction des possibilités de consultation et de traitements appropriés. C'est cet isolement qui mène à la rare tragédie, qui elle, fera la manchette.

Nous ne pouvons pas changer le monde, mais nous pouvons faire notre part en l'influençant. Cette chronique est la suite de « Deux heures vs deux heures et cinq secondes ».

Changer le monde

Lorsque nous étions à l'école primaire, nous voulions tous devenir astronautes. Nous savions avec certitude que nous vivions dans un monde parfait où tout était possible.

Ensuite, à l'école secondaire, nous avons commencé à réaliser que notre univers était loin d'être parfait. Nous prenions conscience de la pollution, des gens qui mouraient en raison de la guerre, de la pauvreté dans nos rues. Nous voulions tous faire la révolution et rendre notre monde meilleur. Les problèmes étaient gigantesques, mais les solutions nous semblaient simples et évidentes. Il fallait seulement que des gens avec de bonnes valeurs s'en occupent. Des gens comme nous : des adolescents idéalistes et passionnés qui n'étaient pas blasés comme semblait l'être la génération précédente.

Puis nous sommes devenus adultes… et plus rien n'était simple. Les mêmes problèmes persistaient. Nous vivions toujours dans un monde aux prises avec la pollution, la guerre et la pauvreté. Nous semblions tous nous entendre sur ce qu'étaient les principaux problèmes, mais nous ne nous entendions que rarement sur les solutions. Et quand l'unanimité était au rendez-vous, la solution était difficile à mettre en pratique.

■ Le monde à grande ou à petite échelle?

Que faire maintenant? Une personne à elle seule ne peut enrayer des problèmes aussi graves que le crime, la guerre ou encore la maladie. Est-ce qu'un seul sac de sable peut freiner un tsunami? Bien sûr que non! Doit-on pour autant abandonner? Doit-on s'en laver les mains?

Que se passerait-il si l'on tentait seulement de modifier la situation autour de nous? Chez nos amis, nos collègues de travail, nos voisins? Est-ce que cela embellirait un peu le portrait? Probablement. Mais qui peut se vanter de pouvoir changer complètement les choses autour de soi? Surtout lorsqu'il s'agit des sentiments et des mentalités des autres?

■ Le pouvoir d'influencer

Que doit-on faire alors? Est-ce que l'enthousiasme de l'adolescent doit céder sa place au découragement? Surtout pas! Bien que nous n'ayons pas le contrôle absolu sur les réalités de la vie, nous pouvons avoir notre mot à dire. Pas besoin de maîtriser complètement la situation lorsqu'on détient le pouvoir d'influencer. Ce pouvoir on peut l'exercer en prêchant par l'exemple.

Traitez votre prochain comme vous désirez être traité, acceptez la différence chez l'autre, donnez un coup de pouce à une personne dans le besoin, rendez-vous au travail à bicyclette, soyez critique avec les politiciens avant de leur donner votre vote. Bref, si vous êtes fidèle aux idéaux qui vous étaient si chers dans votre jeunesse, cette révolution va finir par se produire.

On ne peut certainement pas changer le monde entier d'un coup de baguette magique. Mais nous pouvons tout de même faire notre part en influençant, chacun à notre manière, le monde autour de nous. Le tsunami n'a-t-il pas commencé par une simple goutte de pluie?

Ne soyez pas déçus si vous manquez de pouvoir pour changer le monde. La force du tsunami provient de l'eau qui est tombée sur la terre une goutte à la fois…

Une femme a pris rendez-vous avec moi et a apporté un exemplaire de cette chronique à sa première séance. J'y aborde le sentiment de sécurité nécessaire pour se sentir en confiance dans une relation. Il s'agit d'une simple chronique, mais pour certaines personnes, elle frappe vraiment dans le mille. La même chronique a été affichée sur un site Web sur l'adoption.

Le plus beau des cadeaux

Il y a quelque chose que plusieurs d'entre nous tiennent pour acquis. Nous reconnaissons rarement son importance à moins d'être au nombre des moins chanceux qui doivent s'en passer. Je veux parler ici du sentiment de sécurité.

Au cours ma jeunesse, j'ai été, la plupart du temps, un assez bon garçon. Mais je me suis quand même retrouvé quelques fois dans le trouble. Mes parents étaient très stricts et j'avais souvent très peur de leur réaction lorsque je faisais un mauvais coup. Il y a eu bien des occasions où je les ai « détestés ». Nous avons eu parfois de grosses chicanes qui ont duré plusieurs jours, voire plusieurs semaines. Et malgré tout ce qui pouvait se passer, ils continuaient de m'aimer et de prendre soin de moi. Avec le temps et malgré ces conflits occasionnels, un sentiment général s'est confirmé : la certitude de leur amour pour moi.

C'est ce qui fait aujourd'hui que je ressens un sentiment de sécurité au sein d'une relation amoureuse. Je sais, entre autres choses, que même si je me dispute avec ma femme ou mes enfants, rien d'irréversible ne se produira. J'ai pleine confiance dans le fait que nous nous aimons les uns les autres, et je sais avec certitude qu'aucune dispute ne pourra changer cet état de fait. C'est ce que j'appelle la sécurité.

Ce ne sont pas toutes les relations qui sont stables. Il y a ces relations qui semblent parfaites au départ et qui vont mal tourner avec le temps. Mais même les « vraies bonnes relations » doivent, un jour ou l'autre, surmonter des défis. La façon dont nous ferons face à ces défis fera toute la différence. Une personne se sentant en confiance aura tendance à être patiente, sachant que l'amour qui sous-tend sa relation n'a pas soudainement disparu. Ce genre de personne n'en rajoutera pas en réagissant de manière excessive ou en accusant l'autre de tous les torts, ce qui devrait en principe encourager la réconciliation.

Les gens les plus malheureux sont justement ceux qui ne connaissent pas ce sentiment de sécurité et de confiance dans leurs relations. Ces personnes peuvent avoir grandi dans différents foyers d'accueil, avoir subi des violences sexuelles ou physiques, avoir été manipulées lors de séparations tumultueuses ou encore avoir été laissées à elles-mêmes ou critiquées continuellement pendant leur enfance. Elles ont grandi avec la crainte d'être déçues, de souffrir ou d'être abandonnées, et ces craintes s'immiscent dans toutes leurs relations. Ces personnes ne se sentent jamais vraiment en sécurité.

N'ayant personnellement jamais eu à vivre dans de telles conditions, j'ai grandi sans me rendre compte du cadeau qui m'avait été donné. Beaucoup de parents se demandent s'ils font du bon boulot avec leurs enfants. C'est normal qu'on s'inquiète un peu. Après tout, on n'étudie pas pour devenir parents, on le devient du jour au lendemain. En fait, le secret pour bien élever son enfant est excessivement simple. En procurant à votre enfant un sentiment de sécurité, en lui démontrant que vous l'aimerez inconditionnellement, autant dans les bons que les mauvais moments, vous ferez en sorte qu'il pourra devenir un individu relativement heureux dans la vie. Ça peut paraître simple, dit de cette façon, mais faites-moi confiance : ceux qui vivent constamment dans l'insécurité donneraient n'importe quoi pour changer de place avec vous et avoir reçu le plus beau des cadeaux.

Une grande caverne humide

Voyons voir si je peux discuter de vagin et d'anxiété sociale tout en faisant preuve de bon goût.

L'angoisse sociale est la peur la plus commune. Nous l'avons tous vécue à un moment ou à un autre. Soit avant de présenter un exposé oral ou encore lors d'un premier rendez-vous. Il existe cependant une différence entre l'anxiété sociale normale et celle qui est débilitante. Un certain niveau d'anxiété sociale est nécessaire. S'inquiéter de ce que les autres pensent nous fait prendre conscience de notre rôle social et fait ressortir nos qualités en matière de relations humaines. Mais comme pour n'importe quel type d'anxiété, tout est une question d'intensité. L'histoire qui suit démontre ce qui se produit lorsque l'on tente avec trop de vigueur d'éviter l'anxiété.

■ Je vous en supplie, pas maintenant!

« J'avais l'impression d'être devant une grande caverne humide », m'a expliqué un jeune homme lors d'une consultation. Il était inscrit à un cours universitaire portant sur la sexualité humaine. Alors qu'il assistait au premier cours de la session, traitant de l'anatomie humaine, une des diapositives afficha la photo d'un vagin accompagné de flèches indiquant les diverses parties, ainsi que leurs noms latins. Il souffrait d'une phobie sociale : la peur de passer pour un idiot en public. Le jeune homme a immédiatement eu une pensée incontrôlable : « Si je panique maintenant et que je sors de la classe en courant, tout le monde s'imaginera que je suis mal à l'aise à la vue d'un vagin! » Nul besoin de vous dire que c'est exactement à ce moment-là que l'attaque de panique se déclencha.

■ La peur d'avoir peur et le paradoxe de l'anxiété

En temps normal, l'anxiété sert à nous protéger. Les problèmes surviennent lorsque nous commençons à avoir peur de notre réponse face à l'anxiété. Cette peur retourne les mécanismes de l'anxiété contre nous-même. Cette simple histoire illustre parfaitement le paradoxe de l'anxiété : lorsque nous avons peur d'être angoissés, nous provoquons encore plus d'anxiété. La panique semble frapper seulement lorsque nous ne le voulons pas, et jamais lorsque nous lui permettons de se produire. En d'autres termes, tous les efforts tentés afin de contrôler ou d'éviter l'anxiété semblent seulement empirer les choses. L'anxiété débilitante est en fait le reflet des efforts que nous tentons pour la combattre.

■ La seule véritable solution

Le jeune homme de notre histoire a été incapable de recréer son état de panique dans mon bureau, et ce, malgré beaucoup d'efforts. La raison en est bien simple : ce n'était pas grave, s'il paniquait. Cela démontre que la meilleure façon de maîtriser l'anxiété n'est pas de lui résister, mais plutôt de se poser cette question : pourquoi est-ce que ce serait si grave de paniquer? Être ou avoir l'air anxieux devant les autres n'est peut-être pas plaisant à vivre, mais ce n'est certes pas la fin du monde. Si vous vous permettez d'avoir l'air un peu nerveux, il y a de fortes chances pour que vous ne le soyez pas du tout. À l'inverse, si vous tentez de maîtriser votre anxiété à tout prix, il y aura de grandes cavernes humides partout où vous irez.

Je gage que vous n'allez pas lire ceci

Placeriez-vous une pointe de pizza ou un morceau de gâteau au chocolat devant une personne faisant de l'embonpoint sans vous imaginer qu'elle ne serait pas tentée de les manger? Présenteriez-vous une ligne de cocaïne et un billet de vingt bien roulé à un toxicomane sans vous imaginer qu'il succombera à la tentation? Alors, pourquoi sommes-nous surpris qu'il y ait autant de personnes aux prises avec des problèmes de jeu?

■ L'histoire de Richard

Richard était une bonne personne. Dès qu'on le rencontrait, on se rendait compte qu'il était un être compréhensif et rempli de compassion. Il était un chef cuisinier habile et possédait un service de traiteur très lucratif. Il détenait également d'autres talents comme celui d'avoir une voix de chanteur aussi puissante que celle de Pavarotti. Tout le monde aimait Richard.

Puis les appareils de loterie vidéo sont arrivés. Les problèmes ne sont pas apparus au grand jour immédiatement. Un petit emprunt ici et là afin de l'aider à payer un nouvel équipement, quelques petits problèmes de reçus perdus, etc. Bientôt, certains ont commencé à se poser des questions. Des centaines de milliers de dollars ont disparu, en majeure partie de l'argent appartenant à des proches et à des membres de la famille qui l'aimaient et lui faisaient confiance. Il a coupé tellement de ponts que finalement, il a perdu sa femme, ses trois enfants et ensuite tous ceux qui comptaient pour lui. Tout le monde déteste Richard.

■ La vache à lait

Après avoir traité le jeu comme un crime pendant si longtemps, les autorités dépendent maintenant fortement de cette vache à lait qui constitue une source importante de revenus. (N'est-ce pas exactement ce que faisaient les Corleone dans le film *Le parrain*?). Les problèmes sociaux ainsi créés sont évidents.

Loto-Québec a récemment échoué dans ses efforts pour empêcher la publication des rapports sur les suicides se produisant sur les terrains du casino. Mais avions-nous vraiment besoin de connaître ces histoires pour savoir que le jeu ruine des vies? L'important ce n'est pas le nombre exact de suicides causés par le jeu. Un seul suicide, c'est déjà trop. Les coûts sociaux additionnels sont également trop souvent tenus sous silence : les familles détruites, les dépressions, les épargnes de toute une vie envolées. L'histoire de Richard n'est qu'un grain sable dans un portrait statistique global.

■ À qui la faute?

Nous sommes tous libres d'agir à notre guise et nous pourrions être tentés de dire que les personnes ayant une dépendance au jeu n'ont qu'elles-mêmes à blâmer. Cependant, notre comportement n'est pas dicté seulement par nos désirs intérieurs, mais également par la présence de stimulus dans notre environnement. Loto-Québec a fait en sorte que nous ne pouvons pas mettre les pieds dans un dépanneur sans être bombardés de toutes parts par des messages laissant planer l'idée d'une richesse soudaine et la promesse d'une meilleure vie. Tant pis si quelques-uns d'entre nous développent des problèmes de jeu par la suite et que quelques vies sont détruites! Nos gouvernements dépenseront alors un peu d'argent sur des affiches et des campagnes de sensibilisation. Il faut bien s'occuper des problèmes de jeu que crée un organisme public! Ce serait à mourir de rire si ce n'était pas si triste.

Le voisin dans cette chronique est Michel Beaudry.
Il rédige une chronique humoristique quotidienne dans le Journal de Montréal.

Job de bras ou job de babines

J'ai deux fils. Le premier est fort physiquement, tandis que l'autre a du bagout.

Je demeure en banlieue. La plupart de mes voisins font affaire avec une entreprise de déneigement. Le service est efficace et peu coûteux. De plus, c'est une très bonne affaire considérant les records de chute de neige que nous avons presque dépassés cette année. Idiot comme je peux parfois l'être, j'ai cependant décidé de ne pas payer pour ce service cette année. J'ai quand même trois bons arguments : 1) pelleter forme le caractère; 2) l'exercice est bon pour notre santé; 3) j'ai deux garçons qui ont besoin d'apprendre la valeur d'un dur labeur.

Suite à la dernière tempête, j'ai encore une fois dû traîner mes deux fils à l'extérieur afin que nous puissions partager un merveilleux moment de qualité en famille à grogner et à forcer. En plein milieu de la rue, mon voisin Michel était coincé dans la neige avec son camion. Mon aîné, Joshua, un garçon très fort et qui ne parle pas beaucoup, continua de pelleter notre entrée pendant que j'allais prêter main-forte à Michel. Mon cadet, Tommy, un vrai moulin à paroles, m'a accompagné. Il n'a pas fait beaucoup plus que de me regarder creuser et pousser.

Après plus de 30 minutes d'efforts, nous avons réussi à libérer le camion. Pendant ce temps, Joshua avait pelleté environ le tiers de notre entrée. Alors que Michel nous remerciait de lui avoir donné un coup de main, Tommy lui demanda s'il pouvait nous aider à déneiger notre entrée avec sa souffleuse. Michel était bien content de nous retourner la faveur. Notre entrée a été complètement dégagée en deux temps trois mouvements. Voici comment je vois les choses : Joshua a déneigé un tiers de notre entrée avec ses muscles et Tommy a déneigé le reste avec sa bouche.

■ Le travailleur idéal

Cette anecdote m'a rappelé un dilemme qui se produit souvent en gestion des ressources humaines. Est-il préférable d'avoir un employé qui se débrouille pour accomplir ce qu'il a à faire en moins de temps ou un employé qui travaille toujours très fort, mais qui prendra plus de temps pour accomplir ses tâches?

Votre préférence dépendra de votre façon de voir les choses. Croyez-vous qu'il soit plus facile d'enseigner à un employé débrouillard à travailler plus fort ou à un employé acharné à travailler avec plus d'efficacité? La réponse est déterminée par leur caractère respectif. Si le travailleur débrouillard a seulement besoin de motivation, c'est l'idéal. S'il est paresseux, il n'y a rien à faire. Quant au travailleur acharné, s'il est capable de s'adapter, c'est l'idéal. Par contre, s'il est réfractaire au changement, vous ne verrez pas beaucoup d'amélioration. La vérité est qu'il est difficile de trouver des gens qui travaillent d'arrache-pied et qui sont également débrouillards. Ils sont d'autant plus difficiles à créer de toutes pièces.

Lequel choisirais-je si j'avais à me décider entre un travailleur acharné et une personne débrouillarde? Pour être honnête, je ne crois pas avoir une préférence marquée. Tout comme mes deux fils, ils possèdent tous les deux leurs qualités et méritent chacun leur place au sein de notre société.

La vérité sur le mensonge

Avouons-le : nous utilisons tous le mensonge. Toutefois, certaines personnes le font plus souvent que d'autres. Je ne sais pas si mentir est inné chez l'humain, mais une chose est sûre, le mensonge apparaît très tôt dans nos vies. Un jeune enfant qui brise un vase apprend rapidement à jeter le blâme sur un frère ou une sœur. J'ai même parfois l'impression que si mon chien pouvait parler, il trouverait le moyen de nous convaincre que c'est le chat qui a souillé le tapis…

Dans chaque mensonge, deux personnes sont impliquées : celle qui ment et celle à qui l'on ment. La personne à qui on a menti possède parfois sa part de responsabilité dans la création du mensonge. Les gens racontent des mensonges quand ils ne veulent pas faire face à notre réaction en osant dire la vérité. C'est un fait : certains d'entre nous poussent les autres à leur mentir.

▨ La personne qui ment

La personne qui ment à répétition le fait afin d'éviter d'être confrontée à une réponse négative. Parfois, elle fait preuve d'égoïsme ou succombe à une tentation, mais ne souhaite pas en subir les possibles conséquences. Elle peut aussi mentir pour avoir raison à tout prix lors d'une discussion. Peu importe l'explication de ses mensonges, elle n'a pas la maturité, l'intérêt ou le courage de faire face à la musique.

Il est peut-être normal de mentir à l'occasion, mais si vous passez votre temps à mentir, il serait temps de réaliser que vous ne pouvez pas toujours obtenir ce que vous voulez. Si vous n'apprenez pas à accepter « non » comme réponse, vous ne ferez que couper des ponts et perdre votre crédibilité. Toujours tenter d'éviter de subir les conséquences de ses actes finit par entraîner d'autres conséquences.

▨ La personne à qui l'on ment

Les personnes qui sont plus souvent la cible de mensonges que d'autres sont parfois très portées à tout contrôler. Peut-être réagissent-elles avec excès lorsqu'elles se font dire leurs quatre vérités, ou encore étouffent-elles la liberté et la créativité des autres ? Peu importe la raison, elles ne semblent pas avoir assez de maturité pour admettre que le monde n'est pas toujours exactement comme elles le voudraient.

Il arrive à tout le monde de se faire dire un mensonge. Cependant, si vous êtes quelqu'un à qui l'on ment constamment, peut-être devriez-vous réfléchir à ceci : vous ne pouvez pas toujours arriver à vos fins. Vous ne pouvez pas constamment contrôler les autres. Si vous souhaitez que les gens soient plus honnêtes envers vous, vous devriez apprendre à leur donner « du lousse ». Sinon, tout comme la personne qui ment, vous vous rendrez compte qu'il est de plus en plus difficile d'obtenir ce que vous voulez. Vouloir contrôler toute conséquence porte à conséquence.

Une journée avec les sans-abri

Lorsque j'étais étudiant au cégep, j'ai suivi un cours intitulé *La pauvreté à Montréal*. En guise de travail de fin de session, nous avions le choix entre effectuer une recherche sur le terrain et présenter nos résultats devant toute la classe ou remettre une dissertation.

J'ai sauté sur l'occasion d'éviter la rédaction d'un autre essai. Sur les conseils de mon professeur, j'ai décidé de passer une nuit au refuge pour hommes de l'Armée du Salut. Il m'avisa que les gens que j'allais rencontrer me surprendraient. Et il avait bien raison.

Je me suis laissé pousser la barbe pendant quelques jours, j'ai enfilé une chemise de bûcheron, j'ai sorti le vieux sac d'armée de mon père, puis j'ai pris le métro jusqu'au centre-ville. À mon arrivée au refuge, j'ai payé 1$ afin d'obtenir un lit dans un des dortoirs.

J'ai passé l'après-midi et la soirée avec plusieurs hommes ayant chacun une histoire particulière. J'ai fait la connaissance d'un monsieur très âgé qui m'a fait un récit sans queue ni tête sur La Nouvelle-Orléans, d'un jeune homme dont l'arrogance semblait vouloir dissimuler une vie passée en grande partie dans la rue, ainsi que d'un ancien homme d'affaires qui avait jadis été marié, avait eu deux enfants et une carrière prospère avant que toute sa vie s'écroule. Il a partagé avec moi seulement quelques détails concernant les événements cruels qui l'avaient conduit au refuge, mais c'est son histoire qui m'a le plus touché.

▨ Avec le recul...

Après plusieurs années à travailler au Douglas dans le domaine de la maladie mentale, je peux maintenant prendre du recul et mieux comprendre chacune de ces histoires en me les remémorant sous un angle différent.

Je sais maintenant qu'un sans-abri sur trois souffre de schizophrénie. Est-ce que le vieil homme était un de ces cas non traités? Fort probablement. Est-ce que le jeune homme était le fugueur type fuyant la négligence ou les mauvais traitements de ses parents ou d'un foyer d'accueil? Quant à l'homme d'affaires, souffrait-il d'une dépression bipolaire ou d'un autre trouble mental, ou était-il simplement dépassé par les événements? Je ne peux en être certain, mais il y a une chose dont je suis sûr : leurs histoires n'étaient que la pointe de l'iceberg.

Quand est venu le temps de dormir, je me suis trouvé un lit dans une pièce où il y avait une douzaine d'autres personnes. Il y avait une senteur de vomi mélangée à différentes odeurs corporelles. Les ronflements et les continuelles interruptions causées par les retardataires ne m'aidaient pas non plus à trouver le sommeil.

Pas besoin de vous dire que je n'ai pas fermé l'œil de la nuit. Je l'ai passée à regarder le plafond et à attendre que le soleil se lève.

Au petit matin, je suis sorti et je me suis dirigé vers la station de métro où j'ai dû attendre une bonne vingtaine de minutes avant que le premier métro de la journée se pointe. Contrairement à mes nouveaux amis et aux autres sans-abri du refuge, j'avais la chance de pouvoir échapper à cette vie.

Ce que j'ai vécu ce jour-là m'a appris énormément de choses sur les sans-abri et sur la maladie mentale, la plus importante étant que ces gens ne méritent pas d'être ignorés et oubliés par le reste de notre société.

Qui a fini le c*** de lait?

Avez-vous déjà remarqué que nous ne nous comportons pas de la même manière lorsque nous sommes à la maison, au travail ou en présence d'amis? À la maison, combien de fois avons-nous entendu quelqu'un fouiller dans le frigo et s'exclamer : « Qui a fini le c*** de lait? » Je doute que quelqu'un ose se comporter ainsi au bureau lorsque la cafetière est vide.

Le même phénomène se produit en voiture lorsque nous nous impatientons envers d'autres automobilistes, à grands coups de klaxon et de gestes obscènes. Comment réagiriez-vous si vous reconnaissiez la personne se trouvant dans l'autre véhicule tout juste après lui avoir fait un doigt d'honneur? Si vous l'aviez reconnue plus tôt, vous lui auriez probablement gentiment cédé le passage.

La raison qui motive l'existence de tels écarts de comportement réside dans nos inhibitions sociales. En présence d'autres personnes, nous avons tendance à modérer nos réactions par peur de leur déplaire et de mal paraître. Lorsque nous sommes dans une situation d'anonymat, comme au volant d'une voiture ou en plein cœur d'une émeute, ou quand le jugement des autres ne nous préoccupe pas, comme à la maison en présence de notre famille, l'absence d'inhibitions semble accorder à certains d'entre nous le droit de se comporter en abrutis.

L'inhibition sociale est un mécanisme nécessaire qui agit comme un contrepoids à la plupart de nos émotions les plus ignobles. La colère et l'irritation qui s'élèvent en nous après avoir découvert un contenant de lait vide dans le frigo s'expriment de manière démesurée en l'absence d'un tel mécanisme.

Il n'y a rien de malsain à exprimer son mécontentement. Cependant, certaines personnes prennent trop à cœur les jugements des autres. Si le mécanisme inhibiteur d'une personne est trop puissant, il l'empêchera de s'exprimer et de faire face à de réels problèmes.

D'un autre côté, plusieurs parmi nous pourraient faire preuve de retenue. Se préoccuper quelque peu de l'opinion des autres nous permet de demeurer civilisés et nous aide à maîtriser notre désir ardent d'évacuer toutes nos frustrations, en particulier les plus insignifiantes.

Ne serait-ce pas mieux si nous nous comportions à la maison et sur nos routes comme nous le faisons au travail ou dans notre milieu social?

Bien sûr, mais encore mieux, il faudrait que les personnes qui laissent des contenants de lait vides dans le frigo ou qui nous coupent le chemin en voiture fassent également preuve de courtoisie. Là, on serait vraiment « en affaires ».

Et alors? Ce n'est pas mon argent!

J'ai un aveu à vous faire. J'étais censé me rendre à une conférence aujourd'hui. J'avais prévu prendre congé et les frais d'inscription avaient déjà été payés par le budget du Douglas. En d'autres mots, je me rendais à la conférence à vos frais. Je suis plutôt assis dans ma cuisine à écrire cette chronique, et je manque donc cette conférence.

J'avais tout simplement trop de choses à faire en trop peu de temps. L'argent a été dépensé pour rien et, bien que le montant ne soit pas élevé (75,00 $), cela va à l'encontre de ma conviction que les fonds publics ne doivent pas être gaspillés. Je vous présente donc mes plus sincères excuses.

J'ai droit à un minuscule compte de dépenses que j'utilise habituellement de façon très judicieuse. Chaque fois que je vais à une réunion à l'extérieur du Douglas, je vérifie toujours s'il y a de la place dans la rue avant d'utiliser le stationnement payant. Pourquoi? Parce que c'est exactement ce que je ferais si j'avais à débourser l'argent de ma poche.

Je vous parle de ça parce que je remarque très souvent qu'on dépense l'argent des autres avec beaucoup plus de facilité qu'on le fait avec nos propres sous.

■ Paiements par les tierces parties

Êtes-vous vraiment surpris par la hausse des primes d'assurance-maladie et d'assurance-médicament? Nous mettons sur pied ces plans afin de simplifier le système et d'aider ceux qui ne peuvent se payer ces services essentiels. Mais par le fait même, nous créons un système où « ceux qui facturent » ne sont que rarement confrontés à « ceux qui payent ».

La simple idée que quelqu'un d'autre paye pour nous semble rendre la dépense tellement plus facile à faire. Loin de moi l'idée de pointer du doigt une personne ou une profession en particulier. Le problème se retrouve partout, autant dans le privé que dans le secteur public. Certains employés réclament un nouvel équipement ou des fournitures de bureau additionnelles, alors que ce qu'ils utilisent est parfaitement fonctionnel. Certains gestionnaires embauchent des consultants pour se faire dire ce qu'ils savent déjà seulement dans le but de justifier une décision impopulaire. Certains professionnels vont gonfler la facture si un patient n'a pas à débourser de sa poche.

Cela ne signifie pas nécessairement que ceux qui posent ces gestes sont malhonnêtes. C'est seulement qu'un système basé sur des paiements effectués par une tierce partie rend plus facile de facturer des marchandises qui sont loin d'être essentielles ou encore de se faire payer du temps supplémentaire sans avoir besoin de se justifier. Demander et recevoir un traitement de faveur se fait également plus aisément.

Si chacun d'entre nous dépensait l'argent des autres de la même façon dont il le ferait avec son propre argent, il y aurait probablement moins de terrains de golf luxueux, de restaurants hors de prix ou de loges corporatives au Centre Bell. Cependant, je vous parie que certains de ces luxes deviendraient plus abordables pour tout le monde. Tout comme les produits et services essentiels d'ailleurs.

Perfectionnisme et daltonisme

Êtes-vous perfectionniste? Vos standards personnels sont-ils raisonnables? Pouvez-vous porter un jugement honnête sur vous-même ou sur la qualité de votre travail? Il est souvent plus profitable d'avoir des standards élevés. Lorsque nous avons de hautes attentes, nous parvenons habituellement à accomplir beaucoup plus. Mais il y a un problème. Certaines personnes ont des standards si élevés qu'il leur est pratiquement impossible de les atteindre. Malgré beaucoup de succès dans plusieurs aspects de leur vie, elles sont souvent déçues d'elles-mêmes et sont enclines au découragement et à la dépression.

■ Êtes-vous perfectionniste?

Il est facile de savoir si vous êtes perfectionniste. Je suis certain que vous le savez déjà ou sinon, les autres doivent vous en parler souvent. Vous êtes perfectionniste si vous n'êtes jamais content de vous-même, peu importe ce que vous faites. Quand vous faites quelque chose de bien, vous vous dites que c'est tout simplement normal. Pas besoin d'en faire tout un plat. Mais lorsque vous ne répondez pas à vos attentes, vous vous sentez stupide. Et le pire se produit lorsque vous appliquez vos propres standards aux autres. C'est ce qui fait que certaines personnes semblent toujours être fâchées.

■ Les standards du daltonien

Comment faire pour modifier nos standards? Ce n'est pas chose facile. Tentons ici d'examiner cette question en utilisant un problème n'ayant pas la même charge émotive. Si vous étiez daltonien et que vous vouliez bien vous habiller pour une occasion spéciale, que feriez-vous? Face à une garde-robe remplie de vêtements dont vous n'êtes pas certain des véritables couleurs, vous demanderiez probablement l'opinion de quelqu'un d'autre. C'est aussi simple que ça. En reconnaissant que vous ne pouvez juger vous-mêmes de la couleur la plus appropriée, vous vous baserez alors sur l'opinion de quelqu'un d'autre. C'est ce que les perfectionnistes doivent apprendre à faire.

■ Reconnaître le jugement faussé

Le problème avec la plupart des perfectionnistes, c'est qu'ils sont incapables d'être impartiaux lorsqu'il s'agit d'eux-mêmes. Ils sont normalement plus indulgents lorsqu'il est question des autres. Ils sont donc capables de reconnaître que ce que fait une autre personne est bien, ou du moins acceptable. Afin de mieux s'apprécier, ils doivent apprendre à ignorer le jugement faussé qui provient du plus profond d'eux-mêmes et à se tourner vers les autres afin d'obtenir une opinion plus juste. Par exemple, de bonnes notes à l'école, des commentaires de la part de collègues ou de supérieurs, des résultats de vente, ou n'importe quel jugement extérieur ou système de mesures objectif.

Tout comme une personne daltonienne apprend rapidement qu'elle ne peut voir les couleurs de la même manière que les autres, le perfectionniste doit également reconnaître qu'il est incapable de juger de la qualité de son propre travail. Dans les deux cas, ils doivent s'en remettre à d'autres. Le daltonien est obligé de le faire pour mieux se vêtir. Le perfectionniste doit le faire pour se sentir mieux.

Priorités sans importance

Le temps. Notre quotidien se résume souvent à la manière d'établir nos priorités par rapport à cette ressource limitée.

Un jour, alors que je me plaignais de mon manque de temps, un de mes collègues me donna un conseil judicieux : établis tes priorités, choisis celles qui sont les plus importantes et concentre tes efforts sur celles-ci. Il avait raison. L'établissement des priorités est un principe de base en straté-gie de gestion du temps. Dressez une liste des priorités, choisissez les plus pertinentes, et vous irez loin dans la vie. Comme bien des conseils, il s'agit d'une bonne idée... jusqu'à un certain point.

Comment faire pour choisir des priorités quand il semble que tout est une priorité ou que des tâches importantes ne sont pas effectuées parce que nous sommes trop occupés à accorder notre précieux temps à d'autres priorités importantes? Nous pouvons sans effort utiliser notre temps plus efficace-ment, mais à un certain moment, il n'y aura inévitablement plus de temps pour en faire plus.

■ Le dilemme : en faire plus avec moins ou en faire moins avec moins

L'établissement des priorités s'avère la meilleure façon de gérer ses limites afin de nous permettre d'en faire plus avec moins. À l'exception que parfois nous devenons tellement pris à nous fixer de nouveaux objectifs que, malgré des priorités bien établies, les choses commencent à mal aller, et des aspects importants sont négligés. C'est peut-être à ce moment qu'il commence à être temps d'en espérer un peu moins et de diminuer ses objectifs.

Alors, que faire? Certaines personnes ont besoin d'être mieux organisées et doivent apprendre à en faire plus avec moins, alors que d'autres sont déjà très bien organisées et doivent apprendre à en faire moins avec moins. De quel type êtes-vous?

■ Ma garde-robe est pleine

Supposons que vous êtes quelqu'un qui dépense trop pour ses vêtements parce que vous aimez bien paraître ou que vous êtes incapable de négocier un prix. Comment faites-vous pour décider du moment où assez c'est assez? Imaginez que votre garde-robe est tellement remplie qu'il n'y a plus de place pour y ranger autre chose. Afin d'y faire de la place, vous décidez de classer vos vêtements par ordre de préférence. Vous prenez la décision que pour chaque nouveau vêtement acheté, vous allez vous débarrasser de celui que vous aimez le moins. Ça semble une bonne idée. Mais que se passera-t-il quand vous commencerez à vous débarrasser des vêtements que vous aimez vraiment? Ne serait-ce pas le signal vous indiquant que vous en achetez trop? En d'autres termes, cessez de vous attarder à la beauté des nouveaux vêtements. Remarquez plutôt comment les vêtements dont vous voulez vous débarrasser sont encore ravissants.

Le même concept s'applique au temps et au travail. Dressez une liste de tout ce que vous désirez et établissez des priorités. Commencez par effectuer le plus important. Si ce que vous aurez négligé de faire au début est également très important, ce sera un signe clair que vous en prenez trop sur vos épaules. En d'autres mots, la meilleure façon de savoir si vous devez diminuer votre nombre d'objectifs n'est pas de vous attarder à ce que vous avez fait, mais plutôt à ce que vous avez négligé!

Un jeune homme déprimé m'a déjà dit qu'il essayait de penser de façon positive, mais que cela ne fonctionnait pas. Je lui ai suggéré d'examiner ses croyances plutôt que ses mots.

Pensée critique contre pensée positive

Nourrissez votre esprit de pensées positives, et de belles choses se produiront dans votre vie... Enfin, c'est ce qu'on entend assez fréquemment. J'ai l'impression qu'on nous répète souvent ce message. Ça semble à première vue une bonne idée. Mais jusqu'à quel point cela fonctionne-t-il?

Trop de négativisme freine l'esprit d'initiative en plus d'être un facteur pouvant mener à la dépression et à la déprime. Mais comment pouvons-nous calculer les effets destructeurs de la pensée négative? Est-ce que l'utilisation des « pensées du jour » peut vraiment aider? Est-ce que vous serez plus convaincu par vos pensées si elles sont positives? Malheureusement non.

■ Les mots contre les croyances

Le problème lorsqu'on pense de façon positive, c'est qu'il est difficile de croire en des affirmations si, d'entrée de jeu, on n'est pas convaincu de leur signification. Il y a une énorme différence entre les mots et les croyances. Se répéter des pensées positives n'est qu'un exercice sans substance. Les mots, peu importe le nombre de fois que vous vous les répéterez, n'auront aucun impact à moins d'y croire profondément. C'est à ce moment que la pensée critique entre en ligne de compte.

La pensée critique fait intervenir la capacité à examiner les faits selon une perspective non biaisée. Cela implique de mettre en doute vos perceptions des événements et d'en reconnaître les distorsions afin de pouvoir voir les choses comme elles le sont vraiment, plutôt que comme vous les percevez. Le résultat s'exprime par l'adoption d'une perspective bien mieux équilibrée et qui sera conséquemment, plus positive. Ce genre de changement se traduira par une conviction bien plus profonde et durable que toute tentative de pensée positive d'automate.

■ Le penchant négatif de la dépression

Les gens souffrant de déprime ou de dépression chronique n'ont pas nécessairement eu à vivre des malheurs pires que les gens heureux. Ils ne vivent pas non plus sur une autre planète. Ils ont peut-être cependant tendance à voir les choses de manière plus négative. Par exemple, ils peuvent voir leurs atouts comme étant insignifiants tout en les trouvant merveilleux chez les autres. Ils exagèrent peut-être grandement leurs défauts tout en pardonnant des travers similaires chez les autres. Au cours d'une dépression, cette tendance au négativisme devient plus importante et les symptômes n'en deviennent que pires.

L'un des objectifs dans le traitement des gens dépressifs, chroniquement déprimés ou négatifs à l'extrême, est d'utiliser la pensée critique afin d'aider ces personnes à reconnaître leurs pensées subjectives et leurs distorsions négatives. Elles apprennent à remettre en question leurs préconceptions, l'interprétation qu'elles se font des événements et leur jugement des faits. Cela a pour effet de tracer un portrait plus réaliste du monde qui les entoure, un portrait pas nécessairement tout en rose, mais certainement mieux équilibré et beaucoup moins négatif.

En vous forçant à penser positivement, vous aurez beaucoup moins de chances d'atteindre votre objectif que si vous utilisez la pensée critique. L'objectif n'est pas de modifier ce que vous vous dites, mais de modifier ce que vous croyez.

Faire une bonne impression : vraiment?

Vous avez probablement déjà entendu dire qu'il est important de faire une bonne première impression. C'est peut-être vrai dans la plupart des cas, mais trop forcer la note peut parfois avoir l'effet contraire. Laissez-moi vous raconter une petite histoire.

▣ Albert : un homme étrange ou un bon gars?

Albert éprouvait de l'anxiété sociale et s'inquiétait continuellement de faire bonne impression. Il a décidé de consulter en raison d'une dépression et de problèmes d'anxiété à la suite de son congédiement alors qu'il occupait un emploi important. La raison de son licenciement était assez simple à comprendre. Il avait été embauché pour ses idées, mais puisqu'il ne voulait jamais courir le risque de dire quelque chose de stupide, il ne parlait jamais lors des réunions. Il donnait alors la fausse impression qu'il n'avait pas de bonnes idées à proposer.

L'emploi ensuite occupé par Albert était une rétrogradation considérable, mais se révéla finalement comme une expérience d'apprentissage enrichissante. À l'occasion d'un pur hasard (l'ami d'un ami), Albert apprit ce qu'un collègue de travail pensait de lui. Il semble qu'à la suite de leurs premiers contacts, le collègue en question pensait qu'Albert était un homme étrange qui ne parlait pas beaucoup et ne semblait pas très amical. Mais avec le temps, il avait appris à aimer travailler avec Albert, et il le trouvait maintenant très bien, comique et intelligent. Cela procura à Albert un indice précieux de l'impression qu'il laissait sur les autres. Il comprit que lorsqu'il essayait d'éviter de donner une mauvaise impression, il semblait distant et bizarre. Par contre, quand il cessait de se contenir, l'impression qu'il donnait reflétait alors sa véritable personnalité : un gars agréable, intelligent et extrêmement amusant avec qui tout le monde adore travailler.

▣ Donner la bonne impression

Nous nous faisons constamment dire que la première impression est importante. C'est vrai pour certaines situations très précises comme le « speed dating » ou des entrevues d'emploi, mais pas en ce qui concerne des situations à plus long terme, comme des relations d'amitié ou les contacts avec les collègues de travail. Vous êtes-vous déjà trompé sur quelqu'un à la suite d'une première impression? Combien de fois avez-vous été finalement déçu par certains ou encore agréablement surpris par d'autres? En réalité, la plupart d'entre vous ne rencontrent pas de nouvelles personnes chaque jour. Avec le temps, les gens sauront forcément exactement qui vous êtes et ne vous jugeront pas sur ce que vous projetez comme image au départ. Vous devez avoir confiance que vos qualités finiront toujours par ressortir. Soyez vous-même et ne forcez pas la chose. Les vraies impressions qui finiront par émerger avec le temps seront habituellement meilleures que n'importe quelle fausse bonne impression que vous tenterez de projeter.

▣ Le mot de la fin avec Albert

Albert dénicha finalement un nouvel emploi au sein d'une grande multinationale. Il cessa de filtrer tout ce qu'il voulait dire et il fit confiance à ses compétences. Après seulement quelques mois, le président de sa compagnie lui octroya une importante promotion. Albert est maintenant le supérieur de tous les directeurs auxquels il se reportait auparavant. J'imagine, après tout, qu'il avait de bonnes idées à proposer.

Apprendre par l'enseignement, apprendre par nos expériences

Un jour, alors que je venais d'accorder une entrevue à une journaliste, je me suis mis à jaser avec elle d'un tout autre sujet que celui pour lequel elle venait me consulter. Nous avons discuté du défi que représente d'élever des enfants. Elle me raconta l'histoire de son fils qui un jour s'était plaint à la suite d'un souper où une amie de sa sœur avait été invitée. « J'ai presque été malade durant le repas. Cette fille faisait des bruits dégoûtants en mangeant! » Sa mère lui avait alors répondu: « Tu comprends maintenant pourquoi je t'ai dit des milliers de fois de ne pas engloutir ta nourriture et de fermer ta bouche en mangeant. »

Je suis sûr que ce garçon va manger sans faire de bruit pour le reste de sa vie.

J'adore cette histoire. Elle illustre parfaitement le processus d'apprentissage à son meilleur. Il existe plusieurs façons d'apprendre, mais la meilleure manière de le faire est composée de deux étapes. La première étape est celle de la théorie et de l'enseignement, alors que la seconde implique la pratique et l'expérience.

Parfois, nous nous sentons frustrés lorsque quelqu'un que nous tentons d'influencer, un enfant ou un ami par exemple, refuse de suivre nos conseils. Pourtant, cela ne veut pas dire que nos conseils demeurent lettre morte. Ces conseils peuvent sembler tomber dans l'oreille d'un sourd au moment où nous les prodiguons. Mais plus tard, lorsque votre interlocuteur fait le lien entre vos conseils et un certain nombre d'expériences de vie, vos mots pourront alors avoir un écho dans son esprit et provoquer l'effet désiré.

Ces deux étapes ne peuvent pas vraiment être séparées l'une de l'autre. Les expériences à elles seules peuvent nous enseigner beaucoup de choses, mais nous pourrions manquer des centaines d'occasions d'apprentissage sans un enseignement préalable qui nous permet de vraiment les apprécier. L'enseignement nous aide à porter notre attention sur des événements précis qui deviennent comme les pièces d'un casse-tête qui s'assemblent et qui auront un impact durable sur notre façon de voir et de comprendre les choses. Prenons un exemple très simple : la sécurité à bicyclette. Ne faut-il pas subir une très vilaine chute avant de commencer à suivre les règles plus rigoureusement… et de vraiment les comprendre?

Vous n'avez qu'à vous remémorer les livres importants que vous avez lus, les films qui vont ont ému ou les cours qui ont changé votre façon de voir la vie. Avez-vous réalisé dès ce moment à quel point ils auraient une influence sur vous? Probablement pas. Vous aviez à y ajouter quelques expériences personnelles avant de vraiment en ressentir leur portée.

Maintenant, en réfléchissant à ceci, écoutez vos professeurs, parents et amis en gardant l'esprit ouvert. Puis, prenez un peu de recul et vivez vos expériences. Vous ne savez pas lesquels de ces enseignements pourraient vous servir un jour.

Vous avez les aptitudes qu'il faut en vous

Il arrive que la vie nous surprenne et pas toujours de manière agréable. Avez-vous déjà perdu un emploi que vous croyiez assuré? Avez-vous déjà changé d'école ou déménagé dans une nouvelle ville pour vous retrouver sans réseau et entouré d'inconnus? À la suite d'une rupture amoureuse, ne vous est-il jamais arrivé de croire que vous ne pourriez plus jamais retomber en amour?

De temps à autre, nous devons rebâtir certaines sphères de notre vie. Repartir à zéro et affronter une nouvelle réalité est un défi de taille. Les gens qui manquent de confiance en eux verront ce défi comme pratiquement insurmontable. Ils ne voient que la perte de leur emploi ou de leurs amis. Lorsqu'ils examinent leur nouvelle situation, ils sont portés à oublier les aptitudes qui leur ont apporté du succès dans le passé.

■ Sur une autre planète

Si vous aviez plusieurs amis sur Terre et que vous étiez mystérieusement transporté dans un univers parallèle où vous ne connaissez personne, que se passerait-il, d'après vous? Les aptitudes qui vous ont permis de vous faire des amis sur Terre ne vous suivraient-elles pas sur cette autre planète? Bien sûr. Avec le temps, vous vous feriez de nouveaux amis et vous retrouveriez votre ancienne vie. Lorsque nous possédons certaines aptitudes qui nous ont aidés à réussir professionnellement ou socialement, ces aptitudes nous suivront dans n'importe quelle nouvelle circonstance. À moins que le monde change du tout au tout, les résultats eux, ne changeront jamais.

■ Une question de chance ou d'aptitudes?

Plusieurs personnes supposent qu'elles se retrouvent dans des circonstances favorables par pure chance. Elles ont tort. Lorsqu'elles perdent leur emploi ou l'être aimé, elles s'imaginent souvent que la chance les a abandonnées. Les gens qui pensent ainsi auront de la difficulté à trouver une façon de s'en sortir. Ils savent que la chance ne peut être toujours au rendez-vous.

En vérité, la chance a bien peu à voir avec le succès. Sauf en de très rares occasions où la chance nous sourit, le chemin du succès dépend de nos aptitudes. Si vous avez endossé diverses responsabilités et étiez apprécié dans votre emploi précédent, la même chose se produira dans votre prochain emploi. Si vous avez réussi à créer des amitiés dans votre ville natale, il n'y a aucune raison pour que vous ne vous fassiez pas de nouveaux amis dans une nouvelle ville.

Ce n'est pas une question de chance. C'est une question d'aptitudes. Et ces aptitudes sont en vous… peu importe où vous allez.

On m'a demandé d'animer la troisième École Mini Psy annuelle de l'Institut Douglas. Étant donné que le premier sujet était l'histoire de la psychiatrie, j'ai pensé qu'il valait la peine de raconter cette histoire à propos de la lobotomie. La chronique était illustrée par une photo tirée du film Vol au-dessus d'un nid de coucou.

Et le Nobel est remis à... Egas Moniz!

En 1949, le prix Nobel de physiologie et de médecine fut accordé à Antonio Egas Moniz pour le récompenser d'avoir perfectionné la leucotomie préfrontale (mieux connue sous le nom de lobotomie). Egas Moniz perçait des trous dans le cortex préfrontal de certains malades et y injectait de l'alcool afin de détruire des tissus cérébraux.

Walter Freeman poursuivit le travail du Dr Moniz en développant une technique plus simple et moins coûteuse ne nécessitant pas d'anesthésie ou de salles d'opération. À coups de maillet, il insérait un pic à glace sous la paupière et balayait le cerveau de gauche à droite, tel un essuie-glace. À l'époque, des dizaines de milliers de personnes ont subi cette intervention.

Afin de bien comprendre la popularité de la lobotomie, il faut savoir qu'il n'existait alors aucun traitement pour les maladies psychotiques, comme la schizophrénie. Certains patients ont pu bénéficier de la thérapie par électrochocs, mais ses effets étaient habituellement temporaires. Aucune médication n'avait encore été mise au point. La plupart des patients se voyaient emprisonnés dans leur monde rempli de démons, de paranoïa et de confusion. Certains étaient si agités ou agressifs qu'ils devaient être immobilisés à l'aide de camisoles de force ou retenus dans leur lit avec des sangles. Il s'agissait là d'une autre forme d'immobilisation... permanente.

La lobotomie transformait les malades agressifs ou difficiles en des patients dociles et traitables. Pensez au personnage de Jack Nicholson dans le film « Vol au dessus d'un nid de coucou ». Le milieu psychiatrique continua de pratiquer ce type d'intervention jusqu'à ce qu'il devienne évident qu'elle ne produisait aucune guérison. Pire encore, plusieurs patients devinrent « légumes » à la suite de lésions cérébrales.

Il est tentant de blâmer les Drs Moniz et Freeman, ainsi que leurs collègues, pour ce chapitre malheureux dans l'histoire des traitements des maladies mentales, mais on doit le replacer dans son contexte historique. S'ils ont pu mettre en pratique la lobotomie à une si grande échelle, c'est principalement parce qu'à cette époque, il n'existait pas, pour ainsi dire, de pensée critique relative aux questions de traitement psychiatrique. Puisque les patients étaient souvent incapables de parler en leur propre nom, il s'avérait aisé de les considérer comme des êtres inférieurs, pratiquement moins qu'humains. L'accent fut alors mis sur les besoins des proches et de l'entourage de la personne psychotique en vue de faciliter la gestion de son comportement. Savoir à quel point l'intervention pouvait diminuer le bien-être du patient devenait une question d'ordre secondaire.

Je raconte cette histoire parce que la compréhension des erreurs du passé nous permet d'améliorer nos connaissances scientifiques et de développer des traitements efficaces. Plus important encore, cette compréhension nous aide à améliorer notre attitude vis-à-vis des personnes atteintes de maladie mentale et souligne l'importance de respecter leurs droits.

Pédaler 100 miles pour mes 50 ans

J'imagine que c'était inévitable. Malgré mes efforts pour ralentir l'orbite de notre planète autour du Soleil en utilisant la force de mon esprit, j'ai malgré tout eu 50 ans.

Et comment pensez-vous que j'ai fêté mon demi-siècle? J'ai enfourché ma bicyclette et j'ai pédalé mon premier « *century* » (siècle, en anglais). Pour les non-initiés, un « *century* » est ce que les cyclistes appellent une randonnée d'une distance de 100 miles (162 kilomètres), soit l'équivalent cycliste d'un marathon.

▤ Bien fixer ses objectifs

L'atteinte de mon objectif lors de mon 50ᵉ anniversaire de naissance m'a appris énormément de choses sur le processus de sélection et d'atteinte des objectifs. L'objectif de rouler 100 miles m'a pris presque 20 ans à atteindre, et a débuté le jour où j'ai décidé de m'acheter une bicyclette. Je me souviens encore de ma joie lorsque j'ai effectué ma première « longue » randonnée de douze kilomètres! Ensuite, j'ai fait des randonnées de 20, 30, 50 km, puis mon premier Tour de l'île de 67 km.

Il y a douze ans, j'ai décidé de pédaler 100 km à chacun de mes anniversaires. Le symbolisme associé à cet événement me motivait encore plus. Puis, il y a quatre ans, j'ai commencé à envisager de pédaler 100 miles pour mes 50 ans. C'était dur à imaginer lorsque je considérais comment je me sentais après seulement la moitié de cette distance (81 km)! Néanmoins, j'ai travaillé fort tout l'été, m'habituant petit à petit grâce à plusieurs longues randonnées de 100 à 130 kilomètres. J'ai également informé membres de la famille, amis et connaissances de mes intentions. Ainsi, je me serais senti bien trop gêné d'abandonner en cours de route. Le jour « J », j'endurai une véritable agonie. Mais peu importe, car j'ai réussi. Je me suis même permis un sprint durant le dernier kilomètre!

▤ Planifier son trajet

Nous avons tous des objectifs. Être en forme, devenir riche, terminer des études, voyager, etc. Le problème de la plupart de ces objectifs c'est qu'ils sont trop imposants pour être atteints en une seule étape. Il est facile de se fixer des objectifs, mais à moins de se planifier un trajet comportant plusieurs étapes intermédiaires accessibles, la destination finale ne sera jamais atteinte.

J'aime bien imaginer les étapes du trajet comme s'il s'agissait de grimper une échelle installée sur un terrain sablonneux. À chaque barreau atteint, l'échelle s'enfonce doucement dans le sol. Une fois le terrain revenu à niveau, la prochaine étape n'est qu'un échelon plus haut. Si nous regardons tout en haut de l'échelle, plus d'un sera découragé des efforts à fournir pour atteindre cet objectif. Par contre, si nous attendons de nous rapprocher de la prochaine étape en maîtrisant bien la précédente, cela devient tout à coup beaucoup plus facile!

Fixez-vous toujours des objectifs atteignables, symboliques et plaisants. Vous serez surpris de voir où cela pourra vous mener.

Prenez moi, par exemple. Après avoir atteint mon objectif pour mon 50ᵉ anniversaire, je pense déjà à fixer le prochain. Mais je crois que pour mon 51ᵉ anniversaire, je vais opter pour un objectif un peu plus modeste. D'ici là, j'espère être en mesure de m'asseoir à nouveau!

...à propos des faux souvenirs et du fait qu'ils peuvent sembler si réels. En ce qui concerne les souvenirs personnels et les enquêtes criminelles, ce simple phénomène peut avoir des implications importantes, qui sont trop complexes pour être analysées en profondeur dans une chronique aussi courte.

De quelle couleur était donc ce canapé bleu?

Je me rappelle la maison où j'ai grandi. J'ai repassé ces images dans ma tête des centaines de fois. Adulte, je suis tombé sur une ancienne photo de notre salon sur laquelle le canapé que j'imaginais très clairement bleu était en fait brun. Ce fut pire lorsque j'ai eu l'occasion de visiter cette maison quelques temps après. En effet, j'avais gardé une image très nette du salon où j'avais passé la majeure partie de mon enfance. Cependant, quand je suis entré dans la pièce, tout était complètement différent du souvenir que j'en avais gardé. Même la porte n'était pas au bon endroit! Comment cela avait-il pu se produire? Comment ces souvenirs si manifestes pouvaient-ils être si complètement faux?

Je pense que cette expérience est en fait assez commune et révèle la vraie nature des souvenirs. Nous nous rappelons certains faits très clairement tandis que d'autres souvenirs s'estompent au fil du temps et créent des failles dans notre mémoire. Lorsque nous imaginons un canapé dans un salon, par exemple, et que nous tentons de nous souvenir de sa couleur (brun... ou bleu?), nous nous basons sur la meilleure estimation possible pour combler cette faille. Même si notre estimation est fausse (« *je pense qu'il était bleu* »), nous l'utilisons quand même dans la représentation que l'on se fait de la pièce. Nous risquons même de confondre ce canapé avec un autre canapé que nous avons vu ailleurs. Ce faisant, nous sommes davantage portés à voir le canapé dans sa nouvelle couleur chaque fois que le salon nous revient en mémoire. À la longue, nous devenons convaincus que le canapé était bleu. C'est pourquoi le fait de mettre la main sur une photo des années plus tard risque toujours de nous surprendre.

Peut-être que la couleur d'un canapé ou l'emplacement exact d'une porte n'influencera en rien le déroulement de la vie d'une personne. Cependant, le même processus se produit lorsque nous tentons de faire remonter à la surface des événements plus importants, ou encore des souvenirs désagréables ou liés à une agression. Nos souvenirs ne reflètent pas toujours la réalité. Au contraire, le mélange incomplet d'images, de scénarios et d'impressions générales évolue au fil du temps pour former nos images mentales actuelles. Ces images qui sont une combinaison d'événements réels et imaginés deviennent nos nouveaux souvenirs qui semblent de plus en plus réels à mesure que le temps passe. C'est une des raisons pour lesquelles, comme chacun le sait, le témoignage oculaire est si peu fiable, par exemple. C'est aussi la raison pour laquelle nous accordons désormais une attention particulière à ne pas émettre de suggestions lorsque nous interrogeons une victime d'agression.

Ceci ne signifie pas que tous nos souvenirs sont faussés, mais plutôt que nous ne pouvons pas être certains de leur validité sans en avoir la preuve. J'ai eu la chance de tomber sur une de ces preuves grâce à une ancienne photo. Je sais désormais que j'avais tort au sujet de la couleur de mon vieux canapé. Par contre, je peux dire désormais avec certitude que j'avais raison sur une chose : ce canapé brun était vraiment laid!

Quelques simples observations sur un sujet très complexe.

L'infidélité

L'après-midi allait être plus qu'intéressant. Le patient dans mon bureau me demandait de l'aider à accepter les conséquences d'avoir trompé sa femme, alors que celui qui patientait dans la salle d'attente venait tout juste de découvrir que sa femme le trompait.

Dans l'exercice de mon métier de psychologue, j'ai souvent rencontré des gens qui avaient eu des aventures ou qui se trouvaient bouleversés par l'infidélité de leur partenaire. Bien qu'il existe plusieurs raisons qui poussent à l'infidélité, l'équation est pourtant toute simple : plus forte est l'attirance pour quelqu'un d'autre et plus les facteurs qui nous inhibent sont faibles, plus il y a de risques qu'une infidélité se produise.

■ Étape nº 1 : l'attirance (« Vas-y! »)

La première étape reliée à l'infidélité est très facile à comprendre. Il s'agit d'une question purement chimique. Deux individus compatibles, qui s'entendent bien, et surtout qui rigolent ensemble et partagent les mêmes intérêts, peuvent aisément voir se développer une attirance sexuelle. Lorsqu'il se produit de fréquentes interactions entre eux, par exemple au travail ou au sein d'une association, ce phénomène a encore plus de chance de se produire. C'est pourquoi les idylles se produisent si régulièrement au travail, et ce, malgré la désapprobation qu'elles peuvent susciter.

■ Étape nº 2 : l'inhibition (« N'y vas pas! »)

En dépit de la facilité avec laquelle certaines attirances se développent, très peu d'individus vont se laisser aller lorsqu'ils sont déjà engagés dans une autre relation. Pour certains, il s'agit d'une question de valeurs morales. Ils ne vont tout simplement jamais considérer l'infidélité comme une option, peu importe le degré d'attirance envers quelqu'un d'autre.

Pour d'autres, c'est la peur de se faire démasquer qui inhibe leur désir. Lorsqu'il s'agit de la seule raison, ceux qui parviennent à se convaincre qu'ils ne se feront pas attraper peuvent tout de même se risquer dans une aventure. Bien entendu, la plupart des gens ne pensent pas qu'ils se feront démasquer. Cependant, tout comme les automobilistes mordus de vitesse, ils se font parfois attraper lorsqu'ils s'y attendent le moins.

D'autres ont moins d'inhibitions parce qu'ils sont incapables de prendre pleinement la mesure de l'effet qu'aura leur infidélité sur leur partenaire actuel. S'ils ne pensent pas que l'infidélité aura des conséquences graves ou encore s'ils ne peuvent ressentir d'empathie, ils seront encore plus susceptibles de donner suite à une attirance.

Finalement, il y a ceux qui se retrouvent au sein d'une relation ou d'un mariage complètement insatisfaisant. Malgré les mauvais côtés de la situation, la seule pensée de se retrouver seuls ou d'affronter une séparation, avec tout ce que cela implique, emprisonne plusieurs personnes dans des relations malheureuses. Dans de tels cas, l'attirance envers une autre personne avec qui nous nous entendons bien peut remplir un vide et nous pouvons aisément passer par-dessus les facteurs qui autrement les inhiberaient.

Telle est la nature humaine. L'attirance sexuelle est ce qui assure la survie de l'espèce. Malheureusement, cette attirance n'assure pas toujours la survie d'une relation.

Big Mama dans sa chaise berçante

La ségrégation a la peau dure.

J'ai vécu pendant 2 ans à Tallahassee, en Floride. Ce n'était pas la Floride des plages et des palmiers, mais plutôt le Sud profond, à seulement 30 km de la Géorgie et à 65 km de l'Alabama. Au début des années 80, beaucoup de choses avaient déjà changé. Les écoles étaient bien intégrées et les relations raciales étaient à des années lumières de ce qu'elles étaient seulement une génération auparavant. Or, il restait tout de même quelques poches de résistances ségrégationnistes à travers la ville.

Je me souviens encore des fois où je devais traverser un quartier « noir » en voiture avec ma femme. Lors d'un de ces trajets, un groupe de jeunes s'est mis à nous faire des grimaces et à nous injurier en criant « *White trash!* », ce qui signifie littéralement « ordures blanches! ». Cela nous avait rendus très mal à l'aise et il aurait été facile de perpétuer le phénomène de ségrégation en évitant ce genre de quartier. Mais nous avons décidé de ne pas choisir cette option facile.

■ Big Mama

J'ai appris quelque chose d'intéressant concernant le processus de déségrégation au cours de mon trajet quotidien vers l'université. Pour m'y rendre, je devais traverser une clôture située derrière mon immeuble et rouler à bicyclette sur une rue en cul-de-sac. Plusieurs des maisons minuscules situées sur cette rue étaient condamnées ou abandonnées. Sur la véranda d'une de ces vieilles maisons, une grosse dame noire était assise dans sa chaise berçante. L'image qu'elle reflétait semblait sortie tout droit d'un film américain, alors je la surnommai « *Big Mama* ».

À Tallahassee, comme dans la plupart des petites villes, il est de coutume de saluer les gens que l'on croise, que ce soit sur la rue ou ailleurs, par « Salut! Ça va? » Suivant cette tradition, chaque fois que je passais devant la maison de *Big Mama* je lui envoyais la main. Jamais elle ne me répondait. Je suppose que la déségrégation n'avait pas encore atteint sa rue.

Ce petit manège dura au moins une bonne demi-douzaine de fois. Un matin, je la saluai, comme à mon habitude, et je continuai à pédaler. Rendu devant la maison voisine, j'entendis au loin un faible « Salut » lancé par *Big Mama*. C'était un début.

Cela prit encore quelques jours, mais finalement les faibles « Salut » devinrent de plus en plus enthousiastes. Bientôt, chaque fois qu'elle me voyait approcher, elle se mettait à m'envoyer la main vigoureusement et à crier « Salut! Ça va? » Quelques fois, elle se levait même de sa chaise!

■ Une leçon toute simple

Si nous traitons les autres comme des adversaires, ils se comporteront comme des adversaires. Que cela implique les relations raciales, les différences religieuses ou culturelles ou la marginalisation des personnes atteintes d'une maladie mentale, la ségrégation trouve toujours le moyen de se perpétuer, chaque groupe rendant l'autre mal à l'aise. La seule façon de contrer cette situation est de faire abstraction des différences et de faire face directement au malaise. Les personnes victimes de discrimination vont tôt ou tard également changer d'opinion. C'est ce que *Big Mama* m'a enseigné.

Je crois qu'il est bon de se rappeler cette leçon toute simple en cette période de l'année. Sur ce, Joyeuses Fêtes!

Libérez-vous de vos secrets

Y a-t-il quelque chose dont vous avez honte? Quelque chose que vous ne voulez pas que les autres sachent à votre sujet? Nous avons tous des secrets. Je ne pense pas ici aux mensonges que certaines personnes racontent afin d'éviter les conséquences d'un acte illégal ou d'une liaison illicite. Non, je fais plutôt référence aux secrets que nous taisons parce que nous sommes gênés ou honteux; aux secrets que nous cachons afin de protéger notre image ou notre réputation.

Diriez-vous aux autres que vous avez déjà fait faillite ou que vous avez souffert d'une maladie mentale? Parleriez-vous de votre dysfonction érectile? Que diriez-vous à vos collègues à votre retour au travail après une absence de six mois en raison d'un burnout?

Est-ce que les secrets doivent être dévoilés? Je crois que la réponse est sans grande importance. Pour la plupart des gens, il s'agit d'un choix personnel. Certains ne se préoccupent pas vraiment de ce que l'entourage pense, alors que d'autres sont mortifiés à l'idée de voir leur secret révélé. Ils peuvent choisir de se taire par crainte d'être embarrassés ou d'être victimes de discrimination. Il arrive des moments, cependant, où même ces individus seraient mieux de se libérer de leur secret.

■ Le bon temps pour parler

Monsieur C. était un patient qui souffrait de la maladie de Parkinson. Il souhaitait continuer à travailler avec la même intensité et était déterminé à minimiser les effets de la maladie sur ses activités. Ne voulant pas être traité de manière différente, il cacha sa maladie à ses associés. Il adopta plusieurs stratégies, dont celles de faire coïncider sa prise de médicaments avec les réunions, et d'utiliser un dictaphone afin de dissimuler son écriture qui se détériorait.

Ces astuces fonctionnèrent pendant un certain temps, jusqu'à ce que la maladie progresse au point de faire apparaître des symptômes évidents. C'est à ce moment que je lui ai suggéré d'envisager de dévoiler son secret. Je lui ai demandé de comparer ce que les gens penseraient s'ils savaient la vérité – qu'il avait une maladie qui n'affectait ni son cerveau ni sa capacité à contribuer au succès de l'entreprise – à ce qu'ils penseraient s'ils émettaient leurs propres hypothèses : « Est-il en train de perdre la tête? Peut-il encore faire son travail? » Monsieur C. décida qu'il était temps de parler.

■ La réalité face à l'imagination

Gardez tous les secrets que vous voulez taire. Cependant, n'oubliez jamais à quel point l'imagination est un terreau fertile. En conservant le secret alors que les gens commencent à suspecter quelque chose, nous laissons le champ libre à leur imagination débridée. Dans de tels cas, les dommages potentiels causés par leurs hypothèses risquent d'être pires que le fait d'apprendre la vérité. Dans ces cas-là, dévoiler votre secret pourrait minimiser les conséquences négatives.

En prime, vous pourriez même y gagner un certain respect et une bonne dose de compréhension. C'est ce qui est arrivé à Monsieur C.

Obtenir sans effort

Ah, que c'est bon de rêver! Rêver à une meilleure vie, rêver d'être en excellente santé, rêver de vivre le grand amour ou même rêver que votre équipe favorite gagne la coupe Stanley. Ne serait-il pas merveilleux d'obtenir toujours ce que l'on désire?

Cela semble certes tentant, mais si nous avions le pouvoir de combler nos moindres désirs, je parie que nous ne nous sentirions pas nécessairement mieux. La raison en est bien simple : obtenir quelque chose sans avoir à fournir d'effort rend cette chose plutôt fade, peu importe ce que c'est. La vraie valeur de chaque chose, que ce soit un objet ou une relation humaine, ne vient pas tant du fait de posséder cette chose, mais plutôt de ce que nous avons dû déployer comme effort pour l'obtenir. En d'autres mots, la valeur est proportionnelle à l'effort déployé. Avez-vous déjà remarqué que les tomates que vous faites pousser ont toujours meilleur goût que celles que vous achetez?

■ À la poursuite de la vie

Pensez à votre vie et à ce que vous appréciez vraiment. Si vous avez obtenu un diplôme collégial ou toute autre attestation de formation, de quoi vous souvenez-vous le plus? Qu'est-ce qui vous rend le plus fier? N'est-ce pas le travail que vous avez accompli ou encore les incertitudes et le découragement que vous avez affrontés? Si vous aviez pu commander le même diplôme sur Internet pour 20 $, vous sentiriez-vous aussi fier?

Et que dire de surmonter un défi encore plus grand, comme une longue période de réadaptation à la suite d'un accident de voiture? Après un tel défi, le simple fait de marcher sur la rue vous rendrait heureux, alors que la personne se trouvant à vos côtés ne ressentirait certainement pas la même satisfaction.

■ À la poursuite des relations humaines

Le même principe s'applique aux relations humaines. Demandez donc l'avis d'un couple stérile ou de quelqu'un qui n'a pas encore vécu le grand amour. Vivre sans personne à ses côtés nous fait apprécier la valeur des relations humaines lorsque finalement nous devenons un parent ou trouvons l'âme soeur.

Je fais souvent des blagues à l'effet qu'un enfant adopté vaut un enfant « régulier » et demi. Cela en raison des montagnes russes émotionnelles causées par l'incertitude d'arriver à concevoir un enfant, par des années d'examens de fertilité et de traitements médicaux sans succès, par les coûts de l'adoption internationale et par l'instabilité politique et les délais causés par la bureaucratie qui sont inhérents au processus. Avec tout le respect que je dois aux mères qui ont peut-être enduré trente heures de travail lors de l'accouchement, les efforts déployés pour adopter un enfant sont nettement plus épuisants.

Obtenir sans lutte vous apportera une joie éphémère. Une joie durable et satisfaisante provient plutôt d'avoir eu à vivre une période de privation ou d'avoir travaillé très fort pour abattre des obstacles. Ce ne sera peut-être pas très amusant en cours de route, mais soyez assuré qu'à la fin du compte, lorsque vous aurez obtenu votre récompense, le jeu en aura valu la chandelle.

Le bonheur n'a rien à voir avec ce que vous possédez. Regardez plutôt ce que vous avez mérité.

Plaisir éphémère vs plaisir durable

Je contemple mon comptoir de cuisine, car j'ai devant moi un délicieux gâteau aux bananes et au chocolat. Je pourrais facilement le manger au complet. C'est certain que cela me procurerait du plaisir. Mais je suis également très fier d'avoir réussi à perdre quelques kilos dernièrement. Cela aussi me plaît. Malheureusement, ces deux plaisirs s'affrontent au moment où j'écris ces lignes.

▨ Résultat à court terme ou résultat à long terme

Telle est la réalité de tant de plaisirs de la vie. Ils agissent sur différentes régions de notre cerveau et opposent souvent un besoin à un autre. Certains de ces besoins sont immédiats et dépendent d'une situation particulière, par exemple une fringale ou une attirance sexuelle. Ces besoins sont régis par les régions primaires de notre cerveau. D'autres besoins sont plutôt dictés par des parties de notre cerveau axées sur l'analyse et reflétant des objectifs à long terme comme le maintien de bonnes habitudes d'alimentation et d'exercice physique, les objectifs de carrière, les relations humaines, etc. Ces besoins demeurent habituellement stables.

▨ Mauvaises habitudes et mauvaises postures

La liste est longue : le toxicomane conscient qu'il risque sa carrière; le diabétique qui succombe à une pâtisserie; le joueur assis à une table de poker et qui n'a pas payé son loyer; la femme malheureuse en amour, mais qui ne veut pas faire de peine à son conjoint; l'homme coincé dans un emploi sans avenir, mais qui a peur du changement. Je suis certain que vous pourriez ajouter quelques exemples personnels à cette liste. Nous sommes tous aux prises avec des choix à faire. Des choix qui offrent une satisfaction rapide ou une solution plus facile dans l'immédiat, et d'autres choix qui nous rendront heureux plus tard ou qui amélioreront notre vie à long terme.

▨ Écoutez votre cerveau

En psycho-pop, on entend souvent le conseil : « Écoutez vos émotions. » Malheureusement, ce n'est peut-être pas toujours la meilleure chose à faire. Dans les faits, vos émotions donnent normalement la priorité aux objectifs les plus immédiats au détriment des objectifs à long terme. Et c'est pourquoi nous nous retrouvons la plupart du temps dans le pétrin. Lorsque nous nous retrouvons dans un état émotif, nous allons habituellement poser des gestes en réaction à cet état, comme opter pour le *statu quo* ou manger le gâteau aux bananes! Le meilleur conseil serait en fait d'ignorer vos émotions et de faire ce que vous savez pertinemment être le choix logique… à long terme.

▨ Vagues d'émotions

Le fait de savoir que nous sommes contrôlés par deux forces opposées ne réglera pas toutes nos mauvaises habitudes et n'éliminera pas les situations nuisibles. Mais il pourrait être utile de savoir que vos émotions agissent comme des vagues fouettant un rivage. Si vous leur résistez pendant un moment, elles finissent par se dissiper. Avec comme résultat qu'il se produit un meilleur équilibre entre les émotions et les pensées rationnelles, donc une plus grande résistance contre les mauvais choix.

Ou alors, vous pouvez simplement attendre que quelqu'un d'autre termine le gâteau!

Les maniaques du contrôle

Il est rare d'entendre un enfant dire « Quand je serai grand, je veux être un *maniaque* du contrôle ». Et pourtant, on continue de trouver de telles personnes dans notre entourage. Pourquoi en est-il ainsi?

▓ La nature humaine élémentaire et la réponse au stress

L'une des raisons d'être des émotions est le fait qu'elles nous forcent à réagir aux évènements. L'anxiété et le stress sont des sentiments qui surviennent lorsque nous avons l'impression que quelque chose cloche. Les menaces légères, par exemple un test en classe, nous rendent nerveux. Les menaces plus importantes, comme un ours qui nous pourchasse, nous font paniquer. Notre réponse au stress indique à notre corps de réagir, de faire ce qu'il faut pour éliminer la menace. Habituellement, c'est ce qui nous fait fuir lorsque c'est possible, ou contre-attaquer si nous sommes pris au piège ou encore étudier si nous avons peur d'échouer à un examen. En d'autres mots, face à un défi, notre instinct nous pousse à contrôler ce qui est une menace pour nous. Plus la menace est grande, plus le besoin de la maîtriser est important.

▓ Contrôle imparfait

Malheureusement, la plupart des menaces ne peuvent être contrôlées de manière absolue. Il demeurera toujours certains risques. Cela implique que notre désir instinctif d'éviter les menaces doit également affronter le fait que nous ne pouvons être certains de toujours réussir à les éviter.

Les *maniaques* du contrôle sont du genre à penser en termes de « tout ou rien ». Ils sont des perfectionnistes qui tentent sans relâche d'éliminer tout doute ou incertitude. Ils veulent que rien de mauvais n'arrive, et veulent absolument s'en assurer. Ils réagissent de cette façon, peu importe le type de défi ou de menace à affronter.

▓ L'incapacité à voir les nuances

Parce qu'ils voient la vie en noir ou en blanc, sans nuances de gris, les *maniaques* du contrôle ne peuvent faire la différence entre les choses vraiment dangereuses, comme une menace physique, et les évènements de moindre importance, comme une activité qui ne se déroulerait pas à leur goût ou à leur façon. Instinctivement, ils voient toute chose comme une question de vie ou de mort. C'est pourquoi ils ne lâchent jamais prise.

▓ Maniaques du contrôle : les bons et les mauvais côtés

Quand ils savent ce qu'ils font, les *maniaques* du contrôle sont d'une grande utilité, surtout quand ça compte vraiment. Leur besoin avide de maîtriser les tenants et aboutissants rend notre monde meilleur. Cependant, lors de situations moins importantes, leur insistance à vouloir que les choses se déroulent à leur manière nous les rend beaucoup moins sympathiques, voire déplaisants.

C'est encore pire quand ils ne savent pas exactement ce qu'ils font, mais qu'ils veulent quand même tout diriger. C'est dans ces moments précis qu'ils font de nos vies un véritable enfer.

Qu'est-ce qui fait un bon psy?

Chaque fois que je rencontre des étudiants pour leur parler d'une carrière en psychologie, je me fais poser la même question : « Qu'est-ce que ça prend pour être un bon psychologue? »

Trouver un psychologue agréé peut être facile, mais en trouver un bon peut l'être moins. Voici les qualités que je recherche chez quelqu'un qui est compétent, à mon avis :

■ Être normal

Cela peut sembler simpliste, mais je dis habituellement aux gens qu'un bon psychologue devrait être une personne plutôt normale. Par « normal », j'entends quelqu'un qui a une attitude relativement conventionnelle, quelqu'un qui n'est pas dominant ou passif outre mesure, quelqu'un qui n'essaie pas d'imposer aux autres des croyances ou des valeurs bien ancrées, quelqu'un qui ne réagit pas excessivement face aux événements, quelqu'un qui n'a pas de lubies... enfin, quelqu'un de normal, quoi.

■ Être intelligent

Un bon psychologue doit être assez intelligent. Par « intelligent », je ne veux pas dire quelqu'un qui comprend la physique théorique. Je veux dire que la personne doit avoir l'aptitude à se rappeler des faits et à établir des liens entre des types de comportement qui ne sont peut-être pas évidents pour d'autres.

■ Être ouvert d'esprit

Les psychologues travaillent avec des gens de tous les horizons : des gens qui ont des valeurs, une instruction, des croyances culturelles, des professions, des situations et des styles radicalement différents. Il n'existe pas deux personnes ou situations identiques. Un bon psychologue doit être ouvert à tout et disposé à respecter les choix des autres, ce que ne peut faire un psychologue étroit d'esprit.

■ Être vraiment empathique : être honnête avec soi-même

Autre atout évident pour un psychologue : l'empathie. Qu'est-ce que cela veut dire? Cela signifie d'être capable de s'imaginer dans la situation des autres. C'est la partie facile. La partie difficile, c'est d'être vraiment honnête avec soi-même lorsqu'on évalue comment on se sentirait à la place de l'autre. Il est impossible d'être tout à fait précis en matière d'empathie, mais être honnête avec soi-même, particulièrement si on est « normal », aide grandement.

■ Et surtout, ne pas avoir toutes les réponses

La dernière qualité, et peut-être la plus importante, c'est de reconnaître qu'on ne peut pas avoir toutes les réponses. Et même pas presque toutes les réponses. Un bon psychologue est un esprit critique qui remet en question ses propres idées. Un esprit critique ne saute pas aux conclusions et n'entache pas ses observations de préjugés. Un esprit critique sait ce qui est connu et ce qui ne l'est pas.

Bon psy, bon n'importe quoi

Si on mélange tous les ingrédients ci-dessus, on obtient un assez bon psy. Quand on y réfléchit, ce sont les mêmes qualités qui font un bon gestionnaire, un bon ingénieur, un bon médecin, un bon soudeur, un bon professeur, etc. Et ces qualités permettent aussi d'être un assez bon humain.

Notre perception de nous-même n'est peut-être pas très réaliste.

Confiance et compétence

Regardez-vous dans le miroir. Qui voyez-vous? Une personne intelligente, une personne qui a du savoir-faire, une personne appréciée des autres? Ou y voyez-vous un perdant, une personne qui peut s'estimer chanceuse d'avoir des amis et un travail?

■ Je pense, donc je suis

Il existe une vérité toute simple quant à nos jugements subjectifs à propos de nous et de notre vraie valeur : nous croyons qu'ils sont un reflet de la réalité. La personne qui a confiance en elle pense qu'elle est compétente et la personne qui manque de confiance se croit sincèrement incompétente. N'est-ce pas clair comme de l'eau de roche? Ce que nous croyons devient notre vérité. Lorsque vient le temps de nous juger nous-même, nous pensons que notre niveau de confiance dans un domaine donné est directement lié à notre niveau véritable de compétence.

Mais la confiance et la compétence vont-elles vraiment de pair? Non, car en vérité il n'y a aucun lien entre elles.

■ Ils pensent, donc ils ne sont pas

Regardez autour de vous. Pensez à des gens que vous connaissez bien. Je parie que ce ne sera pas long avant que vous trouviez quelqu'un qui a peu confiance en lui, mais qui est, en fait, vraiment brillant ou excellent dans ce qu'il fait. Bref, quelqu'un que vous respectez et que vous appréciez. Je suis certain que vous connaissez également des gens qui ont extrêmement confiance en eux, mais qui ne sont pas particulièrement compétents. Bref, des gens qui pourraient faire preuve d'un peu plus d'humilité.

À bien y penser, on réalise assez rapidement que la façon dont les gens se perçoivent et la façon dont les autres les perçoivent sont souvent aux antipodes. Dans notre esprit cependant, nous sommes portés à penser que ces deux visions sont identiques, que ce que nous ressentons à notre sujet est également ce que les autres voient de nous.

■ Je pense, donc qui suis-je?

Nous ne nous trompons pas nécessairement toujours dans nos auto-évaluations. C'est seulement que ces évaluations sont influencées par nos propres distorsions. Les gens confiants vont, en raison justement de cette confiance, croire qu'ils sont excellents. Ils peuvent parfois avoir raison, mais ils peuvent aussi être tout simplement imbus d'eux-mêmes.

Le même phénomène se produit chez les gens qui manquent de confiance en eux. Bien que parfois ils peuvent se sentir médiocres parce qu'ils ne possèdent pas le même niveau de compétences que les autres, en plusieurs occasions il ne s'agit que du reflet d'une faible estime de soi plutôt qu'un réel manque d'habiletés.

Alors, quand vous vous regardez dans le miroir, souvenez-vous que la confiance en soi n'est pas nécessairement liée aux véritables compétences. Votre miroir peut renvoyer un reflet aussi déformé que ce qu'il montre aux gens autour de vous. Si vous avez confiance en vous, vous n'êtes peut-être pas aussi bon que vous le croyez. D'un autre côté, si vous manquez de confiance en vous, rappelez-vous que vous n'êtes peut-être pas aussi mauvais que vous le croyez.

... sur le caractère salutaire de la méfiance.

Méfiez-vous et faites-vous avoir... quand même

Il se trouvera toujours des gens pour dire que si on fait confiance aux autres, on va se faire avoir. Est-ce vrai? Peut-être, de temps en temps. Lorsqu'on fait confiance aux autres, il arrive qu'on se fasse exploiter. Mais si on se méfie des autres, on se fera toujours avoir. C'est garanti.

■ La méfiance : l'effet Pygmalion

Très peu de gens savent à quel point leurs propres attentes influencent la réalité. L'effet Pygmalion est une prédiction qui s'exauce, simplement parce qu'on l'a formulée. Croyez-le ou non, cela se produit tout le temps. Particulièrement lorsqu'on se méfie des autres ou qu'on les traite comme des adversaires.

■ François et Jean

Prenons, par exemple, deux collègues, François et Jean. François se méfie du nouveau venu, Jean. Il trouve que Jean a l'air un peu louche. Bientôt, François va se mettre à questionner Jean ou à l'accuser de quelque chose : « Où est le stylo que tu m'a pris? »
Entre-temps, Jean réagit aux soupçons de François et trouve que c'est une personne difficile à vivre : « *Je n'ai même pas touché à son stylo!* » La relation ne tardera pas à être très tendue. À un moment donné, Jean mentira à François afin d'éviter une dispute, ou simplement parce qu'il n'est plus intéressé à l'aider : « Désolé, je n'ai pas pu t'aider aujourd'hui. Il fallait que je travaille à mon rapport annuel. »

Inévitablement, François découvrira l'un des mensonges de Jean : « Mais j'ai vu ton rapport sur le bureau du patron, la semaine passée! » Et voilà, François trouve sa justification pour se méfier de Jean. Cela confirme sa prédiction : « *Je savais que je ne pouvais pas lui faire confiance!* »

■ Une petite dose de méfiance

Rien n'est absolu. La confiance totale peut effectivement entraîner des problèmes. Un brin de méfiance nous protège de beaucoup de maux. Après tout, même si « l'ignorance est un bienfait », la naïveté peut se payer chèrement. C'est pourquoi il importe de mettre en doute la motivation des autres... à l'occasion. Car, la plupart du temps, nous devons faire confiance. Sans la confiance, les gens que nous aimons ou auxquels nous tenons finiront par fuir. Toute relation qui n'est pas fondée sur la confiance se soldera inévitablement par une rupture.

Bien sûr, un tas de gens ne méritent pas notre confiance. Si nous avons des raisons de nous méfier de quelqu'un, il vaut mieux s'en éloigner. Mais la plupart des gens agissent de bonne foi et méritent notre confiance. Si nous ne leur accordons pas le bénéfice du doute et ne présumons pas qu'ils sont dignes de confiance, nous finirons par les faire fuir et c'est nous qui serons perdants.

En nous protégeant contre les méfaits de quelques personnes indignes de confiance, nous finissons par nous faire du mal, en nous privant de la présence des personnes fiables.

Le huard et la canette de Coke

Voleriez-vous un dollar à quelqu'un? Ou quelque chose qui vaut un dollar?

Une intéressante petite expérience en économie comportementale a retenu mon attention récemment. Elle nous en dit beaucoup sur la morale et sur les limites que nous sommes disposés à franchir. L'expérience a été menée par Dan Ariely, professeur au Massachusetts Institute of Technology, et ses étudiants.

L'étude était simple. Le Pr Ariely et ses étudiants ont laissé au hasard un certain nombre d'emballages de six Coke dans les réfrigérateurs des dortoirs de leur campus. Lorsqu'ils ont vérifié, quelques jours plus tard, toutes les canettes avaient disparu. Ils ont ensuite placé des assiettes comportant six billets d'un dollar dans les mêmes réfrigérateurs. Lorsqu'ils ont vérifié, il ne manquait pas un billet.

Cette étude révèle un aspect intéressant de la nature humaine, particulièrement sur la façon dont nous traitons les autres et dont nous jugeons notre propre morale. Il semble que si une étape nous éloigne du vol direct d'argent, nous soyons beaucoup plus enclins à voler. Pour la plupart d'entre nous, voler un dollar est mal. Mais voler une canette de Coke qui vaut un dollar n'est pas si mal.

Le vol d'une canette de Coke peut sembler banal, mais les implications de l'aspect de la nature humaine qui sont révélées par cette expérience peuvent être très profondes.

■ Une étape de moins

Tout est une question de point de vue, n'est-ce pas? Plus nous sommes éloignés d'un acte immoral direct, plus il y a de possibilités que nous le commettions. C'est pour cette raison que bien des gens, sinon la plupart, n'hésiteraient pas à acheter de la marchandise volée. Une aubaine est une aubaine, n'est-ce pas? Après tout, nous ne l'avons pas volée. Bien sûr, si nous apprenions que nous sommes l'employeur du voleur, nous verrions peut-être les choses différemment.

C'est aussi pourquoi des dirigeants d'entreprise respectés et respectueux des lois sont capables de commettre des crimes en col blanc. D'une certaine façon, voler indirectement en commettant des délits d'initié ou des manœuvres frauduleuses en matière d'investissement peut sembler moins criminel qu'un spectaculaire braquage de banque, même si ces deux catégories de crimes permettent d'empocher des sommes équivalentes.

Des processus similaires se produisent en cas de guerre. Dans tout conflit armé, certains soldats commettront des actes d'une cruauté sans nom. La plupart d'entre eux défendront leurs gestes en disant qu'ils ne faisaient qu'obéir aux ordres. Le fait qu'ils soient éloignés d'une étape des choix moraux de leurs chefs a certainement beaucoup à y voir.

C'est une chose à laquelle il vaudrait peut-être la peine de réfléchir, la prochaine fois que vous ouvrirez la porte d'un réfrigérateur.

La puissance des croyances

Les croyances et leurs répercussions sur nous peuvent être vraiment très puissantes.

L'une de mes héroïnes, Loung Ung, a écrit deux livres sur le supplice qu'elle a vécu sous le régime de Pol Pot, au Cambodge, et la vie qu'elle a menée ensuite en Amérique du Nord. Parmi les expériences poignantes qu'elle raconte, il se trouve un incident en apparence banal concernant une conjonctivite. Je crois qu'il s'agit d'une illustration simple, mais émouvante, de la façon dont nos croyances influent sur nos émotions.

L'une des croyances dans la société de Loung était que la conjonctivite apparaissait lorsqu'on regardait quelque chose qui nous était interdit : une sorte de punition pour le péché de ne pas avoir respecté l'intimité des autres. Elle a tenté de se rappeler ce qu'elle avait fait de mal, et a essayé de cacher son infection aux autres. Sa mère l'a accusée d'avoir observé deux chiens qui s'accouplaient. Elle-même croyait que c'était parce qu'elle avait regardé des cadavres.

■ Une tragédie qui s'aggrave

Parmi toutes les horreurs que Loung a dû subir, ce banal incident m'a semblé le plus pathétique. Lorsque mes enfants avaient six ou sept ans, ils se promenaient à bicyclette, jouaient à Marco Polo dans la piscine et s'amusaient au parc. Quant à Loung, elle éloignait des cadavres de sa source d'eau potable et voyait sa sœur mourir de faim. Comme si ce n'était pas assez, ses croyances venaient aggraver la tragédie.

■ Des croyances nuisibles

Il existe des millions d'histoires semblables dans le monde. L'être humain recherche toujours des réponses afin de prévenir le mal et d'avoir l'impression d'exercer un certain contrôle sur son environnement. Les croyances peuvent nous réconforter, particulièrement face à la tragédie. Dans notre désir d'obtenir ces réponses, nous trouvons parfois des idées qui nous semblent plausibles. Malheureusement, ces croyances risquent parfois de faire encore plus de dommages.

La croyance selon laquelle le fait d'avoir une relation sexuelle avec une vierge peut guérir un homme du sida a mené à l'esclavage et à la prostitution forcée d'innombrables petites filles dans le monde. La croyance selon laquelle une difformité physique est un signe du démon a conduit au meurtre de bébés dans certains villages africains. Et la croyance selon laquelle elles doivent débarrasser le monde du mal a conduit certaines personnes à piloter des avions de façon qu'ils percutent des gratte-ciel à New York.

Ce serait bénéfique pour nous tous d'être un peu moins sûrs de nous-mêmes. Les croyances peuvent nous inciter à faire de grandes choses et à bâtir un monde meilleur. Mais elles peuvent aussi nous entraîner à commettre des horreurs indescriptibles. Avoir l'esprit critique est la meilleure façon d'assurer que les grandes choses l'emportent sur les horreurs.

Vas-y, essaie de salir ma réputation!

Vous en faites-vous avec ce que les autres disent de vous? Craignez-vous qu'ils vous dépeignent sous un jour peu flatteur auprès de gens que vous voulez impressionner? Dans ce cas, vous devriez essayer de faire comme moi : je m'en fiche!

D'accord, je me soucie de ce que les gens pensent de moi. C'est juste que je ne m'en fais pas avec ce que les gens peuvent dire de moi à d'autres personnes. Je ne me préoccupe que des choses sur lesquelles j'ai un contrôle, soit mes contacts directs avec les gens. J'attends alors qu'ils se fassent leur propre opinion sur moi.

Beaucoup trop d'entre nous sont obsédés par leur réputation, au point où ils tentent de contrôler ce que les gens disent à leur sujet. En fait, nous sommes habituellement maîtres de notre propre réputation.

■ Si vous ne me connaissez pas

Si vous ne me connaissez pas et que vous rencontrez quelqu'un qui a une opinion sur moi, vous pourriez être influencés par cette personne. En l'absence d'information, une opinion peut compter beaucoup. Que cette personne vous dise que je suis un bon gars ou un pourri, vous la croirez probablement.

■ Si vous me connaissez

Par contre, si vous me connaissez bien et que vous vous êtes formé une opinion sur moi, les autres vous influenceront très peu. Si je vous déplais déjà et que vous rencontrez quelqu'un qui vous dit que je suis formidable, cela tombera dans l'oreille d'un sourd. Il en va de même si vous me respectez et m'aimez bien. Il vous serait difficile de changer d'opinion, si quelqu'un me critiquait. Vous disposez déjà de beaucoup d'information sur laquelle fonder votre opinion. Les informations contradictoires n'auront pas d'influence.

■ Permettez-leur de vous connaître

Cela s'applique aux enfants à l'école, aux employés de bureau, ou même aux parents séparés. Nous craignons tous que les autres puissent influencer nos relations avec des compagnons de classe ou de travail, et nous nous préoccupons de ce que nos ex-conjoints disent à nos enfants. Nous voulons être respectés et traités équitablement. C'est pourquoi nous sommes si préoccupés par le fait que notre réputation et nos relations puissent être entachées.

Mais les autres peuvent influencer uniquement les gens qui nous connaissent à peine. Enfin, dans les relations à long terme, notre réputation dépend beaucoup plus de nous que de ce que les autres disent à notre sujet. La meilleure façon d'assurer la qualité de nos relations est de nous préoccuper de la façon dont nous traitons les gens. Avec le temps, ils se formeront leur propre opinion. C'est la seule chose que nous pouvons contrôler…et c'est la seule chose qui compte vraiment.

Dans l'esprit des mineurs

« Mademoiselle, pourquoi avez-vous du poil dans le visage comme un homme? », a dit un enfant de six ans à son institutrice.

Avez-vous déjà remarqué la façon dont les enfants pensent? Ils sont complètement dans leur petite bulle. La question ci-dessus a vraiment été posée dans une école primaire près de chez moi. On entend constamment des questions aussi embarrassantes provenant de jeunes enfants. Ils essaient simplement de comprendre le monde, et ils n'ont aucune idée de ce qu'il convient, et de ce qu'il ne convient pas, de dire.

■ L'esprit d'un enfant du primaire

À l'école primaire, la plupart des préadolescents n'ont pas encore la maturité pour penser comme une autre personne, ou pour imaginer ce qu'une autre personne penserait ou ressentirait. Ils pourraient dire à un compagnon, dans l'autobus : « Regarde mes nouvelles chaussures! », sans se rendre compte que cela n'intéresse pas du tout son compagnon. C'est que les jeunes enfants n'ont pas encore développé de théorie de l'esprit.

La théorie de l'esprit repose sur l'aptitude à comprendre que les autres peuvent avoir des idées et des sentiments distincts des nôtres. Lorsque des enfants de six ans soulignent des défauts physiques, ils sont totalement inconscients du fait qu'ils peuvent blesser des gens. Ils ne font que réagir à leur propre curiosité.

C'est pourquoi les enfants peuvent être si cruels avec leurs compagnons de classe qui sont différents. Ils souligneront leurs différences physiques ou psychologiques, ou en riront, simplement parce que ces enfants ressortent du groupe. Ils sont aveugles aux sentiments des autres, parce qu'ils n'ont pas de théorie de l'esprit.

■ L'esprit d'un élève du secondaire

Les élèves du secondaire sont très différents. À cette période de leur vie, la plupart ont développé une théorie de l'esprit. Cela les rend conscients de l'image qu'ils projettent et ils se préoccupent beaucoup de ce que les autres pensent. C'est pourquoi bon nombre d'entre eux manifestent une anxiété sociale et ne se sentent pas à leur place.

Cette nouvelle conscience de qui ils sont dans l'esprit des autres pousse les adolescents à essayer de se conformer à leurs groupes de pairs et les rend très vulnérables aux influences négatives, en matière de consommation de tabac et de drogues, par exemple.

■ Être différent. Se sentir différent.

L'acquisition d'une théorie de l'esprit influera sur la nature des anxiétés sociales que vivent les enfants et déterminera la façon dont ils s'intègrent à leur groupe de pairs. Étant donné qu'ils sont entourés d'enfants qui n'ont pas encore acquis de théorie de l'esprit, les enfants du primaire s'entendront bien avec leurs compagnons de classe et on ne s'en prendra pas à eux, à condition qu'ils ne SOIENT PAS différents. Les élèves du secondaire, par contre, ont habituellement acquis ce genre de théorie et ont une conscience aiguë de ce que les autres pensent. Ils s'entendront bien avec leurs pairs, à condition qu'ils ne se SENTENT PAS différents.

Les deux chroniques suivantes font suite à la chronique intitulée « la psychologie de l'écureuil » et traite des troubles anxieux.

La psychologie des petits suisses

J'ai déjà vécu une expérience désagréable, alors que je traversais à bicyclette le parc Jean-Drapeau. C'est pourtant ma portion préférée du trajet entre mon travail et la maison : les saules, les jardins de fleurs… et les petits suisses, des tas de petits suisses.

Au fil des ans, j'ai pu remarquer un type de comportement adopté par les suisses lorsqu'ils traversent un chemin : s'ils voient une voiture ou une bicyclette s'approcher, ils se figent sur place, puis ils retournent du côté du chemin d'où ils sont venus. Ils ont tendance à faire cela, même lorsqu'ils ont traversé la plus grande partie du chemin et qu'il serait plus prudent de poursuivre leur route.

■ La rencontre fatale

Ce jour fatidique, un suisse traversait la route alors que je m'approchais. Il avait déjà parcouru 90 % du chemin lorsqu'il m'a remarqué. Les suisses étant ce qu'ils sont, je savais qu'il pouvait encore changer d'idée et retourner sur ses pas. Mais comme il était presque rendu à destination, j'ai supposé qu'il poursuivrait son chemin si je le mettais en sécurité en roulant du côté opposé de la route. « Reste où tu es, petit suisse, ai-je pensé. Je vais te laisser beaucoup de place. »

Hélas, son instinct l'a poussé à retourner en sécurité et il a rebroussé chemin. C'est là, et à cet instant, que nos vies sinueuses se sont rencontrées et qu'un seul d'entre nous en est sorti indemne. J'ai dérapé légèrement lorsque ma roue est passée sur le pauvre petit suisse. Son corps s'est enroulé autour de ma roue et y est resté accroché jusqu'à ce qu'il frappe la fourche et retombe. Pendant un court moment, son corps sans vie a volé à mes côtés avant de s'écraser dans un floc sourd, comme le bruit du Coyote qui tombe dans le canyon sous le regard de Bip Bip. L'image de son petit corps, qui avait l'air d'un ballon plein d'eau pincé au milieu, me hante encore.

■ L'anxiété nous protège… la plupart du temps

L'anecdote du petit suisse illustre une intéressante compétition entre la partie émotionnelle et la partie rationnelle de notre cerveau. L'anxiété, produite par le cerveau émotionnel, nous protège habituellement en nous faisant fuir le danger et rechercher la sécurité d'un lieu familier. C'est ce qui a poussé le petit suisse à tenter de retourner d'où il venait.

Notre cortex cérébral, plus développé, qui apprend des choses et observe des modèles, nous dirait que prendre le chemin le plus court vers la sécurité constitue la meilleure option, dans ce cas particulier. Malheureusement, en situation d'urgence, on n'a pas le temps de réfléchir, et ce sont nos émotions protectrices qui prennent le relais. Elles sont très efficaces et nous sauvent dans la grande majorité des situations… mais certainement pas toutes. Dans le cas du pauvre petit suisse, c'est précisément son instinct de protection qui l'a tué, ce jour-là.

Désolé, petit suisse, mais il aurait fallu que tu utilises une autre partie de ton cerveau!

La psychologie du poisson rouge : la survie du plus pissou

Je me rappelle les premiers animaux de compagnie que j'ai eus quand j'étais petit : deux poissons rouges que j'avais achetés avec mon propre argent. Je les avais appelés Goldie et Charlie. Je ne me souviens pas si je leur avais acheté un beau bocal, mais connaissant ma famille, j'avais probablement suivi les conseils de ma mère et rempli d'eau un vieux pot Mason. Même si le gîte des poissons avait de subtils relents de sauce tomate, qui pourrait s'opposer à l'économie ainsi réalisée?

Un matin, je me suis empressé de sortir de ma chambre et j'ai couru jusqu'au comptoir pour observer mes poissons et leur donner à manger. Hélas, Goldie était étendu, mort, sur le comptoir de mélamine, à côté du pot Mason! J'avais le cœur brisé. Il semble qu'au cours de la nuit, il ait sauté pour voir ce qui se trouvait derrière la barrière de verre. Il s'est avéré que c'était la mort par la mélamine!

■ La curiosité a tué le poisson rouge

Je fais peut-être de l'anthropomorphisme, mais je soupçonne que le poisson rouge a probablement fait ce que nous tous, du règne animal, faisons : nous explorons notre environnement. Si nous vivions dans un milieu naturel, nous obéirions à deux instincts de survie. Le premier est lié au besoin d'explorer, afin de trouver de meilleures conditions ou de nouvelles sources de nourriture. Le deuxième instinct est la réaction d'anxiété. L'anxiété est ce qui nous met à l'affût des dangers et des prédateurs. Bien que les deux instincts soient nécessaires, un excès de l'un ou de l'autre peut être nocif.

Dans ma dernière chronique, j'ai parlé d'un pauvre petit suisse qui, en réaction à l'anxiété, avait décidé de retourner en lieu sûr, pour finir écrasé sous la roue de ma bicyclette. Si le petit suisse avait été moins anxieux, il n'aurait pas paniqué et ne serait pas retourné sur ses pas. Goldie, par contre, est mort par suite d'un manque d'anxiété. De toute évidence, il ne craignait pas ce qui se trouvait de l'autre côté de la paroi de verre, et il est allé y jeter un coup d'œil.

■ Leçons tirées du royaume animal

Les leçons que nous tirons du règne animal, qu'il s'agisse de petits suisses ou de poissons rouges, nous en disent long sur la nature humaine. Nous sommes essentiellement constitués d'un ensemble de traits de caractère, y compris l'anxiété, qui nous sont très utiles. Cependant, il n'existe pas de garanties. Ces traits et ces instincts varient d'intensité d'un individu à l'autre, et ils entrent inévitablement en interaction avec les situations auxquelles nous sommes confrontés, parfois à notre avantage, parfois à notre détriment.

À propos d'avantages, je suis pratiquement certain que le petit suisse serait encore parmi nous aujourd'hui s'il était celui qui habitait dans le pot Mason… entouré d'effluves de tomate et de basilic, mais bien vivant.

Un peu d'envie ne fait pas de tort

La jalousie ne fait pas bonne figure, n'est-ce pas? L'envie et sa jumelle encore plus vilaine, la jalousie, semblent être les plus péjoratives des émotions. Cependant, nous ne pouvons pas nous empêcher de les ressentir, de temps à autre.

Nous envions parfois ceux qui sont meilleurs que nous dans certains domaines; ceux qui méritent leur bonne fortune. D'autres fois, ces émotions font surface lorsque nous voyons des gens qui sont nés dans de meilleures conditions que nous, ou qui ont eu de la chance, d'une façon quelconque.

■ Les plus talentueux

J'aimerais être dans la peau de Tiger Woods, juste pour une journée. Je sais que cela peut sembler bizarre, particulièrement pour Tiger, mais j'adorerais avoir la sensation de frapper une balle de golf au-delà de 300 verges. Il est impossible de ne pas ressentir un peu d'envie lorsqu'on voit quelqu'un faire une chose mieux que nous, surtout quand nous y mettons tant d'efforts.

■ Les plus chanceux

À part décocher une balle de golf à 350 verges, j'aimerais conduire une Porsche Turbo. Mais aucune de ces choses ne m'arrivera jamais, à moins d'un miracle… ou d'un cadeau d'un lecteur vraiment généreux. Je connais plusieurs personnes nées dans des familles riches. Elles peuvent facilement se permettre des vacances coûteuses, de belles maisons, des abonnements à des clubs de golf privés : des choses que j'aimerais avoir. Comment ne pas envier ces gens? Après tout, ils n'ont pas mérité ces choses. Ils ont simplement été chanceux.

■ Revenez-en

Lorsque je compare ma vie à celle des gens autour de moi, je ne peux pas m'empêcher d'être envieux, et même jaloux, de temps à autre. Si vous êtes comme moi, vous détestez ces émotions et vous ne voulez pas qu'elles vous rongent ou qu'elles nuisent à vos relations. Mais comment composer avec ces sentiments non désirés?

D'abord, nous devons accepter que personne ne soit parfait, même les personnes que nous envions. De l'extérieur, nous ne voyons qu'un aspect de leur vie. Nous ignorons ce qu'elles ressentent. Dans le grand ordre de l'univers, nous aussi avons nos petits succès et notre propre chance, que les autres peuvent envier.

Et puis, il faut accepter le fait que l'envie est une émotion normale, et ne révèle pas nécessairement un problème grave. L'envie a ses avantages, et peut parfois nous mener à la réussite en nous motivant. Les émotions non désirées, y compris l'envie, disparaissent d'elles-mêmes avec le temps. Nous n'avons pas toujours à les combattre ou à les nier. Il suffit de les laisser s'éteindre et de poursuivre notre vie.

Entre-temps, je m'en vais *driver* des balles de golf… Je vous reparle en septembre.

La colère se dissipe, l'amour grandit

Qu'arrive-t-il à nos émotions, à mesure que le temps passe, et quels sont leurs effets sur nos relations? D'après des expressions courantes, il semble que cela dépende des émotions auxquelles on fait allusion.

▣ La colère se dissipe

Selon le philosophe stoïcien Sénèque, attendre est le meilleur remède à la colère. D'où l'expression populaire : « Tourner sa langue sept fois dans sa bouche avant de parler. » Il semble que lorsque nous laissons à l'intensité de notre colère le temps de se dissiper, notre raison prend le dessus. Cela nous permet de mieux analyser l'événement qui nous irrite. Nous pouvons ainsi considérer l'événement comme banal, ou nous rendre compte que la personne n'était pas mal intentionnée, ou encore que notre colère ne vaut pas les ennuis qu'elle causerait. Cette analyse empêche la situation de se détériorer.

Une trop grande colère risque de nous aveugler et nous fait parfois agir comme des bêtes. Le meilleur remède à cela est la raison, la raison qui ne prend le dessus qu'après un bref délai.

▣ L'amour grandit

Cependant, le temps semble avoir des effets différents sur les émotions positives. L'expression « Il n'est pas d'amour qui résiste à l'absence » laisse entendre que le temps agit sur l'amour de façon opposée à ce qu'il fait à la colère. À mesure que le temps passe, lorsque des êtres chers sont absents, ceux-ci nous manquent et nous les voyons sous un éclairage de plus en plus positif.

Je pense que c'est parce que notre appréciation des autres s'embrouille lorsque nous vivons avec eux tous les jours. En raison des petites frustrations et irritations que suscite le comportement des autres, nous tenons leurs qualités pour acquises.

▣ Les relations amour-haine

Ces deux phénomènes sont interreliés et ont d'intéressantes répercussions sur les relations. Lorsque nous côtoyons quelqu'un tous les jours, ses aspects négatifs sont toujours présents. Cela augmente les problèmes dans une relation. Lorsque deux personnes sont loin l'une de l'autre, la colère se dissipe et l'amour refait surface.

Cela laisse entendre que si nous pouvons nous sentir proche d'une personne lorsque nous sommes avec elle, en dépit de certaines frustrations, c'est que la relation est très solide. Par contre, si nous ne ressentons de l'amour pour l'autre que lorsque nous en sommes séparés, ce qui arrive souvent dans les relations intermittentes, c'est qu'il est peut-être temps de réfléchir à la viabilité à long terme de cette relation.

Je ne faisais qu'exprimer mon opinion

Il est important de savoir s'affirmer. L'affirmation de soi nous aide à apporter les changements désirés et empêche de nous faire exploiter. Malheureusement, l'affirmation de soi est une arme à deux tranchants.

▨ Les deux extrémités du spectre

Certaines personnes sont très timides, ou craignent excessivement de vexer les autres. Elles pensent peut-être qu'elles sont moins importantes que les autres. Pour ce genre de personnes, apprendre à s'affirmer est une nécessité absolue. Sans cette aptitude, elles risquent d'être à la merci des autres. Par ailleurs, certaines personnes se situent à l'autre extrémité du spectre de l'importance de soi. Elles croient que leur attitude est toujours justifiée et ne se soucient vraiment pas de ce que les autres pensent. Pour ces personnes, l'affirmation de soi ne devient qu'une excuse pour défendre ou valoriser leur mauvaise attitude.

On entend souvent des personnes agressives dire : « Je ne faisais qu'exprimer mon opinion. Il n'y a rien de mal à cela. » Eh bien, je suppose que non… mais ce n'est pas toujours une bonne chose. Après tout, les néonazis et les racistes ne font, eux aussi, « qu'exprimer leur opinion ».

▨ Première étape : remettez en question votre attitude

La première étape, et la plus importante, consiste à examiner votre attitude et à analyser adéquatement une situation qui pourrait vous déranger. Avez-vous tous les faits en main? Avez-vous pris le temps de tenir compte du point de vue de l'autre personne? Autrement dit, existe-t-il vraiment un problème, et votre opinion est-elle justifiée? Il s'agit de l'étape qui distingue les gens qui manquent d'affirmation de soi de ceux qui ont une attitude trop agressive. Les gens du type agressif ont tendance à se sentir justifiés, peu importe que les faits les contredisent ou que le problème soit banal. Les gens qui manquent d'affirmation de soi se remettent constamment en question et minimisent l'importance de leurs opinions et de leurs sentiments.

▨ Deuxième étape : remettez en question votre méthode

Une fois que vous avez déterminé que vous êtes justifié(e), il est nécessaire de vous exprimer, même si cela vous met mal à l'aise. La meilleure méthode consiste à préparer votre message et à attendre une occasion où la personne à laquelle vous devez parler semble réceptive. Si vous évitez ces occasions, les problèmes ne feront que s'envenimer. Vous accumulerez des frustrations et vous finirez par devenir tellement fâché(e) que vous laisserez échapper des paroles agressives. L'autre personne défendra alors son opinion, plutôt que tenir compte de la vôtre.

Bien que ce ne soit pas toujours facile, l'affirmation de soi est une compétence nécessaire à acquérir. Cela exige du courage, mais il faut continuer à s'exercer. Au bout du compte, cela en vaut la peine.

À moins, bien sûr, que vous ne soyez l'une de ces personnes qui s'affirment outre mesure. Dans ce cas, vous devriez vous entraîner à garder votre opinion pour vous-même.

Abaissez vos normes… ou relevez-les!

Un dirigeant a demandé récemment à un groupe de gestionnaires : « Connaissez-vous le secret du bonheur, qui tient en trois mots? "Abaissez vos normes". » Et il a ricané, comme s'il voulait dire : « Ça ne risque pas d'arriver. Nous n'abaisserons pas nos normes. Nos clients méritent mieux. »

Mais cet adage repose sur un fond de vérité. Il est plus facile de respecter des normes moins élevées, et le cas échéant, on est davantage satisfait de soi-même et des autres. En fait, l'un des problèmes que l'on observe le plus souvent chez les gens qui souffrent de dépression ou d'épuisement professionnel est la tendance à avoir des normes démesurées : l'impression que rien n'est jamais assez bien.

■ Abaissez vos normes

Les personnes qui ont des normes très élevées sont habituellement très performantes et deviennent souvent des leaders dans la société. Tout le monde autour d'elles reconnaît leurs compétences et leur valeur. Malheureusement, ces personnes sont rarement conscientes de leur propre valeur. Elles sont animées par le désir de surmonter leurs faiblesses et de satisfaire à ce qu'elles considèrent des normes minimales. Pour ces personnes, le véritable secret du bonheur réside dans l'abaissement de leurs normes.

■ Relevez vos normes

Mais, qu'en est-il des gens dont les normes sont très basses? Elles sont peut-être trop facilement satisfaites. Les gens qui ne remettent pas en question ce qu'ils mangent, par exemple, peuvent se délecter de malbouffe tous les jours. Et, pourquoi se soucier de faire de l'exercice, quand on a des normes si peu élevées, en matière de santé? Si vos normes sont peu élevées, vous êtes probablement heureux. Cependant, le monde risque de finir par s'écrouler autour de vous. Je ne voudrais certainement pas que vous cuisiniez pour ma famille, que vous construisiez ma maison ou que vous conceviez ma voiture. Avec le temps, la faiblesse de vos critères finira par vous rattraper et vous rendra aussi malheureux que les gens qui ne sont jamais satisfaits.

■ Remettez vos normes en question

Le vrai secret du bonheur consiste à avoir des normes et des attentes réalistes. Ceux qui ont des normes élevées doivent les abaisser afin de goûter la satisfaction et le bonheur que leurs réussites devraient leur procurer. Et ceux dont les normes sont basses doivent les relever afin de trouver un bonheur plus durable.

Malheureusement, très peu d'entre nous savent si leurs normes sont trop élevées ou trop basses. Ces croyances sont comme toute autre opinion préconçue. La personne qui a des normes élevées croit en fait que ses critères sont trop bas. C'est ce qui la pousse à fournir plus d'efforts. Et la personne dont les normes sont basses croit habituellement qu'elles sont assez élevées. C'est pour cela qu'elle ne fournit pas plus d'efforts.

Si, par magie, nous pouvions fusionner ces deux groupes, le monde serait rempli de gens satisfaits et productifs. Mais, bien sûr, les gens comme moi n'auraient plus de travail…

Le couple dans cette histoire n'est nul autre que mes parents.

Le prix du crime

▓ Louise

Louise n'est pas une buveuse. Un samedi soir, elle décide d'aller dans un bar avec des copines. Elle consomme habituellement un ou deux verres dans la soirée, trois lorsqu'elle se laisse vraiment aller. Ce qui s'est produit après son premier verre, elle ne le saura jamais. Tout ce qu'elle se rappelle de ce samedi soir, c'est de s'être réveillée dans son lit, le lendemain matin.

Quelques jours plus tard, comme elle éprouve une sensation de brûlure aux organes génitaux, elle consulte son médecin de famille. Diagnostic : maladie transmise sexuellement. Étant donné qu'elle n'a eu aucun partenaire sexuel au cours des six mois précédents, Louise comprend pourquoi elle ne se rappelle rien de cette soirée : elle a probablement été victime d'une drogue du viol.

Son infection guérit facilement, mais il n'en va pas de même pour les conséquences psychologiques. Elle décide de ne plus faire confiance à qui que ce soit et de ne plus avoir de relations, d'aucune sorte. Près de deux ans se sont écoulés depuis ce soir-là, et Louise demeure dans un état d'isolement relatif.

▓ Jean et Marie

Jean et Marie sont un couple d'immigrants âgés. Ils ont travaillé dur toute leur vie, sans jamais se payer de luxe. Mais ils ont enfin pu récolter les fruits de leur labeur : une fois à la retraite, ils se sont mis à voyager. En rentrant chez eux après un voyage en Italie, ils ont découvert qu'ils avaient été cambriolés. Deux cambriolages subséquents, probablement perpétrés par les mêmes malfaiteurs, désireux de mettre la main sur tous leurs nouveaux appareils électroniques, ont réglé leur sort. Jean et Marie ont décidé de ne plus jamais voyager. Ils hésitent même à quitter la maison pour rendre visite à des amis. Comme Louise, ils vivent dorénavant dans un isolement relatif.

▓ Une fois suffit

Quel est le prix d'un crime? Il faut calculer le coût du crime proprement dit, et celui de notre réaction à ce crime. Nous ne sommes pas responsables des méfaits que les autres nous font subir. Malheureusement, nous devons responsables de la façon dont nous y réagissons. Louise, Jean et Marie ont décidé de se protéger contre le mal qui pouvait leur être fait. Ils se sont ainsi privés d'une vie normale. Le prix à payer est beaucoup plus élevé que celui du vol d'une télé.

La peur est une réaction normale à un acte criminel. En cédant à cette émotion, les victimes continuent à payer le prix de ce qui leur est arrivé. Il vaudrait mieux prendre le taureau par les cornes et refuser de payer tout coût additionnel : refuser de mettre sa vie en suspens, et affronter ses peurs.

Il se peut que nous ayons à payer un prix élevé, en tant que victimes d'un crime. Mais, je crois que nous devons faire notre possible pour empêcher le criminel de nous prendre quoi que ce soit d'autre. La perte de notre sentiment de sécurité et de notre liberté est un prix que nous devons refuser de payer.

Le chroniqueur a toujours des fenêtres propres

Je n'oublierai jamais à quel point mes fenêtres étaient propres à l'époque où je rédigeais ma thèse de doctorat. Ma femme sortait alors pour la journée afin de me permettre de travailler en paix, sans être distrait. Ça peut sembler une bonne idée, mais qui peut faire avancer son travail quand les fenêtres sont sales? Je me remettrai à ma thèse, dès que j'aurai passé un rapide coup de torchon sur les fenêtres!

■ Pourquoi remettre à demain ce qu'on peut remettre à après-demain?

Nous avons sûrement tous des histoires de procrastination à raconter, car on estime que 95 % de la population se plaint de ce problème. L'une des raisons de la procrastination est que le monde a évolué et que le lien entre le comportement et la récompense est de plus en plus lointain. Nous sommes peu portés à la procrastination lorsque nous avons faim ou soif. Mais lorsqu'il s'agit de rédiger un document qui nous vaudra une bonne note dans quelques semaines, ce qui contribuera à l'obtention de notre diplôme, ce qui nous permettra de décrocher un bon emploi (espérons-nous), ce qui nous procurera le salaire nécessaire pour payer l'épicerie qui assouvira notre faim, le lien entre la cause et l'effet semble plutôt ténu.

■ Un problème qui se perpétue

Autre raison pour laquelle on peut perdre le contrôle de la procrastination, c'est que celle-ci s'alimente elle-même. Lorsqu'on reporte quelque chose, on finit par le faire à la dernière minute, de reculons, et à toute vitesse. Agir dans un tel état de panique ne fait qu'augmenter le désir d'éviter ce genre de situation à l'avenir.

Si nous avons pris l'habitude de terminer les choses sur-le-champ, nous sommes portés à attendre de disposer de suffisamment de temps et d'énergie pour accomplir la prochaine grande tâche. C'est pour cette raison qu'il faut fractionner les projets en petites étapes raisonnables. Le plus important est de s'arrêter dès qu'une étape est terminée. Il est facile de consacrer une heure ou deux à un projet, tous les jours pendant deux semaines. Mais il est plus difficile de travailler vingt heures d'affilée en une même journée. Si nous tombons dans le piège de réaliser au complet de grands projets quand nous sommes « sur notre lancée », nous renforcerons le sentiment de devoir trouver l'énergie pour mener à bien d'un seul coup tous nos projets futurs. Ouf! Il y a de quoi vouloir les remettre à plus tard.

■ Un problème difficile à résoudre

Même si la procrastination peut être un problème difficile à résoudre, vous pouvez améliorer la situation avec le temps, si vous modifiez vos habitudes. Mais, ne vous sentez pas coupables : très peu de gens sont immunisés contre cette tendance. Même moi, je dois parfois lutter contre mon penchant à la procrastination lorsqu'il s'agit de rédiger cette chronique. Sachez cependant que mes fenêtres sont impeccables!

Deux mondes

Imaginons deux articles de journal.

1er article : Un jeune adolescent qui désire se qualifier pour le club de golf de son école veut emporter deux bâtons de golf dans l'autobus. Le conducteur lui en refuse l'accès, en soutenant qu'un certain nombre d'agressions ont eu lieu et qu'il ne veut pas « d'arme potentielle » dans son autobus. Le garçon reste donc en plan à l'arrêt d'autobus, en larmes, sans pouvoir se qualifier pour l'équipe, malgré son talent prometteur.

Les médias s'emparent de l'histoire, et vous entendez peu après une conversation à ce sujet au Tim Horton de votre quartier. « Je ne peux pas croire que le chauffeur n'ait pas laissé monter le pauvre garçon dans son autobus. Pensait-il vraiment que le jeune était un fou dangereux? » Les gens secouent la tête devant le ridicule de certaines attitudes et l'insignifiance de certaines règles.

2e article : Un enfant est entre la vie et la mort après avoir été battu avec un bâton de golf dans un autobus scolaire. Il semble qu'un de ses compagnons de classe qui lui en voulait ait emporté un bâton de golf dans l'autobus, après avoir dit au conducteur qu'il voulait faire partie du club de golf de son école.

À la pause-café, cette histoire fait l'objet d'une discussion : « As-tu entendu parler du jeune qui s'est fait battre dans l'autobus? Je ne peux pas croire que le conducteur ait laissé monter quelqu'un avec un bâton de golf! Il devrait y avoir des règles qui interdisent d'emporter des armes potentielles dans l'autobus! On ne peut plus faire confiance aux gens! » Et tous les buveurs de café hochent la tête, en signe d'assentiment.

■ Il devrait y avoir une règle! / Pourquoi y a-t-il une règle aussi idiote?

Bien sûr, j'ai inventé ces deux histoires, mais si vous lisez n'importe quel journal ou que vous écoutez les gens discuter d'événements, vous constaterez sans tarder qu'il existe toujours deux aspects divergents. D'une part, lorsque les gens se voient imposer une règle ou une loi, ils ont tendance à la décrier, en soutenant qu'elle est injustifiée, étant donné la rareté des événements négatifs qu'elle est censée prévenir. D'autre part, lorsque cet événement négatif se produit, les gens ont tendance à réclamer des règles et des lois contre « ce genre de choses ».

■ Quel monde?

L'ambivalence est inévitable. À chaque règle ou loi qui est adoptée, nous gagnons un peu d'ordre et perdons un peu de liberté. Il est facile de soutenir une partie dans un débat lorsqu'on connaît les faits. Mais, ce n'est qu'en connaissant les deux côtés de la médaille que nous pouvons faire un choix éclairé quant au monde dans lequel nous voulons vivre : un monde plus libre, où surviennent à l'occasion des événements désagréables, voire tragiques, ou un monde où nous sommes limités par des règles et des lois qui réussissent certaines fois, et d'autres non, à maintenir une société ordonnée.

Nous ne pouvons pas vivre dans les deux.

Nous pouvons tous en être victimes. Les personnes souffrant de troubles obsessionnels compulsifs peuvent être torturées par ceux-ci.

J'ai des mauvaises pensées

Vous arrive-t-il d'avoir des pensées tellement perturbantes que vous ne pouvez pas les partager avec qui que ce soit? Vous arrive-t-il de songer à sauter devant le métro, à étrangler votre enfant ou à lancer votre voiture dans la voie inverse? Si vous êtes une personne normale, la réponse aux questions ci-dessus sera : « Mais oui, bien sûr! »

Je pourrais vous présenter une longue liste très troublante d'idées que les gens peuvent avoir, mais je vais vous épargner ces détails horribles. Je me contenterai de dire que nous avons tous ce genre de pensées, et qu'elles ne signifient pas que nous avons quelque chose qui cloche.

■ Pensées horrifiques

Il nous arrive à tous d'avoir des pensées horrifiques. Elles sont le signe d'une imagination fertile, alimentée en partie par les nombreux fantasmes, rêves, livres et films qui meublent nos vies. Parfois, elles surgissent en réaction à des signaux dont nous avons à peine conscience. Elles peuvent aussi jaillir lorsque nous nous trouvons dans un état émotionnel comme la colère ou la dépression. Le cas échéant, il n'est pas inhabituel d'imaginer ce que ce serait que de concrétiser ces pensées. Nous pouvons même en avoir des images assez saisissantes à l'esprit.

■ Pourquoi ai-je ces folles pensées?

Selon la croyance populaire, ces pensées seraient le reflet d'un conflit subconscient, et nous pourrions mettre à exécution cet horrible secret si le conflit n'est pas résolu. Cette hypothèse effraie les gens. Elle est aussi complètement ridicule. Oui, nous pouvons concrétiser ces pensées négatives si nous les cultivons, mais non, avoir une pensée négative n'est pas le signe d'un tel désir.

Les sombres pensées sont habituellement un signe d'anxiété, et non de désirs secrets. Lorsque nous craignons quelque chose, il est normal d'imaginer cette chose. C'est de cette façon que le cerveau réagit à la peur. C'est un moyen de nous assurer que nous n'agissons pas d'une manière dangereuse. Plus nous craignons quelque chose, plus nous sommes prudents.

■ Une fenêtre sur l'esprit des autres

D'excellentes recherches démontrent que les gens normaux ont le même nombre de pensées sombres ou terribles que les gens qui sont très anxieux ou obsessifs. La différence entre ces deux groupes est très simple : les gens normaux ont ces pensées et n'en font pas de cas. Elles se dissipent alors d'elles-mêmes. Les gens anxieux ont ces pensées et se demandent pourquoi. Ils essaient alors de les contrôler. Et s'ils ne réussissent pas, ils croient que ces pensées sont plus fortes qu'eux, ce qui, bien sûr, accroît l'anxiété et fait ressurgir les mauvaises pensées plus souvent. La réalité est beaucoup plus simple. Une pensée est une pensée, et un désir est un désir. Il n'y a aucun lien entre les deux.

Cette chronique a été écrite en réponse au nombre incalculable de professionnels et de citoyens de tous azimuts qui ont exprimé le désir d'aider les Haïtiens suite au tremblement de terre.

Peut-on soulager quelqu'un de sa peine ?

Haïti a été la scène de la plus récente grande tragédie humaine. Malheureu-sement, il s'en produira d'autres dans le monde. C'est inévitable, lorsque nous entendons parler de tels événements, et particulièrement quand nous sommes bombardés d'images de peine et de souffrance insoutenables, nous sommes de tout cœur avec les victimes. La première chose que nous voulons faire est d'alléger leur fardeau. Nous envoyons alors de l'argent, dans l'espoir que cela servira à leur procurer de la nourriture et de l'eau. Ce sont là des besoins essentiels.

Mais à part combler ces besoins fondamentaux, que pouvons-nous faire? Comment pouvons-nous aider un enfant seul qui pleure ou une mère qui berce son bébé mort?

L'un de nos réflexes, en tant que société, est d'offrir de l'aide psychologique en envoyant sur place des équipes de spécialistes de la santé mentale. Malheureusement, même si les gens ont besoin de ce type d'aide, nous n'avons pas la capacité de les soulager vraiment.

Lorsque j'interviens au-près d'une personne ou d'une famille, à la suite d'une mort tragique comme un suicide ou un accident, je le fais avec un grave sens des responsabilités et le désir d'aider. Bien que ce soit toujours apprécié des familles endeuillées, il ne s'agit que d'une goutte dans l'océan de leur chagrin.

Cela nous mène à une question importante, mais déconcertante : L'aide psychologique est-elle utile, à la suite d'une tragédie?

■ Ce que nous pouvons et ce que nous ne pouvons pas faire

Je crois qu'il y a peu de choses que nous puissions faire dans ce genre de circonstances. Les spécialistes peuvent aider les personnes affligées à s'exprimer sans qu'elles se sentent jugées. Ils peuvent les amener à se rappeler la vie bien remplie d'un être cher plutôt que sa fin tragique. Ils peuvent les aider à comprendre que la plupart de leurs réactions, quelle que soit leur intensité, sont tout à fait normales.

Mais les spécialistes ne peuvent pas faire davantage que d'atténuer une petite partie de la souffrance. Ils ne peuvent pas s'imposer à une personne endeuillée. Ils ne peuvent pas obtenir sa confiance au même titre que s'ils étaient un membre de sa famille, un ami ou un conseiller spirituel. Ils ne peuvent pas imposer leurs croyances culturelles à des gens qui vivent dans un monde différent.

Contrairement à un verre d'eau qui peut étancher la soif, une oreille compatissante ne peut jamais effacer une perte. Cependant, en respectant les victimes et leur processus de deuil, nous pouvons peut-être atténuer un peu leur douleur.

Une instabilité solide comme le roc

Qui est votre meilleur ami? Est-ce la même personne depuis plusieurs années? Qui est la personne en qui vous avez le plus confiance… ou la personne que vous aimez le plus? N'y a-t-il pas toujours un groupe de personnes dont nous nous sentons proches? Pourtant, au fil des ans, plusieurs personnes figurant dans ce groupe ne changent-elles pas? Pouvons-nous compter sur un ami à jamais? Peut-être pas. Pouvons-nous compter avoir toujours des amis? Absolument!

■ Amis instables, amitié stable

Lorsque nous songeons à notre passé, nous pouvons probablement nous rappeler une époque antérieure au moment où nous avons rencontré la personne qui est actuellement notre meilleur ami. Cette personne était alors un étranger vivant quelque part dans le monde. Et qu'en est-il de ceux qui ont déjà été nos amis proches? Avez-vous remarqué que certains d'entre eux ne font plus partie du tableau?

Les gens changent. Les situations changent. Parfois, les gens s'éloignent en raison de leur travail, ou bien les circonstances font que la fréquence des contacts diminue. D'autres fois encore, nos intérêts changent, et nous nous éloignons. Il se peut même qu'un conflit nous ait séparés. Quelle que soit la raison, il est peu probable que notre liste d'amis demeure parfaitement stable tout au long de notre vie.

Cependant, d'une façon ou d'une autre, nous avons presque toujours des amis dans nos vies. Certains visages peuvent changer, mais l'amitié est stable. Si certaines personnes s'éloignent, d'autres se rapprochent.

■ Amoureux instables, amour stable

On peut en dire autant des amoureux. Personne n'aime l'idée d'une séparation. C'est presque toujours douloureux. C'est pourtant inévitable dans plusieurs relations, ou même dans la plupart d'entre elles. Ce peut être très difficile, particulièrement pour les personnes qui manquent de confiance en elles ou qui croient qu'il s'agissait de leur dernière, et peut-être de leur seule, chance d'aimer.

Faire face à une séparation ou à une perte, qu'il s'agisse d'amour ou d'amitié, est difficile. Nous ne faisons qu'empirer les choses en nous concentrant sur cette relation plutôt que sur le concept des relations en général. Une personne que nous avons aimée a déjà été un étranger pour nous dans le passé. De même, bien que nous ne les ayons peut-être pas encore rencontrés, nos futurs amoureux potentiels existent déjà, quelque part dans le monde.

Si vous avez déjà connu l'amour dans le passé, les mêmes qualités pourront vous le faire vivre de nouveau. Dans un monde instable, nous devons compter sur nos aptitudes interpersonnelles, qui alimentent nos relations amicales et amoureuses. Même si nous perdons parfois des amis ou des amoureux, il est peu probable que nous perdions la capacité de trouver l'amitié ou l'amour.

Six problèmes de mathématiques

▦ Problèmes 1 à 5

Supposons que je vous présente un problème de mathématiques difficile, dont l'enjeu est important (offre d'emploi, admission à l'université). De prime abord, vous n'avez aucune idée de la façon de le résoudre et vous craignez de manquer votre coup. Après 10 ou 15 minutes, la solution vous vient. Ouf! Je vous donne ensuite quatre autres problèmes, et la même chose se répète : il vous faut de 10 à 15 minutes de réflexion angoissée pour trouver chaque solution.

▦ Problème 6

Puis, je vous présente le sixième problème. Là encore, aucune solution ne vous paraît évidente. Cela vous angoissera-t-il autant que de résoudre le premier problème? Eh bien, cela dépend beaucoup de ce que vous aurez appris des cinq premiers problèmes.

▦ Je peux résoudre CE problème

Certaines personnes se concentrent sur la tâche à accomplir. Lorsqu'elles trouvent la solution, elles sont soulagées de constater qu'elles ont les compétences pour y arriver. En un certain sens, elles se trouvent chanceuses. Mais, qui sait si elles seront en mesure de résoudre le problème suivant? Pour ces personnes, le sixième problème suscite autant d'anxiété que le premier.

▦ Je peux résoudre UN problème

D'autres personnes mettent leurs habiletés à profit d'une manière plus générale. Ce qu'elles ont appris en travaillant à résoudre les problèmes 1 à 5, c'est qu'elles ont les compétences en mathématiques et l'intelligence nécessaires pour venir à bout d'un problème difficile, en y mettant un peu de temps. Elles acquièrent de la confiance dans leurs aptitudes et se sentent donc moins anxieuses lorsqu'on leur présente le sixième problème.

▦ Les problèmes de la vie

Ce à quoi on attribue la réussite est ce qui distingue une personne sûre d'elle-même d'une personne moins assurée, bien qu'elles aient la même intelligence générale, la même éducation et les mêmes aptitudes. Face aux problèmes de la vie, la personne qui manque d'assurance attribue sa réussite à la chance ou à des circonstances particulières. Les nouvelles situations lui causent toujours de l'anxiété, car les circonstances ont changé et la chance peut se défiler.

La personne sûre d'elle-même, par contre, n'a pas besoin de connaître les nouvelles circonstances. Les nouveaux problèmes sont simplement différents, pas nécessairement plus ardus que les précédents. Pour ces personnes, les réussites passées sont le gage du fait que les compétences nécessaires aux réussites futures sont déjà acquises.

Pile ou face

La loi de probabilité interagit avec la tendance humaine à vouloir comprendre les choses. Vous voulez impressionner vos amis avec vos facultés «paranormales»? Essayez ceci.

Demandez-leur de jouer à pile ou face 50 fois et de noter les résultats. Donnez-leur le choix entre inventer des résultats et inscrire sur une feuille la série réelle de piles et de faces obtenues, sans vous dire ce qu'ils ont décidé de faire. En lisant leurs résultats, vous découvrirez s'ils ont vraiment tiré à pile ou face, avec une exactitude de près de 100 %!

Comment? Assez facilement. Repérez les séries d'au moins cinq piles ou cinq faces d'affilée. Ceux qui ont inscrit de telles séries ont vraiment tiré à pile ou face. Les autres ont inventé leurs séries. Si on lance une pièce de monnaie en l'air 50 fois, on obtiendra presque certainement les mêmes résultats plusieurs fois de suite. C'est une simple question de probabilité. Mais si nous inventons une liste, la plupart d'entre nous penseront qu'il est peu probable d'obtenir les mêmes résultats cinq fois d'affilée. Par conséquent, les listes fictives comportent rarement plus de quatre piles ou faces d'affilée.

Cet exercice en dit long sur les probabilités et sur la façon dont elles influencent nos croyances. La loi des probabilités interagit avec la tendance humaine à vouloir comprendre les choses. Nous voulons sentir que nous avons la maîtrise de nos vies afin d'éviter des conséquences tragiques. Penser que nous avons compris quelque chose nous procure un sentiment de sécurité, même s'il s'agit d'une fausse sécurité.

■ Quelles sont les probabilités?

Certaines situations semblent hors de l'ordinaire et nous amènent à nous demander s'il s'y profile une tendance. Nous avons tous entendu parler de séries de décès à la suite de cancers de même nature, dans une rue ou une ville. Nous nous demandons alors si quelque chose dans l'eau ou dans le sol en est la cause.

Cela semble difficile à croire, mais il arrive constamment des choses inhabituelles. Recevoir quatre as au poker est certainement peu probable, mais cela peut arriver. Une série de résultats inhabituels ne prouve pas qu'il existe une tendance. Il existe des tendances importantes dans nos vies. Malheureusement, les lois de probabilité ne cessent de nous envoyer des balles courbes, ce qui rend ces tendances difficiles à repérer.

En conclusion, s'imaginer comprendre pourquoi une chose se produit ne signifie pas toujours que nous la comprenons réellement.

Ma mère pense que je ne suis pas normal

Suis-je normal? Eh bien, non… selon ma mère, ma femme, mes enfants et la plupart de mes amis.

Est-ce que cela signifie que j'ai une maladie mentale?

Entre 20 % et 25 % d'entre nous souffriront d'une maladie mentale au cours de leur vie. Quelle est l'exactitude de ces chiffres, et à quel point est-ce sérieux?

Établir des statistiques sur la maladie mentale est aussi logique que de demander combien d'entre nous souffriront d'une maladie physique au cours de leur vie. Si l'on tient compte du rhume, 100 % d'entre nous souffriront d'une maladie physique, en plus, bien sûr, de celle qui nous emportera.

Où se situe le seuil entre un problème psychologique et une maladie mentale? Si les maladies mentales englobent de vastes catégories de ce qui est et de ce qui n'est pas normal, nous finirons tous par en être atteints. Combien d'entre nous se sont déjà sentis déprimés au point d'envisager la mort… évitent les avions et les dentistes… ont de la difficulté à se concentrer sur leurs tâches… ont de mauvaises habitudes... ou ne s'entendent pas avec les autres? Si on ratisse large, le pourcentage de personnes atteintes de maladie mentale peut être ahurissant.

Une faible proportion de maladies mentales ressemblent aux autres maladies cérébrales : la schizophrénie, le trouble bipolaire et l'autisme, qui résultent probablement d'une anomalie bien définie du cerveau. Il est logique de les classer comme des maladies.

Pour le reste d'entre nous, les maladies mentales sont des cas extrêmes de ce que nous vivons tous les jours. L'endroit où nous tirons la ligne est purement arbitraire. Nous devons classer ces maladies afin de faciliter la recherche et d'élaborer des traitements, mais très peu de gens entrent carrément dans l'une de ces catégories.

Il est beaucoup plus sensé de parler simplement des problèmes psychologiques qui affectent nos vies. Lorsqu'un état dépressif, des peurs, des craintes ou des conflits nous font souffrir ou altèrent notre fonctionnement, nous chercherons peut-être à obtenir un traitement. Ce devrait là être l'unique facteur déterminant, plutôt que le fait de répondre ou non à des critères précis.

Quant à ce que ma mère pense, j'avoue que je ne me rapproche aucunement de la normalité, mais je ne me crois pas atteint de maladie mentale. Ma bizarrerie n'est pas assez extrême pour m'empêcher de fonctionner ou pour me faire souffrir.

Comment j'en viens à faire souffrir les autres est une tout autre question.

Récusez-vous

Si vous étiez juge et que vous deviez trancher dans une cause où votre meilleur ami serait accusé d'un crime, est-ce que vous ne vous retireriez pas de cette affaire?

Et si vous étiez la présumée victime ? Ne souhaiteriez-vous pas que le juge se récuse?

La réponse à ces questions simples est évidente, mais si c'était vous qui étiez accusé d'un crime et que le juge était un ami du plaignant? Pire encore, si le juge était payé pour rendre une décision contre vous?

Bien sûr, si vous étiez au courant du pot-de-vin et des relations personnelles, vous demanderiez certainement que le juge se récuse, mais si vous l'ignoriez? Dans un scénario aussi étrange, vous seriez coupable toutes les fois, quels que soient les faits.

■ Nos propres préjugés

Cette situation est plutôt tirée par les cheveux, mais nous en vivons de semblables, constamment. De nombreuses personnes qui manquent de confiance en elles-mêmes se sentent comme des perdants ou des êtres anormaux. Cela se transforme en des croyances qui fonctionnent comme tout autre préjugé.

Préjuger signifie décider à l'avance. Ceux qui ne se sentent pas normaux ont déjà porté un jugement contre eux-mêmes. Cela n'a aucun rapport avec les faits réels. Tous les préjugés se confirment d'eux-mêmes. Si je pense que je suis stupide, et que je commets une erreur, je vais mettre cela sur le compte de ma stupidité. Si je réussis, j'aurai tendance à dire que la tâche était facile ou que j'ai eu de la chance. Cette tendance alimentera mon manque de confiance en moi.

Les préjugés qui se confirment d'eux-mêmes fonctionnent à l'inverse chez les gens qui ont une haute opinion de leur propre personne. Si je pense que j'ai toujours raison, je m'attribuerai le mérite de tout ce qui se déroule bien; et lorsque les choses iront mal, je blâmerai les autres. Cette tendance alimentera mon arrogance.

■ Laissez quelqu'un d'autre décider

Nous avons tous notre bagage de préjugés. Certains préjugés nuisent aux autres, et certains, à nous-mêmes. Il s'agit de prendre conscience de leur existence. Puis, nous devons nous récuser. Comme le juge qui manque d'impartialité, nous devons laisser un autre décider. Notre jugement sur nous-mêmes ne sera pas équitable. Que nous ayons une piètre ou une haute opinion de nous-mêmes, nous n'avons pas le choix : nous devons compter sur le jugement des autres...

...et y croire.

Apprendre de nos réussites

Nous passons beaucoup de temps à chercher ce qui ne va pas dans nos vies et à le régler. Nous nous demandons rarement ce qui a bien été pour essayer d'apprendre de nos réussites.

■ Où me suis-je trompé(e)?

La chose naturelle à faire, quand nous sommes malheureux ou qu'un problème surgit, est d'examiner la situation afin d'apprendre de nos erreurs. Cela s'applique à bien des domaines. Quand la circulation ralentit, nous essayons de trouver où se situe le goulot. Quand des pays entrent en guerre, nous en recherchons les causes. Quand nous sommes déprimés ou malades, nous tentons de comprendre pourquoi, et ce qu'il faut faire pour aller mieux.

Ce sont des choses importantes à faire, mais il y a une limite à ce qu'elles peuvent nous apprendre. Nous ne pouvons pas trouver les réponses à toutes nos questions. Et surtout, ce ne sont pas tous les problèmes qui peuvent être réglés dès leur apparition.

■ Qu'ai-je fait de bien?

Combien de fois vous êtes-vous sentis mieux après vous être demandés : « Qu'est-ce qui ne va pas, avec moi? ». Peut-être devriez-vous plutôt vous demander : « Pourquoi me suis-je senti(e) si bien, l'autre fois? ».

J'ai déjà travaillé avec un couple qui se disputait tout le temps. J'ai tenté vainement d'améliorer la communication entre ces conjoints en examinant leurs conflits, puis je leur ai demandé d'essayer de se rappeler la dernière fois où ils avaient été bien ensemble. Ils ont tous deux désigné la même soirée.

En examinant une occasion où ils avaient été heureux ensemble, nous avons pu déterminer les facteurs qui y avaient contribué : chacun était dans un état d'esprit où il attendait moins de l'autre, et où il était plus en mesure d'apprécier les qualités qui l'avaient fait tomber amoureux.

Essayer de changer les attentes et les comportements en considérant les choses sous l'angle d'un conflit ou d'un échec donne rarement de bons résultats. Nous sommes sur la défensive et fermés. Lorsque nous sommes troublés, la colère ou la tristesse nous empêchent de voir la situation clairement.

■ Apprendre de ses réussites

Même si nos échecs peuvent nous apprendre beaucoup, il faut aussi saisir les occasions d'apprendre de nos réussites. Quand nous nous entendons avec les autres, que nous sommes contents, que la circulation est fluide, que la paix règne, ou quelles que soient les circonstances positives, n'oublions pas de nous demander pourquoi.

Les douleurs psychologiques

Que faites-vous lorsque vous vous cognez un orteil ou la tête? Aussi pénible que cela puisse être, il n'y a pas grand-chose à faire, à part attendre que la douleur s'estompe. Bien sûr, la plupart d'entre nous préféreraient ne pas subir cette souffrance, mais nous n'avons pas vraiment le choix. C'est la vie.

Cette simple réalité s'applique aussi aux douleurs psychologiques.

Les traumatismes, les pertes et le chien de Pavlov

Parfois, la vie nous frappe durement : un accident de voiture, un viol, la mort subite d'un proche. L'une des choses avec lesquelles les gens ont le plus de difficulté à composer, à la suite de ce genre de traumatismes, ce sont les souvenirs douloureux qui ne cessent de les hanter. Les souvenirs et les flashbacks sont des effets psychologiques persistants qui continuent à miner les victimes. Tout comme les chiens de Pavlov qui salivaient, le corps réagit à tout rappel d'un événement important.

Ces rappels se font sentir à un niveau émotionnel. Habituellement, une réaction émotionnelle sert à nous protéger. C'est comme une voix intérieure qui crie : « Fais quelque chose! ». Malheureusement, lorsqu'il s'agit de chagrin et de traumatisme, il n'y a souvent pas grand-chose à faire. Nos émotions nous bousculent mais on est complètement impuissant.

Les flashbacks agréables de Pavlov

Lorsque nous marchons dans la rue, nous sentons ou entendons parfois quelque chose qui nous fait reculer dans le temps. Si ces souvenirs sont agréables, comme la cuisine de Grand-maman ou la musique de notre jeunesse, ils nous font sentir bien, sur le coup. Puis, cette sensation passe.

Les flashbacks désagréables de Pavlov

Il en va de même pour les flashbacks désagréables. Ce sont des souvenirs émotionnels de traumatismes anciens qui ne s'effacent pas. Nous n'avons d'autre choix que d'apprendre à vivre avec eux et de les traiter comme des souvenirs agréables. Cela veut dire de lâcher prise et les accepter comme normaux. Ils ne tarderont pas à disparaître. Comme lorsque nous nous cognons un orteil, il faut attendre que la douleur passe. Si nous tentons d'éviter les souvenirs désagréables, ils surgiront à des moments indus, d'une façon surprenante et ils pourraient même contrôler notre vie. Par contre, si nous les acceptons, ils s'atténueront avec le temps et perdront leur acuité émotionnelle. C'est la seule façon de reprendre le fil de notre vie.

Les guerres de papier de toilette

Jean a l'une de ces folles obsessions : les rouleaux de papier hygiénique doivent se dérouler par le dessus, plutôt que par le dessous. Ce doit être ainsi, point final ! Son coloc, Luc, aime lui jouer des tours, et il remet le rouleau à l'envers, chaque fois qu'il va aux toilettes. Un jour, vous lirez peut-être un entrefilet sur Jean et Luc. L'article portera sans doute sur la découverte d'un cadavre baignant dans une mare de sang. Sur les lieux du crime, Jean se fera embarquer, menottes aux poings, marmonnant entre ses dents que Luc l'avait bien cherché.

◼ Nos petites obsessions

Cette petite histoire fictive, à l'exception de cette fin tragique, nous la vivons presque tous. Lorsque deux personnes cohabitent, elles se heurtent inévitablement aux petites obsessions de l'autre : la bouteille de ketchup doit-elle être conservée à l'envers, au frigo? La voiture devrait-elle être garée à reculons, dans l'allée? Devrait-on « zapper » dès les premières images d'une pub? Devrait-on laisser les lumières allumées?... le siège des toilettes relevé?... des cheveux dans le lavabo?... ou noyer tous les plats dans la sauce piquante, avant même d'y avoir goûté !

◼ Composer avec nos obsessions

Moi aussi, je suis contrarié lorsque le papier hygiénique se déroule par le dessous. Mais, même si je ne comprends pas que quelqu'un puisse faire un truc aussi dingue, j'essaie de ne pas enfaire tout un plat. Enfin, de façon générale.

Le problème, avec les obsessions, n'est pas leur existence, mais notre insistance à leur sujet. Il n'y a rien de répréhensible à avoir des normes, mais l'application extrême de celles-ci peut mal tourner.

Le problème en est un d'attitude mentale. Lorsque nous croyons qu'il y a un problème, nous voulons naturellement le régler. Si la solution paraît simple et évidente, du moins à nos yeux, elle devrait être facile à appliquer. Nous nous attendons alors davantage à ce que la bonne chose soit faite et, lorsque ce n'est pas le cas, notre frustration augmente.

◼ Changez d'attitude mentale ou de coloc

Si nous avons une attitude mentale selon laquelle les choses doivent être faites de la «bonne» façon, quelque chose devra changer. Ou bien les autres devront faire les choses à notre manière, ou bien nous devrons laisser tomber certaines de nos obsessions. Prendre du recul, par rapport à nos automatismes, nous aidera beaucoup à changer cet état d'esprit : personne, quand il fait preuve de logique, ne pensera que la disposition du papier hygiénique a beaucoup d'importance.

Malheureusement, certaines personnes préfèrent changer de coloc plutôt que leur attitude mentale. Parlez-en à Jean.

Le cancer ou la peur du cancer

Qu'est-ce qui est le pire ? Le cancer ou la peur de l'avoir ?

Je pose cette question chaque fois que j'aborde l'anxiété, devant un auditoire. La majorité des gens répondent qu'ils préféreraient craindre d'avoir le cancer plutôt que d'en être vraiment atteints. Vu de l'extérieur, cela semble évident. L'une des deux options est une maladie mortelle, alors que l'autre n'est qu'une crainte.

Je demande ensuite : « Si la peur vous faisait croire que vous avez réellement le cancer, vous sentiriez-vous mieux, ou pire, que la personne qui lutte vraiment contre cette maladie? » Il y a toujours une petite minorité de gens (ceux qui souffrent d'anxiété débilitante) qui disent qu'ils préféreraient avoir le cancer.

■ La réalité par rapport à l'imagination

L'anxiété est un mécanisme qui fonctionne bien pour nous protéger d'un danger réel ou potentiel. Notre imagination nous aide à nous préparer au plus grand nombre possible de ces éventualités. Malheureusement, il existe peu de plus grands dangers que ceux que fait apparaître l'imagination débridée du cerveau humain. C'est pourquoi les films sont rarement aussi captivants que les livres dont ils sont tirés. L'extraterrestre que nous imaginons est toujours plus effrayant que l'acteur costumé en extraterrestre à l'écran.

Lorsque l'imagination et l'anxiété qu'elle engendre sont identifiées et mises de côté, nous pouvons être plus rationnels face aux situations que nous vivons. Cela explique pourquoi il est souvent plus difficile de composer avec des menaces potentielles qu'avec des dangers connus. Dans le cas du cancer, par exemple, une personne qui en est atteinte peut guérir. Et même lorsque ce n'est pas le cas, le patient accepte souvent l'inévitable et se met à vivre « un jour à la fois ».

Par contre, les gens qui craignent d'avoir le cancer ne pensent jamais qu'on peut en guérir. Ils se voient toujours alités et agonisants. Il n'y a aucune place pour l'optimisme ou pour une perspective positive dans l'esprit d'une personne anxieuse.

L'anxiété est un moteur qui nous pousse à nous protéger des dangers. Malheureusement, sans l'aptitude à départager la réalité de l'imagination, notre mécanisme d'anxiété, censé nous protéger, se met à nous torturer.

L'anxiété est un film qui peut projeter des images effrayantes. C'est pourquoi nous devons être en mesure de prendre du recul face à nos émotions et de reconnaître qu'en fin de compte, la peur n'existe que dans notre esprit. Un film est un film et ça n'a rien à voir avec la réalité.

Pourquoi devrais-je étudier?

L'heure de la rentrée a sonné. Paradis des détaillants, cette période de l'année est le cauchemar de plusieurs enfants. Apprendre n'est pourtant pas une si mauvaise chose. Il faut bien occuper nos journées. Nous ne pouvons pas passer le reste de notre vie à faire rebondir des balles contre la porte du garage…

En matière d'éducation, je crois que la plupart d'entre nous traversent trois phases.

■ Phase I : « Le professeur m'a dit de le faire. »
Les jeunes enfants remettent rarement leur monde en question. Ils vont à l'école et font leurs devoirs simplement parce que leurs parents et leurs professeurs leur ont dit de le faire. Même s'ils comprennent, à l'occasion, la nécessité d'additionner et de soustraire, lorsqu'ils achètent un sac de bonbons, par exemple, les enfants font habituellement leurs devoirs parce qu'ils n'ont pas le choix. « Sinon, je vais me faire chicaner. »

■ Phase II : « À quoi ça sert d'apprendre ça? »
Puis, les élèves commencent à protester contre la routine et l'ennui de faire des choses simplement parce qu'on le leur a demandé. Ils contestent l'autorité et, n'ayant pas l'expérience de la vie leur permettant de comprendre l'importance de certaines choses, ils doutent de la nécessité d'étudier. « Je n'aurai jamais besoin de cette stupide équation quadratique, et je me fous de la Mésopotamie. » Ils ne veulent plus étudier pour leurs professeurs ou pour leurs parents, mais ils ne veulent pas étudier pour eux-mêmes, non plus.

■ Phase III : « Je veux apprendre. »
Enfin, les jeunes commencent à envisager leur avenir. Plusieurs se trouvent un emploi d'été : ils servent de la crème glacée ou empilent des boîtes dans un entrepôt. Ils se demandent ce qu'ils vont faire dans la vie. C'est alors qu'ils retrouvent la motivation à l'étude. « Qu'est-ce que tu m'avais dit, déjà, à propos de l'équation quadratique? » Ceux qui apprennent pour eux-mêmes et pour leur propre avenir n'ont plus besoin de se faire dire d'étudier : ils le veulent déjà.

La transition entre les phases diffère d'une personne à l'autre. Certaines passent rapidement de la phase I à la phase III, sautant parfois la phase II. D'autres peuvent prendre quelques années pour se rendre à la phase III. Malheureusement, quelques-unes ne quittent jamais la phase II. Ce sont celles qui ne pigent jamais tout à fait.

Bien sûr, je ne parle pas uniquement de l'éducation formelle. Pour ceux qui ont pigé, le désir d'apprendre et de comprendre ne s'éteint qu'au dernier souffle.

Brocoli de discorde

Jean était en train de couper du brocoli pour faire une quiche lorsque safemme est arrivée à la maison et lui a dit qu'il devrait laisser un peu plus de tiges sur les bouquets. Il s'est senti critiqué et s'est fâché. Elle l'a ensuite accusé d'être trop susceptible et taciturne. Il s'en est suivi deux jours de tension durant lesquels Jean était déprimé et s'imaginait seul dans un appartement à ne voir ses enfants que toutes les deux semaines. Comment une mésentente sur la longueur des tiges de brocoli a-t-elle pu en arriver là?

■ La croyance derrière la réaction

Bien que les disputes à propos de détails insignifiants comme le brocoli ou le bouchon du tube de dentifrice soient inévitables lorsque deux adultes à l'esprit indépendant cohabitent, elles sont rarement très intenses et ne devraient pas durer longtemps. Dans le cas de Jean, toutefois, la dispute a tourné au vinaigre.En fait, cette querelle a soulevé chez lui des questions d'une nature plus fondamentale, notamment : suis–je un bon père, un bon mari, une bonne personne?

Lorsque les croyances fondamentales sont ébranlées, les réactions peuvent devenir assez intenses. Tout événement mineur qui suscite des questions cruciales dans l'esprit de l'un ou l'autre membre du couple déclenchera une querelle. Cette dernière s'échauffera jusqu'à une attaque directe dirigée contre l'autre personne. Le sujet du brocoli est remplacé par des accusations comme « tu ne m'écoutes jamais » ou « on ne peut jamais te satisfaire ».

Ne pas remettre le capuchon sur le tube de dentifrice, c'est une habitude fâcheuse. Le faire par manque de respect, c'est totalement différent! Voilà la source du problème dans le cas de la plupart des disputes. Lorsque les malentendus portent sur des questions plus importantes, ils dégénèrent et sont quasiment impossiblesà résoudre.

■ Trois niveaux de problèmes

Le démêlé du brocoli peut représenter un problème à trois niveaux. Premièrement, il peut s'agir tout simplement d'un désaccord sur la façon d'apprêter le brocoli. Deuxièmement, il peut signifier que Jean est trop susceptible quant aux critiques mineures ou que sa femme est trop exigeante et difficile à satisfaire. Enfin, il pourrait s'agir d'un signe que le couple est en péril.

Le niveau de dispute influence la capacité du couple à la régler. Le premier niveau est assez simple à régler par la discussion et les compromis. Les deux autres niveaux sont beaucoup plus compliqués. Voilà pourquoi Jean, et nous tous, devons prendre du recul de temps à autres, et nous demander pourquoi nous faisons tout un plat pour des vétilles. Une réaction vive est habituellement suscitée par une présomption importante – une présomption qui n'est peut-être pas fondée. Parfois, une querelle de brocoli n'est qu'une querelle de brocoli – et rien de plus.

La nature dénaturée

Quoi de plus naturel que de s'enfuir lorsqu'on a peur ou de manger quand on a faim? Et cependant, si ces gestes sont aussi normaux, pourquoi causent-ils tant de problèmes aux gens phobiques ou corpulents?

À la télé, les experts nous conseillent sans cesse d'écouter nos émotions et notre corps. Même si ces conseils peuvent sembler logiques, ils peuvent faire plus de mal que de bien, pour une simple raison : les émotions sont des signaux d'alarme qui nous poussent à l'action. Les vraies alarmes sont bonnes, mais les fausses sont mauvaises.

La nature des émotions

Les émotions sont le moteur de l'action. Quand nous avons faim, nous mangeons. Quand nous sommes furieux, nous attaquons. Quand nous avons peur, nous fuyons.Quand nous éprouvons de l'attirance, nous mettons de l'anti-sudorifique et rentrons notre ventre.

Le but ultime d'une émotion est d'augmenter les probabilités de survie. Certaines émotions, comme la peur et l'agressivité, visent la survie immédiate. D'autres jouent un rôle social et servent à assurer la survie à long terme, comme la culpabilité, l'anxiété sociale et l'attirance physique.

Une réaction immunitaire

Les émotions peuvent agir comme une réaction immunitaire psychologique. Quand nous sommes stressés, nos émotions nous poussent à faire des choses qui seront bonnes pour nous. Si je vois un ours dans la forêt, la peur me fera sans doute fuir ou me cacher. Il en va de même pour la culpabilité : si j'ai blessé quelqu'un, la culpabilité me fera remettre en question mes actes.

Le système immunitaire hyperactif

Tout comme le système immunitaire physique, les défenses psychologiques peuvent devenir hyperactives. Si j'ai peur d'un ascenseur, plutôt que d'un ours, devrais-je écouter mes émotions? Bien sûr que non. Je dois plutôt affronter mes peurs et constater qu'il n'y a rien à craindre. Il en va ainsi pour la culpabilité. Si j'ai l'habitude de ressentir une culpabilité excessive, je devrai peut-être apprendre à faire fi de cette émotion et à tenir davantage compte de mes propres besoins.

Trouver l'équilibre

Lorsque nos émotions se manifestent de façon équilibrée, nous devrions les écouter. Elles sont nos alliées. Par ailleurs, chez la plupart des gens qui souffrent de troubles psychologiques, leurs émotions ont pris le contrôle de leur vie. Lorsque les émotions sont exagérées, nous devons apprendre à y résister et faire ce que nous trouvons plus rationnel. Si nos émotions déclenchent une fausse alarme, les écouter est probablement le pire conseil qu'un expert pourrait nous donner.

Si tu touches à mon stylo, t'es mort!

Nous en connaissons tous : des collègues dont les petites habitudes agaçantes finissent par nous taper sur les nerfs. Les gens qui « empruntent » constamment un stylo ou un bloc-notes et ne le rapportent jamais, qui demandent toujours de la monnaie pour la machine à café, ou qui ne nous rendent jamais les livres empruntés. Si cela se produit de temps à autre, nous pouvons l'accepter; mais à répétition, c'est une autre histoire.

■ Qui est le méchant?

Supposons que votre collègue Robert est un gars comme ça. Rien de ce qu'il fait ne mérite une dispute. Après tout, un stylo, un bloc-notes, un dollar pour la machine à café, sont des choses mineures. Malheureusement, si vous tolérez toujours ses habitudes irritantes, le jour où il voudra « emprunter » votre stylo, vous pourriez hurler : « Si tu touches à mon stylo, t'es mort! »

Vous vous trouverez bientôt au service des ressources humaines, forcé de vous expliquer. « Mais… il… mais, le stylo… le bloc-notes… et il emprunte des livres et il ne… et la monnaie… » Lorsque le représentant des ressources humaines demandera à Robert de fournir sa version, celui-ci dira : « Je ne sais pas. Je lui ai juste demandé un stylo et il a disjoncté. »

Il ne fait aucun doute que c'est vous qui semblerez le méchant. C'est injuste, n'est-ce pas? C'est ce qui se produit lorsque nous laissons des irritants couver. Si nous ne les traitons pas d'une façon ou d'une autre, ils finiront par nous envahir.

■ Lâcher prise

Il n'y a que deux options face à des gens comme Robert. La première consiste à lâcher prise. Je veux dire, vraiment laisser tomber. Nous voulons tous que les autres tolèrent nos petits travers et nos distractions occasionnelles. Si nous désirons profiter de la tolérance des autres, nous devons en offrir autant, et accepter les irritants mineurs comme faisant partie de la vie. Comme le mauvais temps, parfois.

■ Traiter la situation avant qu'il ne soit trop tard

Certains irritants ne sont pas mineurs et ne peuvent pas être passés sous silence. Il faut alors s'en occuper avant qu'il ne soit trop tard. Mais il n'y a pas d'urgence. Vous pouvez attendre de saisir une occasion. Il se présentera de nombreuses occasions pour faire un commentaire ou pour rappeler à quelqu'un de vous rendre vos effets. Si vous le faites avant que votre colère n'ait pris trop d'ampleur, votre message passera. Si vous laissez filer ces occasions, ce n'est qu'une question de temps avant que vous ayez l'air du méchant.

Une chronique, 100 tranches

La première chronique que j'ai signée dans le journal Métro était intitulée La vie en tranches. Je l'ai appelée ainsi parce qu'à titre de psychologue, j'ai l'occasion de vivre de petites tranches de vie des gens avec qui je travaille. C'est une richesse que j'apprécie. Voir la vie avec les yeux des autres donne une perspective beaucoup plus vaste que de l'observer seulement avec ses propres yeux.

La perspective que m'ont procurée ces tranches de vie m'a guidé dans ces examens bimensuels de notre nature, sous plusieurs angles différents. Cela m'a permis d'étudier à la fois la beauté et la laideur de la nature humaine, ainsi que toute la gamme de nuances se situant entre les deux. Je signe aujourd'hui ma 100e chronique.

▓ Une réalité, de multiples réalités

Je dois avouer que je ne raffole pas des «pop psys», même si j'en suis un moi-même, en quelque sorte. Ce qui me déplaît particulièrement des gens qui écrivent sur la nature humaine ou qui dispensent des conseils au grand public, c'est qu'une très petite partie de ces conseils s'applique à tout le monde. Dans le but de renseigner sur la nature humaine ou sur les maladies mentales, nous sommes forcés de généraliser. Pourtant, généraliser à propos de la nature humaine viole un principe de base de la psychologie : chaque personne est unique. Chacun de nous est un mélange de dispositions de caractère et d'expériences de la vie qui définit notre identité et la façon dont nous réagissons.

▓ La nature de la bête

Il est donc impossible de fournir des conseils pertinents ou de tirer des conclusions valables si l'on ne tient pas compte de chaque personne et de chaque situation dans toute leur complexité. Par exemple, quelles conclusions pouvons-nous tirer de grandes tragédies humaines comme le séisme en Haïti? La générosité inspirante des travailleurs humanitaires qui risquent leur vie pour sauver des victimes dans un pays dévasté vient se juxtaposer aux méfaits des fraudeurs qui tentent de profiter du malheur des autres en mettant sur pied de faux organismes de charité.

À la lumière d'événements majeurs comme celui-là, on se demande si la nature humaine est fondamentalement bonne ou mauvaise. La réponse évidente et troublante est que la nature humaine est à la fois les deux. L'exploration du bon peut difficilement se faire sans tenir compte du mauvais.

▓ Réflexions sur la banalité

L'examen de la banalité peut parfois nous en apprendre beaucoup sur la profondeur. Il n'est peut-être pas si difficile de découvrir pourquoi une personne agit d'une certaine façon dans un pays ravagé par un tremblement de terre, si nous examinons la manière dont elle agirait dans une situation quotidienne, comme lorsqu'un jge se libère dans l'autobus.

C'est pourquoi ces chroniques poursuivront leur parcours sinueux, hors des sentiers battus. Je vais continuer de me pencher sur nos comportements et nos croyances afin de susciter la réflexion, et surtout, de remettre en question nos perceptions de la réalité. Si celles-ci s'en trouvent légèrement modifiées, je suppose que les efforts du chroniqueur et des lecteurs auront valu la peine.

Lectures additionnelles

Les écrits suivants ont été rédigés dans d'autres circonstances et peuvent être forts utiles pour les personnes souffrant de dépression ou d'anxiété.

Les trois premiers articles portent sur la dépression, le burnout et actualisent le lien entre ces deux maladies.

*Ces articles ont été publiés en 2007 dans le **Mammouth Magazine**, journal produit par l'équipe du Dr. Sonia Lupien du Centre d'études sur le stress humain.*

*Le dernier article a été produit pour l'organisme **Phobies-Zéro**, pour lequel je siège sur le conseil d'administration à titre de vice-président. Cet article porte sur les troubles d'anxiété et ses traitements.*

"Je suis en burn-out. Suis-je en dépression?"

Êtes-vous en burn-out ou avez-vous déjà eu l'impression d'être au bord du burn-out? Qu'est-ce que le burn-out et est-ce la même chose que la dépression?

Peu importe ce que c'est, il semble affecter un grand nombre d'individus. Le burn-out est de loin la plus grande cause de congé de maladie dans toute compagnie. Une partie significative de tout ce que vous payez, des pantalons que vous portez au test sanguin demandé par votre médecin, sert à défrayer les coûts du burn-out.

■ Qu'est-ce que le burn-out?

Le burn-out n'est pas un terme médical officiel ou un diagnostic dans le domaine de la santé mentale. Il s'agit d'un terme qui a été inventé pour décrire un état de fatigue ou une incapacité à fonctionner normalement dans le milieu de travail quand les demandes dépassent la capacité d'un individu à les recevoir.

De nos jours, la communauté scientifique n'arrive pas à s'entendre sur la façon de définir le burn-out. Certains le perçoivent comme un phénomène lié exclusivement au travail alors que d'autres l'associent à quelque chose de plus large.

Au sein de la population générale, le terme burn-out est comparable à n'importe quelle appellation courante. La définition évolue continuellement. Au cours du temps, le terme peut prendre une signification différente selon chaque personne. Par exemple, certaines personnes utilisent le terme « burn-out » quand elles ont le sentiment de s'ennuyer dans leur emploi et qu'elles sont à la recherche de nouveaux défis. D'autres vont l'utiliser pour décrire une dépression majeure en raison du puissant symbole que cette notion véhicule.

De façon générale, nous employons le terme burn-out lorsque nous voulons décrire une incapacité à gérer la pression liée au travail.

■ Qu'est-ce que la dépression?

La dépression est un phénomène complexe qui implique des mécanismes internes et des influences externes. On la diagnostique lorsqu'une personne présente une humeur dépressive (sentiment de tristesse, de vide, des pleurs, etc.), ou une perte d'intérêt ou de plaisir. D'autres indicateurs peuvent accompagner la dépression tels que des changements dans l'appétit, des difficultés de sommeil, soit de l'insomnie ou une tendance à trop dormir, de la fatigue excessive, de l'agitation, des sentiments d'inutilité, des difficultés de concentration, et par des pensées suicidaires ou des références récurrentes à la mort.

Il ne faut pas sauter aux conclusions si vous pensez vous reconnaître dans la liste de critères énumérés ci-dessus. Plusieurs situations de vie difficile peuvent nous amener à nous sentir ainsi de temps en temps. La question importante est liée à l'intensité et à la durée. On considère qu'il s'agit d'une dépression quand les symptômes persistent plus de deux semaines et qu'ils sont suffisamment intenses pour causer d'importantes souffrances personnelles ou une incapacité à fonctionner normalement. (Pour plus de détails pour comprendre la dépression, voir « Un mot sur la dépression »)

■ Y a-t-il un lien entre le burn-out et la dépression?

Le burn-out est généralement perçu comme un problème lié au stress dans le milieu de travail, alors que la dépression est un phénomène plus complexe qui peut s'infiltrer dans toutes les sphères de notre vie. Mais est-il possible de séparer ces deux termes? Dans les faits, le burn-out et la dépression sont reliés de très près.

En théorie, il est possible de retrouver le burn-out de façon isolée. Tout le monde peut « se brûler » si l'on augmente constamment les demandes sans donner les moyens d'y répondre. Dans de tels cas, la personne reviendra rapidement à la normale si on la retire de la situation problématique.

Il en va de même pour la dépression. Il se peut que tout cela n'ait rien à voir avec le travail ou le stress. Généralement, une dépression majeure perdurera si l'individu demeure en poste ou qu'il reste à la maison.

Cependant, dans la plupart des cas il n'est pas aussi facile de faire une distinction entre les deux. Prenons le cas d'une personne qui a un fort sentiment de responsabilité et une tendance à être perfectionniste. De telles personnes ont l'habitude de bien exécuter leur travail puisqu'elles se sentent mal à l'aise lorsqu'elles voient un travail brouillon ou incomplet. Par conséquent, elles entreprennent plusieurs tâches et elles livrent la marchandise. Les employeurs et les collègues commencent alors à s'appuyer sur elles de plus en plus. Si elles arrivent ensuite au point où elles doivent se reposer, ne sentiront-elles pas qu'elles ont laissé tomber tout le monde? Ne seront-elles pas déprimées et n'éprouveront-elles pas un sentiment d'échec? Dans de tels cas, les sentiments dépressifs ont tendance à s'attarder même si la personne est éloignée de la situation stressante qui a pu contribuer à créer ces sentiments en premier lieu.

Si nous observons ces traits de caractères dans le milieu de travail, est-il possible de les observer ailleurs également ? Est-il possible que ces personnes aient un sentiment d'échec lorsque leurs enfants éprouvent des difficultés à l'école ou si elles vivent un divorce, par exemple?

La relation entre la dépression et le burn-out est très évidente dans les cas que nous pourrions décrire comme une pure dépression et où le travail n'est pas un problème. Les gens qui souffrent d'une dépression majeure se sentent agités, fatigués et ont de la difficulté à se concentrer. Ils ne ressentent aucune satisfaction et aucun plaisir, même lorsque la tâche est accomplie avec succès. Il n'est pas difficile d'imaginer que leur productivité en souffre. Même les tâches les plus simples se transforment en gros soucis. Dans de tels cas, les pressions liées au travail font souvent déborder le vase. Le travail n'est pas la cause du problème mais devient un facteur qui contribue à la dépression. L'incapacité de fonctionner au bureau amène ensuite la personne dépressive vers un sentiment d'échec et de culpabilité. Lorsque ces personnes doivent prendre un arrêt de travail, on dit qu'elles sont en congé pour épuisement professionnel, même si elles correspondent aux critères pour une dépression majeure.

■ Pourquoi est-ce important?

Même si pour plusieurs personnes le terme burn-out est de moins en moins associé au stigma de la dépression, l'étiquette utilisée est probablement moins importante que le désir de remettre leur vie en ordre. Ainsi, le rôle des psychologues et des psychiatres demeure le même, que la personne consulte pour traiter une dépression ou un burn-out. Le professionnel doit évaluer les causes du problème afin de pouvoir les traiter. Les facteurs externes peuvent être liés à des situations particulières ou un contexte plus général. Les facteurs internes peuvent être liés à des aspects biologiques ou à la personnalité. Si une incapacité à se fixer des limites et un sentiment de responsabilité démesuré contribuent à créer un stress excessif au travail ou à des soucis personnels difficiles à gérer, ces aspects doivent tout de même être abordés en traitement.

■ Que faut-il faire dans un cas ou l'autre?

Peu importe s'il s'agit d'un burn-out, d'une dépression ou deux, comme c'est souvent le cas, vous souffrirez de la même façon et vous bénéficierez d'un traitement.

Une chose est certaine, à moins que quelque chose change, le problème ne disparaîtra pas par lui-même. Si les choses ne fonctionnaient pas auparavant, elles n'iront pas bien comme par magie après avoir pris du repos. Ce changement peut être biochimique ou situationnel, il peut impliquer une nouvelle attitude ou de nouvelles habiletés, il peut même être aussi simple que de décider d'accepter votre ancienne situation mais cette fois sans une lutte constante pour la changer. **Peu importe ce que c'est, quelque chose doit être différent.**

Les deux traitements principaux sont psychologiques ou pharmacologiques. Peu importe la cause, les deux formes de traitements peuvent être bénéfiques. Parfois, la combinaison des deux traitements est plus efficace. Pour des dépressions légères à modérées, le traitement psychologique appelé thérapie cognitivo-comportementale (TCC) est généralement considéré comme étant le meilleur choix. Si la réponse n'est pas adéquate, la médication peut être ajoutée. Pour les dépressions modérées à sévères, une combinaison d'antidépresseurs et de TCC est généralement recommandée dès le début. En réalité, des facteurs additionnels comme l'attitude face à la médication, ou la disponibilité et l'accessibilité aux services psychologiques, jouent souvent un rôle déterminant pour le choix des traitements.

Les antidépresseurs agissent sur la chimie du cerveau. La plupart des gens se sentent moins importunés par les évènements lorsqu'ils prennent des médicaments et arrivent donc à mieux gérer les situations. La thérapie cognitivo-comportementale vise à changer la façon dont nous interagissons avec le monde soit en nous enseignant de nouvelles habiletés ou en examinant et en changeant les attitudes qui affectent comment nous réagissons et interprétons les évènements autour de nous. Elle peut nous aider à déterminer nos limites. Elle peut nous enseigner à questionner nos standards, nos attributions et nos biais. Elle peut nous aider à développer un meilleur sens des priorités et à trouver une balance entre notre vie professionnelle et personnelle.

Un mot sur la dépression

La dépression est un phénomène complexe qui est souvent incompris par le grand public. Est-ce une maladie dans le sens traditionnel? Ou est-ce simplement une réaction aux évènements de la vie? Essentiellement, la dépression peut être vue comme étant une maladie ou une réaction.

La meilleure façon de comprendre la dépression est de comprendre les diverses causes et influences sur nos humeurs. Nous sommes, bien sûr, des êtres biologiques. Tout ce qui nous concerne est dans notre cerveau: les pensées, les mémoires, les attitudes, les humeurs, l'intelligence et tout ce qui fait de nous des humains. Une personne pourrait donc croire que tous les problèmes psychologiques sont causés par des déséquilibres biochimiques. D'un autre côté, notre biochimie a bien certainement été influencée par notre éducation et nos expériences. C'est pour ces raisons que nous devons considérer les facteurs internes ainsi que les facteurs externes mentionnés ci-dessous en tentant de comprendre la dépression et ses causes.

■ Maladie

Certaines formes de dépression peuvent être comprises de la même manière que n'importe quelle autre maladie. Dans ces cas, il semble y avoir quelque chose qui ne fonctionne pas bien dans le cerveau. La chimie du cerveau semble être altérée de manière à avoir un impact sur l'humeur, et ces changements d'humeur ne semblent pas fortement liés à un évènement externe. Le trouble bipolaire, où les humeurs peuvent changer de profonds épisodes de dépression à des épisodes maniaques où la personne se sent pratiquement surhumaine, est un exemple de ce qui serait généralement considéré comme une maladie médicale.

■ Biochimie

Ceci étant dit, il est possible et très probable que les mécanismes biologiques nous affectent tous et contribuent de façon importante à toutes les formes de dépression, et ce, même lorsque le cerveau fonctionne normalement. Par exemple, même si nous n'avons pas une compréhension exacte de la façon dont ils nous affectent, nous savons que les facteurs comme nos niveaux d'hormones et notre nutrition ont un impact sur notre humeur.

■ Tempérament inné

Si vous avez plus qu'un enfant ou des frères ou soeurs, vous avez remarqué qu'il n'y a pas deux personnes avec le même tempérament. Nous sommes tous nés avec notre propre lot de traits et de tendances. Certains d'entre nous sont plus aventureux, alors que d'autres sont davantage hésitants. Certains se fâchent facilement, alors que d'autres ont tendance à prendre les choses une à la fois. De la même façon, certains semblent heureux la majorité du temps alors que d'autres ont tendance à être sérieux et pessimistes.

■ Influences environnementales

Même si notre tempérament inné est une composante majeure de notre personnalité, nos traits sont aussi beaucoup affectés par nos expériences. Nous sommes également influencés par nos valeurs familiales, par la culture de notre société et par chaque expérience que nous avons vécue. Ce mélange unique signifie donc qu'une situation particulière ne peut jamais être comprise de la même manière par deux individus et ne peut pas affectée deux personnes de la même façon.

■ Les évènements qui changent une vie

Même si tous les évènements sont vécus à travers nos valeurs et croyances personnelles, certains sont si intenses que la dépression est presque inévitable. La mort d'un être cher, par exemple, aura généralement un impact profond sur chacun d'entre nous. Dans de telles situations, de forts sentiments dépressifs seraient considérés comme une réaction normale. Même si nous avons tous besoin d'un certain temps avant de pouvoir retourner à un fonctionnement normal, pour certaines personnes la dépression s'attarde et va au-delà de ce qui est normalement observé.

■ Une série d'évènements

La vaste majorité des gens qui consultent pour dépression ne le font pas suite à un seul évènement. Souvent, ils luttent avec des symptômes dépressifs intermittents pendant une longue partie de leur vie. Ils rapportent généralement une succession d'échecs réels ou imaginaires tout au cours de leur vie. Même si un évènement significatif peut avoir déclenché un épisode de dépression et les avoir poussés à consulter, la vulnérabilité était généralement déjà présente.

■ Le dénominateur commun – La personnalité

Le résultat – et parfois la cause – des facteurs mentionnés ci-dessus est la personnalité qui nous définit. Les variables biochimiques et le tempérament interagissent avec notre développement. La personnalité qui émerge de nous affecte ensuite comment nous agissons dans la vie. C'est notre compréhension des évènements et nos réactions face à eux qui rend certains de nous vulnérables à la dépression.

Certaines personnalités sont simplement plus sujettes à la dépression. Les gens timides, par exemple, se sentiront souvent pris dans des situations insatisfaisantes, les perfectionnistes seront toujours déçus d'eux-mêmes ou irrités par les autres, les individus dépendants se retrouveront souvent dans des situations où on peut profiter d'eux. C'est donc pourquoi nous devons essayer de comprendre nos habitudes personnelles si nous voulons nous protéger de la dépression. Si nous avons des habitudes qui nous rendent vulnérables et nous ne les changeons pas, soit par des moyens pharmacologiques ou psychologiques, la dépression risque de demeurer un combat de toute une vie.

Pourquoi certaines personnes sont-elles touchées par un burn-out?

Dans l'article précédent, nous avons examiné la relation entre le burn-out et la dépression et avons constaté que les termes se chevauchent. Nous allons maintenant se pencher sur le phénomène du burn-out et certains des facteurs spécifiques qui contribuent à cette condition. Certains sont reliés à l'individu alors que d'autres sont peut-être davantage reliés au monde dans lequel nous vivons et travaillons.

LES CAUSES DU BURN-OUT

Attentes élevées à l'égard de soi-même : Certaines personnes sentent qu'elles peuvent – et qu'elles doivent – accomplir tous les objectifs qu'elles ont fixés. Se fixer des buts très élevés peut mener à de grandes réalisations, mais peut également augmenter le risque d'échec. Les personnes qui gèrent bien leur stress ont tendance à considérer ces objectifs comme des idéaux théoriques qui balisent leur travail plutôt que comme des obligations. Elles savent que leurs efforts produiront d'importants progrès même si le but ultime n'est pas atteint. Elles savent qu'il est possible d'atteindre partiellement un but et d'en tirer une grande satisfaction. Les personnes qui ont tendance à considérer les objectifs comme des absolus – du genre tout ou rien – sont plus susceptibles de souffrir de burn-out.

■ Attentes élevées des autres

Nous vivons dans un monde qui fonctionne de plus en plus selon un modèle de buts et d'objectifs mesurables. Les employeurs cherchent constamment des moyens d'en obtenir davantage de leurs employés, un peu comme les consommateurs qui cherchent à obtenir le meilleur prix possible avant d'acheter un produit. Pour une entreprise, il est logique d'augmenter les objectifs d'une année à l'autre, surtout lorsqu'ils ont été atteints l'année précédente. Ce phénomène contribue à augmenter la pression sur les employés, tout autant que d'autres facteurs tel qu'une équipe de travail réduite. Les employeurs souhaitent obtenir davantage des employés les moins productifs. Malheureusement, cette pression est surtout ressentie par les employés les plus productifs qui ont tendance à élever leurs attentes à l'égard d'eux-mêmes.

■ Mauvaise perception de ce qu'est un bon travail

Le perfectionnisme est une arme à deux tranchants. Bien faire les choses est important. Quand on y pense bien, on ne voudrait pas que notre chirurgien fasse preuve de laisser-aller. Le problème vient du fait que les normes de perfection ne doivent pas forcément s'appliquer à toutes les petites choses que nous entreprenons. La plupart des situations que nous vivons ne mettent pas la vie de qui que ce soit en danger. Certaines personnes n'ont pas la capacité de reconnaître qu'il y a plusieurs bonnes façons de faire les choses. Les personnes qui passent trop de temps à essayer de trouver « la » bonne façon de faire une chose sont plus exposées au burn-out que leurs collègues qui ne se perdent pas dans les détails de moindre importance.

■ Faible sentiment d'appartenance

Certaines personnes ont peu confiance en elles. Elles ont l'habitude de se sentir idiotes et de ne pas être à leur place dans plusieurs situations, et ce, depuis plusieurs années. Ce syndrome de l'imposture est très répandu. Pour compenser, ces personnes ont souvent le réflexe de travailler d'arrachepied. Quand elles n'arrivent pas à atteindre leurs objectifs, elles ont tendance à attribuer leur échec à leur propre faiblesse plutôt qu'à des facteurs externes ou à l'organisation de leur milieu de travail. Quand les attentes à l'égard de ces personnes ne sont pas réalistes, elles ressentent fortement l'échec et peuvent sombrer dans le burn-out.

■ Mauvais environnement

Certaines personnes n'ont tout simplement pas la capacité ou les aptitudes pour accomplir leur travail. Cette situation est improbable puisque la plupart des gens ont été choisis pour un poste donné parce qu'ils possèdent les qualités requises. Par conséquent, l'idée de ne pas être compétent est souvent une peur irrationnelle qui se manifeste habituellement chez les individus qui ont une faible confiance en eux. Il faut toutefois garder en tête qu'il peut s'agir d'un enjeu bien réel pour d'autres. Ceux qui souffrent de burn-out peuvent en arriver à faire des généralisations à propos de leur manque de compétence et ressentir la nécessité de réussir afin de mériter le respect de leur patron. Ces personnes ne réalisent peut-être pas qu'il peut y avoir d'autres postes aussi importants au sein de l'entreprise mais qui conviendraient mieux à leurs habiletés.

■ Des solutions multi-factorielles

Si les causes du burn-out sont multi-factorielles, les solutions doivent également l'être. Voici une courte liste de suggestions que vous pouvez considérer si vous croyez être vulnérable au burn-out :

- Apprenez à bien travailler sans être débordé. La plupart d'entre nous n'aurait aucun problème à fuir un magasin de chaussures si la paire de chaussures que nous voulions coûtait 500$. Nous aurions l'impression qu'ils ne valent pas l'effort requis pour gagner cet argent. Alors pourquoi ne pouvons-nous pas fuir le travail qui demande trop de nous, pas en termes d'argent, mais plutôt en terme d'efforts que cela nécessite pour gagner cet argent?

- La vie est un marathon. Le coureur qui court le premier mile rapidement parce qu'il a l'énergie s'épuisera probablement avant la fin. Le secret est de garder un rythme raisonnable qui peut être maintenu tout au long de la course. Dans nos vies professionnelles, nous avons souvent l'énergie pour donner un petit effort d'extra afin d'atteindre un but, impressionner un patron ou faire de l'argent de plus, mais nous considérons rarement les conséquences à long terme d'un tel rythme. Avoir le temps de faire des choses qui ne semblent peut-être pas productives, comme prendre du temps pour vos passions personnelles et vos passe-temps, ou tout simplement prendre le temps de s'asseoir, est essentiel pour garder un rythme de vie raisonnable.

- Reconnaissez lorsque vos standards personnels sont trop élevés. Pour ce faire, vous devez apprendre à vous fier au jugement des autres. Ne vous fiez pas sur votre propre jugement personnel biaisé, surtout si n'avez jamais l'impression que ce que vous faites est suffisamment bien. Essayez de baser votre jugement sur des mesures de performance objectives, comme des notes ou un montant de ventes. Demandez-vous comment vous jugeriez un collègue avec les mêmes chiffres. Habituellement, le jugement est beaucoup moins dur. Et rappelez-vous, le fait qu'une tâche peut toujours être mieux rendue avec plus de temps ne signifie pas qu'elle n'est pas déjà mieux que ce qui est demandé.

- Soyez capables d'admettre à vous-même lorsque c'est le temps pour un changement et choisissez un travail qui convient davantage à votre personnalité. Cela est beaucoup plus facile que de tenter de changer radicalement votre nature. Par exemple, un procrastinateur aura beaucoup plus de facilité à répondre au téléphone dans un département de service à la clientèle, où il doit être disponible et compétent, comparativement à un emploi où ils aurait à produire des rapports écrits sans échéance définie.

La dernière étape appartient aux collègues et employeurs. Ils doivent reconnaître que les bons employés, les « demande-à », doivent être protégés. Lorsqu'un important projet doit être réalisé et que nous avons deux employés ou collègues – un employé compétent et surchargé et un employé moins compétent qui a des temps libres – qui allons-nous approcher pour faire le projet? Le fait que les bons employés font généralement du bon travail ne signifie pas qu'ils ont des ressources illimitées. Les laisser respirer un peu permettra à tout le monde de s'impliquer et rendra le milieu de travail meilleur.

La gestion de l'anxiété

LES RAISONS DE L'ANXIÉTÉ

■ La douleur et les ours

L'un d'entre nous aime-t-il se sentir anxieux? J'en doute. Tout comme la douleur physique, l'anxiété est quelque chose de déplaisant. Elle sert toutefois à une fin importante : elle nous tient en vie.

Tout comme nous ressentons de la douleur lorsque nous éprouvons un problème physique, l'anxiété est ce que notre corps ressent lorsqu'il est menacé. L'anxiété nous dit : « Fais quelque chose! Protège-toi! ».

Cet instinct de protection est tout à fait logique dans la nature. Si vous marchiez en forêt et que vous croisiez un ours, vous ressentiriez une très grande anxiété. C'est une bonne chose. La poussée d'adrénaline accompagnant l'anxiété vous donnerait les meilleures chances de survie. Vous l'utiliseriez pour courir de toutes vos forces. Si vous vous sentiez coincé(e), vous attraperiez une branche ou une pierre et vous l'attaqueriez. Il s'agit de la réaction de lutte ou de fuite, que l'on constate chez tous les animaux.

Dans notre monde moderne, l'anxiété nous empêche de conduire trop vite dans une courbe, de nous avancer trop loin sur une falaise, ou de jouer imprudemment avec des lames de rasoir. C'est aussi ce qui nous pousse à consulter un médecin pour faire examiner une bosse, ou à faire vérifier nos freins par un mécanicien. En fait, lorsque nous nous inquiétons de quelque chose, nous avons tendance à être plus prudents et à éviter le danger.

■ L'ours imaginaire

Si l'ours n'est pas réel, mais que vous croyez qu'il l'est, votre corps réagira exactement de la même façon. Les gens aux prises avec des troubles anxieux ont des réactions physiques plutôt normales. C'est leur interprétation du danger qui est détraquée! Leur corps réagit comme s'ils se trouvaient devant un ours, alors qu'en fait, l'ours n'est présent que dans leur esprit.

■ Le danger résiduel

Quoi que nous fassions, nous ne pouvons jamais être totalement en sécurité. Il subsiste habituellement un danger résiduel. Si je conduis dans les limites permises, je risque moins de perdre la vie que si je fais de la vitesse, mais je ne peux jamais en être totalement certain. Si je peux m'accommoder de cette réalité, je serai capable de conduire et de fonctionner normalement. Sinon, si je désire avoir une certitude absolue, je suis dans une impasse. Je devrai alors m'abstenir complètement de conduire, ou trouver une autre façon de maîtriser la menace.

D'OÙ CELA VIENT-IL?

■ Devrais-je remettre ma vie en question?

L'une des erreurs que les gens commettent lorsqu'ils commencent à souffrir d'anxiété est de remettre leur vie en question. Ils croient que quelque chose ne va pas dans leurs relations ou dans leur carrière et que c'est là la source de leur anxiété. Bien que cela puisse être un facteur d'aggravation de l'anxiété et être effectivement la source du problème chez certaines personnes, ce n'est habituellement pas le cas. Le stress de la vie est un facteur qui accroît l'anxiété. Il peut même déclencher une première crise de panique mais, ordinairement, ce n'est pas la cause réelle. La véritable cause réside dans la façon dont le corps réagit à un agent stressant (l'anxiété) et dans la façon dont cette réaction est interprétée.

Ces réactions et interprétations ne découlent pas d'une seule source. Les êtres humains sont beaucoup plus complexes que cela. Nous sommes le résultat de notre constitution biologique et de tout ce que nous expérimentons dans nos vies. Voici quelques-unes des principales sources de l'anxiété.

■ Votre instinct

Certaines peurs sont innées et logiques, à une certaine période de notre développement. De nombreuses peurs ont assuré notre survie et sont devenues des instincts qui font maintenant partie de notre bagage génétique. Il y a 10 000 ans, par exemple, il était bon d'avoir peur des hauteurs, car les branches d'arbre pouvaient casser et les falaises rocheuses pouvaient céder. Les humains devaient se méfier des grands espaces à découvert, où ils devenaient des proies faciles. Se trouver au milieu d'une foule entraînait la possibilité de se faire piétiner. S'éloigner des lieux familiers rendait vulnérable à des dangers inconnus. Les serpents et les araignées pouvaient être venimeux. Revérifier les choses réduisait les risques. Se soucier de ce que les autres pensaient de nous augmentait les chances de se trouver un partenaire.

Aujourd'hui, nous pouvons déceler les racines de cet instinct de survie dans bien des formes de troubles anxieux, tels que l'agoraphobie, la phobie sociale et le trouble obsessionnel-compulsif.

Il y a des millénaires, nous avions besoin de ces peurs pour survivre, mais dans notre société moderne, elles n'ont plus beaucoup de sens. Aujourd'hui, les tunnels sont renforcés d'acier et risquent peu de s'effondrer. Et puis, il est peu probable qu'ils abritent un lion.

Vous remarquerez également que bien des gens craignent les serpents, même s'ils ne se sont jamais fait mordre, et que très peu de gens ont peur des cuisinières, alors qu'ils se sont brûlés plusieurs fois. Ainsi, nous présentons beaucoup plus facilement des troubles anxieux dans des domaines liés à l'instinct que dans des domaines liés à l'expérience seule.

■ Votre tempérament

Si vous avez plus d'un enfant, ou si vous avez des animaux de compagnie, ou des frères et des sœurs, ou encore des oncles, la première chose que vous constatez c'est à quel point ils sont différents, bien qu'ils soient issus des mêmes parents. Ces différences se remarquent même en bas âge, car nous naissons tous avec notre propre tempérament, notre propre variation génétique dans la constitution de notre caractère. Ces différences sont présentes dès le berceau. Certains d'entre nous sont impétueux, d'autres plus passifs. Certains d'entre nous sont animés d'une grande curiosité, alors que d'autres semblent désintéressés. Nous sommes tous différents. Et certains d'entre nous sont simplement plus anxieux que d'autres. Nous sommes bâtis ainsi.

Le trait de personnalité commun aux personnes sujettes aux troubles anxieux est la façon dont elles pensent en termes absolus. Elles ne lâchent pas prise facilement. Comme nous l'avons déjà vu, le danger résiduel subsiste dans la plupart des situations génératrices d'anxiété. Ce fait est incompatible avec les personnes qui pensent en termes absolus, et crée des troubles anxieux.

■ Votre environnement

Nous sommes influencés par tout ce qui se trouve dans notre environnement, y compris les choses que nous observons, les choses qui nous sont enseignées et les choses que nous expérimentons. Cela a une incidence sur ce que nous considérons comme dangereux et sur la façon dont nous interprétons les événements.

Notre attitude est grandement influencée par notre famille, notre milieu scolaire, nos amis et notre société. Nous serions très différents si nous avions été éduqués dans d'autres pays, par des parents différents.

Prenons l'exemple des familles. Le rôle des parents est de nous protéger. Ils le font en nous enseignant ce qui est bon, ce qui est mauvais, ce qui est sûr et ce qui est dangereux. Il n'est pas difficile d'imaginer les différents messages qu'ils nous envoient. Par exemple, un parent peut envoyer à l'école son enfant qui a mal à la gorge, alors qu'un autre peut se précipiter chez le médecin. Qui a raison? C'est bien discutable. Néanmoins, le deuxième enfant risque beaucoup plus d'être préoccupé par sa santé, une fois adulte, que le premier.

Il en va de même pour les expériences vécues à l'extérieur de la famille. Ainsi, l'enfant qui se fait tourmenter à l'école risque davantage de devenir un adulte ayant une phobie sociale.

LES FORMES QU'ELLE PEUT PRENDRE

■ Quand une peur devient-elle un trouble?

Bien que l'anxiété soit normale, il en existe divers degrés. À doses normales, elle nous protège. À doses excessives, elle nous emprisonne.

Les deux critères utilisés pour distinguer l'anxiété normale du trouble anxieux sont la souffrance personnelle et la difficulté de fonctionner. Si votre anxiété est tellement forte qu'elle vous préoccupe constamment, ou qu'elle affecte votre capacité de fonctionner normalement, au travail, en société ou dans d'autres domaines, votre anxiété est alors considérée comme un trouble.

Par exemple, vous n'aimez peut-être pas aller chez le dentiste, mais si cela ne vous empêche pas de vous faire soigner les dents, il ne s'agit que d'une peur. Par contre, si vous perdez le sommeil deux jours avant le rendez-vous, ou pire encore, si vous négligez complètement vos caries par crainte du dentiste, vous souffrez alors d'une phobie. De même, vous n'aimez peut-être pas prendre la parole devant la classe, mais si cela vous mène à abandonner vos études, vous souffrez d'un trouble anxieux.

■ La peur : les foules, les chiens, la maladie, les avions, les arêtes de poisson…

La liste des peurs semble sans fin. La peur peut avoir pour objet les autobus, le métro, les ascenseurs, les serpents, les chats, les araignées, les crises cardiaques, l'étouffement, l'AVC, le rougissement, les centres commerciaux, la transpiration, l'éloignement de la maison, se faire regarder, l'échec, le rejet… enfin vous voyez le tableau.

Vous pouvez vous sentir assez découragé(e) devant la multitude de vos peurs, mais en réalité, le tableau est assez simple. En fait, toutes les peurs peuvent être groupées en trois grandes catégories.

1. **La peur de la mort ou de la maladie** : La première peur est celle de la mort ou de la maladie. Les gens qui éprouvent cette peur peuvent craindre d'avoir une maladie comme le cancer, de subir une crise cardiaque, un AVC, de mourir dans un accident d'auto ou d'avion, ou de se faire blesser.

2. **La peur de l'aliénation mentale** : La deuxième grande peur est celle de l'aliénation mentale, ou de ce qu'on appelle communément « devenir fou ». Plusieurs personnes souffrant de trouble anxieux ont peur de perdre la raison, de passer le reste de leur vie « enfermés » ou de faire quelque chose de terrible comme de blesser leurs enfants ou de lancer leur voiture dans la voie inverse.

3. **La peur d'être jugé** : La troisième grande peur est celle de se ridiculiser en société. Les gens qui éprouvent cette peur craignent de rougir, de s'évanouir au travail, de commettre des erreurs, de faire rire d'eux-mêmes, de dire ce qu'il ne faut pas, ou simplement d'avoir l'air nerveux devant les autres.

Bien des gens éprouvent des peurs qui s'insèrent dans deux, ou même dans les trois catégories.

■ La peur de la peur : l'ours imaginaire revisité

Si nous revenons à l'image simple de l'anxiété dans l'exemple de l'ours, nous pouvons résumer la situation comme suit :

Lorsque quelque chose me menace (un danger), mon corps a une réaction de protection (l'anxiété, aussi connue comme la réaction de stress). Cela me fait faire quelque chose en réaction (m'enfuir, me défendre, ou maîtriser la menace d'une façon quelconque).

Mais qu'arrive-t-il si j'ai peur de ma propre réaction? Si j'ai peur d'avoir une crise cardiaque, par exemple? La crise cardiaque devient alors l'ours. Si j'entre dans une classe ou un wagon de métro où j'ai déjà eu des problèmes dans le passé, j'aurai certainement peur que cela ne se reproduise. Étant donné que mon corps réagit à toute menace par l'anxiété, cela augmente mon rythme cardiaque. J'en prends conscience et je crains qu'une crise cardiaque soit imminente. Mon corps interprète cela comme une menace, ce qui fait encore augmenter mon rythme cardiaque.

Dans cet exemple, la réaction d'anxiété devient le danger auquel le corps réagit comme à tout autre danger : par une augmentation de l'anxiété. Il s'agit de la classique peur de la peur, que l'on constate chez la plupart des gens qui souffrent de troubles anxieux.

■ Éviter, vérifier, contrôler… faire tout ce que cela exige

L'anxiété est une simple réaction. Lorsqu'une mauvaise chose menace de se produire, nous devons la contrôler. Nos efforts pour contrôler la menace définissent le type de trouble anxieux dont nous souffrons.

Si une menace peut être physiquement évitée, la plupart d'entre nous le feront. Il s'agit d'une réaction phobique type. Par exemple, les gens qui ont peur des ascenseurs emprunteront plutôt l'escalier. Ceux qui on peur des microbes éviteront de toucher aux poignées de porte. Ceux qui ont peur de faire rire d'eux éviteront les situations où ils sont le centre d'attention.

Parfois, il est impossible de nous échapper. Ainsi, les gens qui ont peur des microbes ne peuvent pas toujours éviter de toucher à une poignée de porte. Dans ce cas, ils se laveront les mains pour supprimer la menace. Les hypochondriaques consulteront leur médecin ou tenteront de se rassurer en parcourant Internet dès qu'ils éprouvent un symptôme. En réalité, il s'agit d'autres formes d'évitement.

Parfois, les gens tentent d'éviter les menaces en contrôlant la situation. Par exemple, s'ils ont besoin de provisions et ne peuvent éviter d'aller au centre commercial, ils tenteront de contrôler le danger en mettant en place divers mécanismes pour se rassurer. Une femme peut donc transporter un petit flacon de gin dans son sac à main, demander à une amie de l'accompagner, ne se rendre que dans des magasins qu'elle connaît bien, porter des vêtements légers pour éviter de transpirer, etc.

Parfois, la menace réside dans ses propres pensées. Certaines personnes, par exemple, ont des pensées horrifiques, une forme de trouble obsessionnel-compulsif selon lequel la personne est accablée d'images ou de pensées non désirées. Étant donné qu'il est difficile de contrôler les pensées, ces personnes essaient habituellement diverses méthodes pour y parvenir, comme les exercices de « pensée positive ». Elles peuvent aussi passer d'innombrables heures à se creuser les méninges ou à s'interroger sur leur situation, en quête de réponses rassurantes.

Quelle que soit la menace, ceux qui souffrent de troubles anxieux feront toujours ce que nous faisons tous, soit contrôler les menaces de toutes les façons possibles : éviter, prévenir, résister. Ces stratégies fonctionnent rarement contre la peur, et jamais contre la peur de la peur.

SURMONTER LES TROUBLES ANXIEUX

Éviter les dangers réels est bien, mais éviter les dangers imaginaires ou exagérés ne l'est pas. Cela ne fait que nous emprisonner et nous rendre misérables. En matière d'anxiété, il est inutile de tricher en tentant de l'éviter. Tout ce qu'on finit par faire, c'est se confirmer qu'il existait un danger dès le départ. L'objectif est simple : se prouver qu'il n'y a rien à craindre !

■ Affronter ses peurs

La plupart des gens qui souffrent de troubles anxieux savent très bien ce qui est véritablement dangereux et ce qui est exagéré. Ce n'est peut-être pas facile, mais ils doivent apprendre à affronter les peurs qui ne sont pas dangereuses. En affrontant leurs peurs, la plupart des gens souffrant de troubles anxieux réussissent à les surmonter.

Cela peut se faire graduellement. Inutile de se torturer. Rappelez-vous simplement une chose : ne quittez jamais une situation dans laquelle votre niveau d'anxiété est élevé ou croissant. Cela ne fera qu'accroître votre peur. Si vous ne pouvez rester, alors reculez un peu et attendez. Lorsque vous vous sentirez mieux, vous pourrez partir. Encore mieux, retournez à l'endroit où vous étiez lorsque vous avez eu votre attaque de panique.

Affronter vos peurs, vous exposer aux sensations physiques qui vous effraient, ou aux endroits où elles se produisent habituellement, fonctionne presque toujours. Sinon, c'est probablement en raison de ce que vous pensez. Certaines personnes peuvent penser qu'elles ont simplement été chanceuses de s'en tirer : « Dieu merci, quelqu'un m'accompagnait, ou j'avais apporté de l'eau, ou mes pilules, ou une débarbouillette », ou simplement que c'était un bon jour. L'objectif est d'apprendre qu'il n'y avait rien à craindre, et non que vous avez été chanceux! Vous n'avez pas échappé au danger. Il n'y en avait tout simplement pas.

Rappelez-vous le chien de Pavlov : Il y a une chose qu'il importe de se rappeler lorsqu'il s'agit d'affronter ses peurs. Si vous avez subi plusieurs attaques de panique dans certaines situations, votre corps acquiert un réflexe d'anxiété. Tout comme le chien de Pavlov, après un certain temps, notre corps réagit fortement à des images, des odeurs, des sons et d'autres sensations associées à nos expériences. Par exemple, même si vous ne craignez plus d'avoir une attaque de panique dans un restaurant, l'ambiance, ou l'odeur du gril, ou le bruit des verres qui s'entrechoquent peut déclencher une sensation de panique. Il peut être nécessaire d'y retourner plusieurs fois avant que le réflexe ne s'atténue. Soyez patient(e) et ne vous découragez pas.

■ Concentrez votre attention à l'extérieur de votre corps :

Laissez votre corps et votre esprit agir d'eux-mêmes
Les gens qui souffrent de trouble anxieux craignent tellement les réactions de leur corps ou de leur esprit qu'ils se concentrent constamment sur elles. Cela ne donne rien, à part empirer les choses. Comme nous l'avons vu plus tôt, si nous craignons nos réactions, l'anxiété apparaîtra et ne fera qu'empirer notre état.

Songez à ce qui se produit lorsque vous montez un escalier en courant. Pendant quelques minutes, vous ressentez de forts symptômes semblables à ceux d'une crise de panique : le rythme cardiaque accélère, vous transpirez et vous pouvez même vous sentir chancelant. Et pourtant, quelques minutes plus tard, tout revient à la normale. Qu'avez-vous fait pendant ces quelques minutes? Rien. Votre corps a pris soin de lui-même. Il en va de même pour l'anxiété. Ce qui fait durer l'anxiété, ce sont vos efforts pour la contrôler. En tentant de résister à l'anxiété, vous l'alimentez par inadvertance.

Les pensées obsédantes agissent de la même façon que les sensations physiques. Nous avons tous des pensées ou des images folles qui nous traversent l'esprit de temps à autre. Elles ne reflètent pas des « désirs secrets » ou des pulsions inconscientes. Elles ne sont habituellement qu'un reflet de la peur. Ceux qui ne s'en font pas avec ces idées les oublient rapidement. Par contre, ceux qui ont des tendances obsessionnelles tentent constamment de contrôler ces pensées. Cela alimente l'anxiété et renforce les pensées effrayantes.

L'anxiété n'est PAS un signe d'aliénation ou de maladie. Laissez votre corps et votre esprit libres. Ils peuvent réagir à certaines situations ou pensées, mais ils reviendront bien vite à la normale. Ne faites rien, et votre corps prendra soin de lui-même! Et votre esprit aussi.

■ Apprenez ce que vous pouvez et ce que vous ne pouvez pas contrôler

L'objectif final de la gestion de l'anxiété est de changer la croyance selon laquelle vous n'avez aucun contrôle. En fait, vous avez tout le contrôle dont vous avez besoin, mais simplement pas autant que vous le voudriez.

Ultimement, vous devez apprendre que l'anxiété ne peut pas être entièrement contrôlée et qu'il est normal de se sentir anxieux. Oui, des catastrophes se produisent. L'anxiété nous aide à contrôler les risques et à en réduire l'occurrence. Malheureusement, il n'existe aucune garantie. Les gens qui n'arrivent pas à lâcher prise, ceux qui recherchent le contrôle absolu, ont de la difficulté avec cette réalité. Leurs efforts pour assurer leur sécurité ont l'effet inverse. Étant donné que rien ne peut être contrôlé avec une certitude absolue, les efforts n'atteindront pas leur but et donneront l'impression que le danger se rapproche. Et cela accroît l'anxiété.

Rappelez-vous : s'il n'y a pas de danger, il importe peu que vous n'ayez pas le contrôle.

▧ Une vérité simple

Il existe, à propos des troubles anxieux, une vérité simple qui a des implications profondes : les gens n'ont des attaque de panique que lorsqu'ils ne le veulent pas, et ils n'en ont jamais dans des situations où cela importe peu. C'est parce que la plus grande part de l'anxiété est créée par nos efforts pour la contrôler. En acceptant de se sentir anxieux de temps à autre, la peur de la peur, qui constitue 95 % de la panique, ne survient jamais.

▧ Un choix simple

Si on vous offrait le choix entre le cancer et la peur du cancer, que choisiriez-vous? La plupart des gens choisiraient la peur du cancer. De l'extérieur, il est facile de voir que l'un est une maladie véritable, et l'autre, « rien qu'une peur ». Mais qu'arriverait-il si vous éprouviez cette peur? Comment vous sentiriez-vous? Vous sentiriez-vous aussi mal ou même pire que la personne qui souffre du cancer?

Pour surmonter un trouble anxieux, rappelez-vous que l'anxiété est la peur d'une chose néfaste, et non la chose néfaste elle-même. Il y a une différence entre le cancer et la peur du cancer. L'un peut vous tuer. L'autre ne fait que vous rendre misérable. Ne la combattez pas, et elle en fera autant.

(**Mars 2009**)

Notes:

Notes:

Notes:

PARTS OF LIVES

4th EDITION

Camillo Zacchia, PhD
PSYCHOLOGIST

Douglas
INSTITUT
UNIVERSITAIRE EN
SANTÉ MENTALE
MENTAL HEALTH
UNIVERSITY
INSTITUTE

Published by **Douglas Mental Health University Institute**

Thanks to:
Journal Métro,
Douglas Institute Communications
and **Public Affairs Department** and their translators.

Editor: **Communiplex**
Project Manager: **Delphine Givois**
Illustration: **Mario Malouin**
Page layout and design: **Studio Idées en Page inc.**

For more information:

Professional and Hospital Services
Douglas Mental Health University Institute
6875 LaSalle Blvd
Borough of Verdun
Montréal, Québec H4H 1R3
www.douglas.qc.ca

Legal deposit: second quarter 2011
National Library of Canada
Bibliothèque nationale du Québec

Printed in Canada
ISBN 978-2-9810385-0-0

A message from the Minister of Health and Social services

*I would like to congratulate the **Douglas Mental Health University Institute** on its publication of **Parts of Lives**, a fascinating collection of columns by **Camillo Zacchia**, a past master at making mental health issues accessible to the lay person. Writing in a natural, informal style, **Camillo Zacchia** presents some profound reflections on various everyday concerns related to mental health, encouraging readers to think about the issues raised. This is an excellent tool for promoting a better understanding of mental health problems.*

Mental health disorders are still shrouded in prejudice that is unfortunately difficult to dispel. Our efforts to educate and inform must therefore be constantly evolving to replace preconceived ideas with an informed understanding of mental health problems to which we are all vulnerable.

This is why, for the past several years, our government has been conducting an intensive public awareness campaign on depression, a widespread illness that concerns us all and that, I am delighted to say, can be cured.

Happy reading everyone!

Yves Bolduc

It is a great pleasure for me to briefly introduce this special edition of the work of **Camillo Zacchia***, published for physicians likely to receive and treat patients suffering from mental disorders. In fact, as a psychiatrist and National Director of Mental Health, I know that my fellow citizens trust their family doctors more than any other health professionals when it comes to dealing with mental health problems.*

Unfortunately, despite this trust, many Quebecers, particularly men, hesitate to consult even their own doctors. Why? Because our society is highly critical of people dealing with mental disorders, almost all of whom report having been the victim of prejudice: they are thought to be weak, lazy, leeches on society, and so on.

So it's not surprising that, according to the literature, this stigma is one of the greatest roadblocks to people seeking professional help for mental disorders. This reluctance to ask for help leads to prolonged suffering, chronicity, and resistance to treatment. All this contributes to making mental disorders second after cardiovascular diseases and ahead of all cancers combined in terms of their burden on the health care system.

It is thus extremely important to fight this stigma. Since 2005, Dr. **Zacchia** *has been writing columns in the* **Métro** *newspaper to inform the public and fight these perceptions of the "mentally ill," making him one of the most creative and prolific warriors in this battle against stigmatization. His columns make us think and question (ourselves).*

In the following pages, you will discover some of Dr. **Zacchia's** *best columns. I am certain you will find them to be of interest. And if you make them available in your waiting rooms, you will also help to educate your patients. More importantly, they may inspire your patients to trust you enough to speak to you about their own mental health concerns or complaints. Not only will you be contributing to the fight against stigmatization, but you will also have laid the groundwork for helping your patients. And isn't that what defines and unites us all as physicians?*

Thank you, **Camillo***, for these inspiring "**parts of lives**" stories.*

André Delorme*, MD, FRCPC*
National Director of Mental Health
Ministère de la Santé et des Services sociaux

In 2006, the **Douglas Hospital** was given the status of **Mental Health University Institute** by the Ministry of Health and Social Services. The **Douglas** is a visible force with a strong tradition of excellence and humanitarian care. People are the centre of our mission. One of our fundamental objectives is to participate in the fight against stigma in mental health. We firmly believe that if stigma is reduced, we will not only lessen the suffering, isolation, fear and shame felt by people living with mental health problems, but improve the quality of their lives.

To that end, the **Douglas Institute** has enhanced its public educative program. The program encompasses a variety of initiatives includes **Mini-Psy**, a session course on various topics in mental health, (accessible on YouTube and Canal Vie), **Frames of Mind**, a film series and discussion group for the general public on mental health issues and a by-monthly newspaper column in the **Metro** newspaper, written by psychologist, **Dr. Camillo Zacchia**. **Dr. Zacchia**'s column resonates with all of his readers as it focuses on psychology, human nature and the challenges and struggles of daily life. The **Douglas Institute** is proud to present this edition of some of his best articles with the hope that it helps to bring awareness to the issues surrounding mental illness and mental health and help in our mission to reduce all the stigma around it.

Jacques Hendlisz
Director General
Douglas Mental Health University Institute

*On behalf of the **Douglas Mental Health University Institute**
I am once again pleased to present this new compilation of columns by **Camillo Zacchia**.*

*This collection includes 100 columns that have appeared in **Journal Métro** in the five years
since the start of this great connection between **Dr. Zacchia** and the public.
This year, we include some illustrations drawn by M. Mario Malouin, a renowned comic book artist
and cartoonist from Québec who has graciously contributed his personal artwork to the cause.
Thank you Mr. Malouin!*

*In column after column we are challenged to question our behaviours and attitudes with respect
to our lives in general and mental health in particular.*

*With his words and mental images, **Dr. Zacchia** continually forces us to confront and reflect
upon the societal prejudices that discredit the mentally ill. These efforts are a powerful tool
in the continual fight against the stigma that surrounds mental illness.*

*Congratulations and thank you, **Camillo**, for your efforts in making our world a fairer place.*

I wish you all an enjoyable and stimulating read.

Dr Jean-Bernard Trudeau
Director of Professional and Hospital Services
Douglas Mental Health University Institute

Acknowledgements

Dear readers,

I am honoured to have the opportunity to offer this newest compilation of columns.

*I would like to start by thanking all those who have encouraged me and supported me over the years. I have received many nice compliments on previous compilations of columns. Most people feel that the ideas in them are simple and obvious, yet they serve as reminders of important issues. I think the best compliment I received was when someone said to me, "**You talk to me (through your writing) like I'm five years old, but you respect my intelligence.**"*

I believe that profound implications can often be gleaned through observations of the mundane. This is why such compliments seem to fit so well. We can often find, in our everyday interactions, the same principles that lie behind many of the great issues that challenge us, such as conflicts between individuals and nations, destructive and self-destructive behaviours, segregation and stigmatization, debilitating fears, and depression, to name a few. Of course, interspersed among some of the heavier topics, you will also find my occasional musings on the lighter side of human nature. My hope is that you will recognize yourselves in several of the columns.

*I would like to thank but a few of the many individuals who have made this collection possible; **Stephanie Lassonde**, for getting the ball rolling when she sent off my first editorial to **Le Devoir**, **Catherine Dion** and **Claudia Morrisette**, for starting the **Journal Métro** collaboration, **Dr. Jean-Bernard Trudeau**, for his enthusiastic and unflagging support, and **Delphine Givois**, **Christian Denis** and **Soraya Zarate** for putting together these compliations. A few of the other key players include; **Ray Barillaro**, **Marie-France Coutu**, **Lyna Morin**, **Marie-Gabrielle Ayoub**, **Christine Limoges**, **Cédric Lavenant**, **Jessica Dostie**, and **Marie-Eve Shaeffer**. Finally, to the team of translators that have managed to faithfully preserve my style on behalf of our Francophone readers, un gros merci!*

*Life can take us along many paths. Mine was fortunate enough to start in an environment of unconditional love from my parents, Maria and Giuseppe. I then encountered an equally loving heart in **Lori**, my partner of over thirty years, and the backbone of our family. Our lives later crossed those of our four adopted children, **Joshua**, **Amy**, **Tommy**, and **Thi Thu**, enriching us in ways that could not be imagined before their arrivals. Their bravado of adolescent detachment cannot belie their profound love for us. They nourish us with their spirit, their laughter and their simple presence. From six, we are now one.*

I could not be a richer man.

Camillo Zacchia

Psychospeak with Dr. Z

a clinician's take on psychopathology, human nature, and life.

If you enjoy this compilation of publications,
please come read or subscribe to **Dr. Zacchia***'s blog at:*
http://www.blog.douglas.qc.ca/psychospeak/

This blog brings together scientific knowledge, critical thinking, and common sense to the world around us; commenting at times on mental health issues that make the headlines, and at other times on the little things in life that reveal common aspects of human nature.

With its ability to include commentary, this blog provides for a more interactive experience. You are all invited to enrich the content with your opinions and experiences.

All future publications, along with background commentary, will also be included in the blog.

Francophone readers can also consult the **Journal Métro website** *where the* **French version** *of each bi-weekly column is published.*
http://www.journalmetro.com/columnist/16501

Preface

Why "Parts of Lives"

Why do I call my column in Journal Métro, Parts of Lives?

Here is an excerpt from my first column in September 2005 that explains the title. I had written it quite some time earlier and when I was asked to contribute to Metro it seemed like a natural place to start.

I love my job! I love the fact that I can have a sense of what it's like to live in another person's shoes for a little while...that I can have a sense of what it's like to go through the situations and careers of my clients...to live small parts of all of their lives.

I'm just a regular guy, son of immigrant parents, educated in public schools, and working in a government job. Yet I have a sense of what it's like to be a kindergarten teacher, a lawyer, a record producer, or a cleaner. I've worked with people who live alone and those in big families, with retired people and with adolescents. I've seen divorce from every possible angle. I unfortunately have a good sense of what it's like to have a child drown or to be killed by a drunk driver. Yet I am also fortunate to be able to share in the victories and rich-es of all my clients. I know of no other work that can be as enriching and as rewarding.

Living these parts of lives has given me a unique window into how most people feel since they tell me what they TRULY think (as opposed to what they want the rest of us to think they think). There is no magic to this work, but the perspective gained by openly exchanging with so many people is invaluable. I'm thrilled to have the opportunity to write this column and share this perspective on a wide variety of themes, and to discuss some of the common threads in all of our lives. I couldn't ask for a better job!

Now that almost five years have passed since these paragraphs were published, I can honestly say that I would not change a single word...except perhaps I would change "fortunate" to "extremely fortunate."

Table of contents

Table of contents

Table of contents

Additional Readings

The Faces of Schizophrenia

On most days, as I walk to my office from the Hospital's parking lot, I see Jeff sitting on one of the benches by the sidewalk. I know his name is Jeff because it is written on the side of his sneakers with correction fluid. One day I saw him take out a cigarette wrapper from his package, and a handful of discarded cigarette butts he had meticulously collected. He then emptied out the remaining charred tobacco from the butts onto the wrapper and managed to roll a recycled cigarette. There are many thoughts that come to mind when thinking about schizophrenia, but the image of Jeff rolling those cigarettes is as representative and yet as unique as any.

I'm still disappointed that after so much public education, a large portion of the general population still believes that Schizophrenia refers to multiple personality. Schizophrenia is an illness with many faces, but the only splitting that occurs is from the ability to think and feel as they did before the illness.

Schizophrenia is a brain disease, as is Alzheimer's or Parkinson's, yet unlike other neurological disorders this one attacks the essence of our humanity – our minds.

It is an illness that cannot speak of itself easily. Sufferers of AIDS can express what their lives are like and the hell they go through. Those with Schizophrenia cannot accurately describe their experiences because their emotions and perceptions are affected. Some may hear voices telling them that they are evil; others may believe you are in on a conspiracy to harm them. Instead of eliciting empathy and understanding, these beliefs will alienate loved ones and friends. Some may spend nearly every waking hour questioning what they did to "ruin their lives." The hell they live tends to be lived by them in solitude.

I am certain that if one of my children had leukemia, I would not be embarrassed to admit it. I would also receive an outpouring of support from everyone who knew of my struggle. If my child developed schizophrenia, on the other hand, I know that it would be difficult to talk about. Many people might even question my competence as a parent or my own sanity. The sad reality of this disease is that both sufferers and their families have to carry the double burden of the illness and its accompanying stigma.

In the end, patients have no business being ashamed of disease, and we as a society have no business treating them like pariahs.

Why is everyone smarter than me?

Let's see…you're at a meeting or sitting in class and people are talking about a report or an article that they read. Despite having read the same material, you have NO IDEA what the hell they're talking about! Perhaps one day you find yourself leaving a movie theatre and you overhear two people analyzing a scene which they loved and found so interesting. All you remember of the scene was that it TOTALLY CONFUSED YOU! What's going on? Are you an idiot?

Well, it's the old feeling that you just don't get it, you're not smart, or you don't belong. People often refer to this as the **impostor syndrome** and it probably touches each and every one of us.

It happens if you're a student and someone appears to have grasped the material at a much deeper level than you. It happens at work when colleagues make inside jokes that you just don't get. It happens at the playground when you overhear parents talking about how great their kids are turning out. *How did I get here? How did I get this job? I don't know anything. Somehow I've managed to fool everyone but I'll soon be found out. I've just been lucky until now.*

I used to notice that I didn't understand much of what I read, that in class my attention span was marginal at best. I used to think that I was surrounded by geniuses who, when they read a page, or nodded in class, understood everything clearly. I was invariably both in awe and panic-stricken at the same time. How could I pass when I understood only ten percent of what I read?

Then I began to question some things. Why did I do well in school if I was missing so much information that I was supposed to know? Was I just guessing correctly? Was I just plain lucky so far? Or perhaps…..

Perhaps I was normal. Perhaps normal humans have imperfect powers of concentration and learning and that **no one** understands everything they read or they are taught.

Here's the secret. Very few people know as much as we think they know. The truth is that people tend to talk only about things they know or have observed. If they read a book or watch a movie they will talk publicly about things that struck them. The problem is that they are rarely struck by the same stuff as us. Our mistake is to think that they understood everything we did PLUS A WHOLE BUNCH MORE that we totally missed. In fact, they just happen to have picked up on DIFFERENT facts and themes, not MORE of them.

You can free yourself of this particular insecurity by recognizing that the human brain, even one that functions well, is very imperfect. We hide our ignorance by discussing or expressing only things that we know. By doing so, we wrongly give others the impression that we know everything.

Trust me. The next time you're sitting in that class or at that meeting with your eyes wide open and in a state of semi-panic, and you think, "Why is everyone smarter than me?" rest assured that at least nine out of ten of the others in the room are thinking exactly the same thing.

Protection, what protection?

Let me tell you a story of a young girl, a girl who had the misfortune of losing her mother to cancer when she was 12. Her father, who felt that a home full of older boys was no place for a vulnerable girl, sent her to youth protection. Within a week, she was raped. It was the first of her foster home experiences. These sexual assaults occurred weekly. I'll spare you the details but things only got worse in the second placement. Shortly thereafter, she decided to run away and she spent her first night outside sleeping under the tower on St-Helen's Island. What were you doing when you were 12? She said, "I went from playing with Barbies to sleeping in the streets of Montreal practically overnight."

Soon, she was back in other homes but by this time she was becoming rebellious and self-protective. Many foster care providers didn't want someone difficult in their homes. In the span of a single year she was sent to **eighteen** different homes. These moves robbed this woman of her youth. More importantly, she was robbed of a feeling of security and safety in a loving relationship. She is a remarkable adult, but she is handicapped in a profound way. When she falls in love, she is terrified of being rejected or of being taken advantage of. She feels disconnected from people and does not feel like she belongs anywhere.

As a clinical psychologist, I can say that there is nothing worse that you can do to a person than to rob them of this sense of security. **Nothing**. Imagine that every two months or so, someone tells you "We will take away your son and here is another one in his place," or, "Never mind Jacques, your new husband will be Phillippe." These are preposterous situations, yet we ask our kids to face just that with every transfer of setting.

The film, *Les Voleurs d'Enfance,* is making headlines with its unflattering portrayal of our youth protection system. This film should make us all think not only of problems with "the system," but also of our own personal and societal values. How can things be so bad when all our intentions, including those of the workers in youth protection, are so good? Is it because too few of us are willing to provide quality foster care ourselves? Are moves made far too easily whenever problems arise? Do we "send back" or give up on kids more readily than we would our own? Are labour principles such as seniority and "bumping" rights a bigger priority than maintaining stability for the residents? Do we wait too long for biological parents to get their acts together before finding a stable and permanent solution?

The correct answer, I suspect, is "all of the above."

Gradually facing fears and anxieties can often produce impressive changes.

Squirrel Psychology

Let's see, what can squirrels tell us about human nature and anxiety?

If you were walking through a wooded area in a sparsely populated suburb and came across a squirrel, what would it do? Well, if it were like most squirrels I've seen, it would assess the situation - that looks like a dangerously large organism- and run like crazy. In other words, its innate anxiety would kick in and protect it from a potential predator.

Now, let's take his city cousin, a squirrel that hangs around the chalet on Mount Royal. Did you ever notice that when you walk around that area, you are quickly approached by a whole group of squirrels? They appear to have no fear of humans, and in fact, when you hold out your hand, they will often put their paws right on your palm. A Mount Royal squirrel appears to have no fear of humans and would run only if you made a sudden or aggressive move.

The difference in the two types of squirrels is not in their fundamental make-up, they are both genetically programmed to be afraid of humans. The difference is in their experiences. Being exposed to humans without being attacked, and better yet, fed by them, the Mount Royal squirrels have learned to overcome their strong innate fears.

This may seem like a bit of a silly analogy, but the lesson is important. We all have fears and anxieties. Most fears are natural and we all have our share. These fears can vary in intensity from one person to the next. Although some of these individual differences may be due to genetic factors, experience plays a major role in making them better or worse. No matter the cause, they can therefore be reduced or overcome by positive experiences.

Our fears and anxieties can easily begin to control us and become phobias. Avoiding fearful situations feels good temporarily, but it makes it worse in the long run. Avoidance robs us of confidence. On the other hand, by facing our fears we can often develop a surprising amount of self-confidence. The key is to not expect to feel comfortable right away. See it as a learning experience and try to face your fears gradually. You'll be amazed at how well this works.

Here's a personal example. I used to be nervous in public speaking situations. I did it anyway and accepted my uncomfortable feelings as normal. Now, I must admit I have become quite comfortable. People often say to me, "You're such a natural." HA! If only they knew how tough it was at first. I guess over time and with practice, I became like the Mount Royal squirrels.

The same applies to you. Face your fears and you will no longer be a slave to them.

I wrote this to discuss innate temperament. I couldn't think of a better way to do so than to discuss my daughter.

My daughter Thi Thu

My daughter Thi Thu, my dear sweet Thi Thu, is the happiest kid in the world. She spent the first seven years of her life as a profoundly deaf child in an orphanage in DaNang, Vietnam.

We hear horror stories about orphanages. How could this child be happy, after growing up unloved and unable to communicate? Well in fact, she was very much loved. Thanks to her happy nature, all the caregivers at the orphanage lavished her with affection.

Thi Thu has now been in Canada for four and a half years. She has learned sign language and is learning to read and write at the Mackay Center School. Through it all, it is her character that remains her strength. She is a girl that is easy to love. She makes us laugh out loud with almost everything she does. She is quite simply an incredibly fun and happy human being. Why am I writing about her –besides the fact that it makes me happy to? Well, I can think of no better example to discuss the role of innate temperament in defining our personalities.

While our upbringing, experiences, and current situations all play an important role in defining who we are, for the most part personalities are highly stable. Just look around you. Some people are easy going and laissez-faire. Others are serious. Some have rosy outlooks while others anticipate the worst. Some people are just plain funny. Haven't these people been like that all their lives? Have you ever known a serious person to become the joker of the group, or a sociable person become unfriendly?

As a psychologist I'm in the business of helping people change. But no work with a psychologist or any other method of change will alter our character in a profound way. Minor changes that we can achieve can often have a major impact on our lives but there are too many people expecting too much of themselves or their loved ones. If we choose careers or relationships that are adapted to our personalities, we will generally be happier than those who try to tailor themselves and others to suit their unrealistic expectations.

Accept yourselves and others as they are. It makes life a heck of a lot easier and will help make you happy. And if you're lucky enough to have been born with her temperament, perhaps even as happy as Thi Thu.

Three-headed happiness

Why do some people generally seem more satisfied in life? Why do some of us have the ability to weather some very hard times better than others? These aren't easy questions to answer since life satisfaction or happiness involves a variety of genetic, personality, and situational factors. One important issue however is what kind of balance we have among the three roles that we play on a daily basis.

■ Work Guy

Some people know me as a psychologist. Clients, colleagues, students, and even you, see me that way. Most people have a professional role of some sort. It's an important part of our identity and helps us have a sense of purpose. Being proud of what we do and doing it well can play a major role in our sense of well-being.

■ Social and Family Guy

When I show up at the park in shorts and a baggy t-shirt to cheer on my kids in little league, I'm just a Dad like all the others. Very few of the other parents know what I do for a living, and it doesn't matter. I could just as easily be in construction or sales and I would still be treated the same. We all have this non-professional role in us as well - a role where we are known as friend, son, parent, or neighbour. Our connection to others in families and social circles is as important to our identity and well-being as what we do for a living.

■ Me Guy

I have my passions. We all do. When I ride my bike alone, I usually bring my iPod and if I find myself on a deserted stretch, the birds will be lucky enough to hear me sing along with Tom Waits at the top of my lungs. What bliss! We all need to be ourselves occasionally and find time to play. The problem is that some of us let our jobs or our social and family obligations interfere with ever indulging our passions.

■ The Elusive Balance

A large percentage of unhappy or depressed individuals do not nurture all three of their roles, or overdo one of them. Having a proper balance among the roles we play in life will generally protect us when things go badly in one area. If you find yourselves feeling a sense of dissatisfaction, you may want to examine your own three heads and see if one or two of them need a little attention.

One word of caution, though. If you decide that biking is a passion that you want to start indulging in, and one day find yourselves next to me on a bike path, you might want to bring earplugs.

I wrote this on the sixteenth anniversary of the massacre at the University of Montreal.

Fourteen Tragedies

To turn left onto Queen Mary when driving north on Côte-des-Neiges, I'm forced onto Décelles. I often have to wait at the light on that intersection for a while. To my left is the small park that serves as a tribute to the fourteen women who were killed by Marc Lépine. I invariably stare at that park while waiting for the light to change. When it does, I drive off very slowly, gripped by a feeling of profound, profound sadness, barely able to concentrate on the road. It happens every time.

I have also walked through the park. What strikes me the most about the memorial are the fourteen names spelled out in a very unusual and dramatic fashion. It takes a while to decipher the names as only the spaces between the letters are filled—not the letters themselves. It is artist Rose-Marie Goulet's powerful way of symbolizing the loss; leaving out what is gone, and leaving in what is left. A visit to the park is one that never fails to leave me emotionally drained.

How can we make sense of such a horrible tragedy? Every person has an opinion, and every pundit has a theory; an individual gone mad, the result of a sexist society, the fault of all men, the fault of some men, the fault of radical isms, the fault of no one. Surely the true reasons can only be complex and multi-faceted.

Well, I for one have a problem with all the theorizing and the blame games that followed the massacre. Rather than help us cope, or perhaps even try to prevent future tragedies, we ended up creating more bitterness and hatred, more "us" versus "them" thinking, more generalizations, more intolerance. It takes us away from the only true lesson to draw from this heartbreak: respect for the individual. It is this that draws me to that memorial park, the remembrance of those fourteen bright, young and talented women as individuals.

These women were daughters, sisters, girlfriends, wives, best friends, and more. Each one of them touched hundreds of lives directly and thousands more indirectly. Each loss is a tragedy. Remembering fourteen individual lives underscores the magnitude of these fourteen separate tragedies.

Remember them. Visit their memorial and feel their presence.

I was asked to contribute to a special section that Métro was producing on obesity. My first reaction was, "You've got to be kidding?"

Confessions of a Fat Man

I'm an XXL guy and proud to say that I no longer wear triple X. I may lack some credibility in talking about obesity and weight loss strategies, but I thought that sharing my own personal struggle along with some basic principles would be an improvement over the dozens of ultimately ineffective weight loss strategies that are popular each year.

■ Be honest

Start by being honest with yourself and others. If you weigh three hundred pounds, you're not fooling anyone by eating a bowl of lettuce during a lunch meeting. Nobody believes you when you say you eat less than everyone else. Tell them the truth and perhaps you'll get a little more support and encouragement.

■ Don't diet, change your diet

Stop dieting. Instead, commit to permanent changes in your diet. Although special diets work very well and can produce dramatic results, there isn't much point to weight loss if you end up putting it all back. It's easy to cut out bread or pasta for a while, but can you do it forever? Instead, make permanent changes that you can live with. For example, I drink my coffee black. It took some getting used to but it now tastes as good as any coffee ever did and I no longer consume the calories that came with the cream and sugar.

■ Slow weight loss is permanent weight loss

A pound is a pound is a pound. 3500 calories is also a pound. Cutting out only a hundred calories a day represents about ten pounds by the end of the year. Perhaps not a dramatic weight loss but you will keep it off. Make small but permanent changes and then be patient. Force it and you will only end up slowing your metabolism and eventually regaining the weight.

■ Don't super size

Why pay a dollar for a small bag of chips at the depanneur when you can get four times as much for the same price at the grocery store? Because you'll stop when the small bag runs out, that's why. You'll eat at least twice as much from the bigger bag or maybe even finish the whole thing. Most of us would pay a lot of money to lose a pound and to keep it off. Why then do we buy twice as much food than would satisfy us simply because it represents a few pennies saved?

■ Slow down and spoil your appetites

Twenty minutes after you start eating, your brain gets the message that you are no longer hungry. This is why children spoil their appetites when they snack before a meal. The problem is that you could consume a huge pile of food in those twenty minutes. Try to slow the process. If you're hungry enough for two sandwiches, have one and then wait a half-hour before deciding if you want the second.

■ Fit first, thinner second

You could want to lose weight in order to look better or you can do it for your health. I decided long ago that I would worry about my fitness first. I may not look like it but I could easily get on my bicycle and ride for a hundred kilometers in less than four hours. Not bad for a man my size. I exercise because it is important. It isn't a very effective weight loss method by itself but it produces the same health benefits as shedding pounds. Exercising and eating less would be an ideal combination but don't give up on exercise even if you can't lose the weight.

■ A pound of prevention

As a kid, I always remember how my Italian relatives used to pinch my fat cheeks and tell my mother how healthy I looked. Well perhaps food was in short supply to immigrants when they lived through the war, but in Montreal there was plenty. Once a fat cell is produced in the body, it can only shrink or grow. It cannot disappear. Make sure your kids eat small portions and do your damnedest to keep those fat cells from forming. You'll save them a lot of misery later on.

Hot air balloons and the assumptions we make

Many years ago, when the Montgolfier brothers invented their method of travel, a French chemist named Joseph-Louis Gay-Lussac saw the opportunity to conduct experiments at altitude. He rose above the clouds in his hot air balloon and began his work. One day he began to lose altitude at a critical time and worried that his experiment would be ruined. Thinking quickly, he decided to lighten the load and threw out an old chair that he had brought with him. A little farm girl, who had not yet heard of a Montgolfière hot air balloon, was standing in a field below when the chair dropped from the clouds. What would you have thought if you were her? What other explanation would you have except that it must have come from heaven?

The real explanation is simple to us because we have all the facts. Unfortunately in life we may not always have all the information needed to truly understand what is going on. Faced with ambiguous situations we make assumptions to explain events. These assumptions are based on a variety of factors including; our understanding of the world, our biases, our moods, and the limited facts that we have available to us. The assumptions we choose can make a radical difference in how we feel.

What do you assume when a colleague passes by you without even saying hello? Are they mad at you for something you did? You would certainly be right to be concerned. But what if you later found out that they scratched their contact lenses and are still waiting for replacements? Your concern would vanish. What do you assume when you walk by a group of people on the street and they burst into laughter as you pass? Did one of them just finish telling a joke, or were they laughing at you? In the first case you would feel nothing, whereas in the other you would feel shame. What about when your wallet is missing? If you assume that it was stolen you would get very angry and perhaps even accuse an innocent colleague.

Although it is difficult not to make assumptions when things aren't clear, you would do yourselves and everyone around you a world of good if you treated them as possibilities rather than certainties. You never know if that chair is a message from God or just the act of a desperate chemist. Perhaps your wallet was indeed stolen, but perhaps it simply fell out of your pants and you'll find it between the cushions of your sofa.

This itch is driving me crazy!

If I were to tell you that the first serious symptom of avian flu is itchy skin, how long do you think it would take before you felt itchy?

That's the problem with hypochondriasis. You can never know when a symptom is real or when it is imagined. Vague and ambiguous symptoms could mean anything from a completely normal process to impending death. It's an important distinction, and the more important something is, the more we focus on it.

Two things happen when you worry excessively about health. First, you focus your attention on real symptoms that you may be feeling. That fatigue you've been experiencing, could it be a sign of leukemia? If you checked the internet you'd find that it could. Of course it could also be a sign of, well, fatigue. This focus tends to make the symptoms stronger. The second step occurs when you read about another symptom such as aching joints that you hadn't experienced before. Now you start to think, "How are my joints?" It won't take long before they start to ache.

Like any other form of anxiety, hypochondriasis is partially the result of wanting to be sure that everything is OK. Unfortunately, one can never be absolutely certain of anything. And when we try, we remember stories of people who left the medical clinic with a clean bill of health and died three days later.

So then, how do you distinguish between real problems and imagined ones? You can't. At least not with absolute certainty. You're just going to have to live with some level of risk, just like you do when you drive a car or walk down a staircase. However, here are some ways of distinguishing between a pattern of disease and a pattern of anxiety:

First, real diseases tend not to migrate. Typically, after having consulted a neurologist about headaches, a hypochondriac will stop experiencing them and start to feel tightness in the chest. Second, real diseases don't normally appear immediately after we hear about them, such as after a news report or the death of an acquaintance. Third, real diseases are often obvious and not question to debate. I remember one client who ended up at emergency in excruciating pain from a kidney stone. He was almost relieved after the fact saying, "Now I know when I have a real problem!"

There are other differences, but in the end all we can do is try to live as healthy as possible and follow medical advice. We're stuck having to live with the fact that our lives will end some day. Our challenge is to not let our worries ruin the lives that we are trying so hard to preserve.

27

This was originally titled "Carpe Diem Moments." One secret to happiness lies in the ability to appreciate the moment, the individual experience. I used my recollections of Vietnam and of the ice storm to illustrate the importance of seizing, or creating, as many opportunities as possible to fill our lives with memorable moments.

Ice Storm Moments

What do you remember most about the ice storm of 1998? Like you, I have many memories of that week, but one in particular stands out. After the power went out, my sister-in-law and her family came to stay with us because we had a wood burning stove. We had the entire contents of our freezer on the porch. On Wednesday, the third day of the storm, the weather briefly warmed up to several degrees above zero and everything on the porch thawed. When I checked the two-litre container of chocolate ice-cream, I saw that it had completely melted. I did the only rational thing I could think of. I called the two kids that I had at the time, as well as my niece and nephew, and I grabbed five straws. I gave each of the kids a straw, kept one for myself, and put the container of ice cream on the kitchen table. I yelled "Drink up, kids!" and, well, you get the picture. Five heads hovered over the container vying for every last drop.

Defining moments emphasize the connection we have with others. They can be funny, bittersweet or ironic. They are like photographs that can represent an event, a relationship, or a phase of our lives. Such are the moments we recall when we eulogize a loved one, when we celebrate a retiring colleague, or when we bump into an old friend after many years.

Although they often happen spontaneously, defining moments can also be encouraged or planned. If you step out of your normal routine and do something unusual you will often find that you will not only remember that specific situation, but also the context in which it took place. For example, I remember a time when I was at a restaurant at China Beach in Vietnam. Even though pressed for time I remember telling the people that I was with to excuse me for a few minutes. I then rolled up my pants and waded through the beach's warm and shallow waters. I didn't do it to swim or sunbathe. I did it because I knew that I would remember that walk along China Beach, and in doing so, would remember everything about that spectacular country and the experiences I had.

In the same way, the ice storm memory that I described above now serves to remind me of that entire week; the scavenging for wood, the blankets, the candles and card games, and above all, the fun we had and the closeness we felt.

It's always the other guy's fault, whether it is on the road or in life.

The jerks are always in the other car

Have you ever noticed that when we're driving on the highway and someone cuts us off, we usually honk and yell, "Jerk!"? On the other hand, when we accidentally cut another driver off and they honk at us, we say, "Relax, I saw you. Don't be such a jerk!" And when you tell the story of what happened to the people in your office, all your friends will agree that the other driver was the jerk. Not you.

This same phenomenon happens in many other situations. As a student I remember how most of us felt that the teachers were unreasonable, not explaining things well, not making time to meet with us, and being completely unfair with their grades. My fellow students and I all agreed that most of them were just lousy teachers. By the time I started teaching, somehow the students began making unreasonable demands on our time, they only cared to learn what was going to be on the exam, and most of all, they never stopped complaining about their grades. My fellow teachers and I all agreed that most of them were just lousy students.

Whenever we have a conflict with someone, everyone that we talk to about it will agree with us that the other person is the problem? This constant affirmation certainly makes us feel good but it stops us from understanding the other person's point of view and generally hardens our position.

How is it then that we always think we are right and that everyone we talk to agrees with us? I suppose it could mean that through sheer luck we happen to have a perfect record of being right. As do our friends and colleagues. If that's the case however, then where are all the people who are in the wrong? Where are all the bad drivers, teachers and students if they are not us?

I know the answer. There must be some sort of parallel universe out there where all the wrong people can be found.

This parallel universe does exist. It's true, I've seen it. I occasionally get a glimpse of it when I look in the mirror.

Why we get pissed off

Anger is one of our most basic emotions. It is a natural protective reaction that helps us fight for survival. Yet it is also the emotion that we may have to manage the most. Uncontrolled, it can lead to serious interpersonal conflicts and to physical and verbal aggression. In order to manage this strong emotion, it is important to know why we get angry. There are two basic reasons: thwarted expectations and perceived injustices.

▨ Thwarted Expectations

If your mechanic promises that your car will be ready at noor
at 2 p.m., chances are you will be pretty angry, and rightfu
learned from experience that your car is never ready on time
in fact ready by the end of the day, you would take this del
something that you expect does not happen.

▨ Perceived Injustices

If a person arrives after you at a medical clinic and is called ir
probably be upset and wonder who you have to know in order
person was there two hours before you and had stepped out t
before you walked in?
Our understanding of each situation dictates our reactions t
treated unfairly, we will always get angry.

▨ Step 1: Question yourself

What can you do if you get angry too often? Start by checking
Do you need to factor in the unexpected more often? Are your
perceptions. Are they accurate? Do you have all the facts? D
questioning yourself you may realize that things are OK and
words, you may need to change how you see things.

▨ Step 2: Address the problem

Sometimes your expectations are realistic and you have perce
is normal to get angry. When this happens, the best solution is to address the problem directly in order to eliminate unfair treatment. It may be time to assert yourself, to make reasonable demands and to set reasonable limits. In other words, you may need to change how you act towards others.

If neither of these steps work, perhaps it may be time to find another mechanic.

This explores how depressed individuals distort their experience of events in such a way as to fuel their negative feelings. It describes the principles of cognitive therapy for depression without naming the treatment.

I say "Espresso," you say "Expresso"

What do you call the little cups of Italian coffee? Ask any group and you will generally find that about half of them will say EX-presso while the other half will say ES-presso. Does anyone care? It depends what state of mind you're in.

I once had a very depressed man in my office who felt that he was a failure at everything "I have a crappy job, I'm overweight, I have bad skin, even my brother thinks I'm stupid." Once, he asked for an expresso, his brother corrected him by saying, "It's ES-presso, not EX-presso." The depressed man said, "My own brother made me feel like such an idiot!" I think this is a wonderful illustration of why some people are vulnerable to depression.

If someone corrected you on your pronunciation of espresso, you could have three different reactions. A positive one; "That's interesting. No X in espresso?" A neutral one; "Well OK but who cares, half the population says EXpresso." Or a negative one; "I'm so stupid."

We all have a basic understanding about ourselves and the world around us. These are called core beliefs and they are the filters through which we interpret events. In the case of the man above, he already believed that he was a failure. As a result, he was biased toward making the most negative interpretation of the comment. This bias makes him see comments as criticisms, and makes him dismiss compliments or praise as simple signs of politeness rather than sincere acknowledgement of his positive contributions.

In therapy for depression, we try to make people aware of their biases and help them see the link to the negative interpretations that maintain and exacerbate their low feelings. It is not a simple question of positive self-talk. It involves a critical analysis of the facts in order to help change these interpretative biases. Clients learn to step back from their automatic thoughts and see things in a more realistic and fair manner.

This particular person is far from a failure. He is loved by his family, is a popular soccer coach, has many friends, and has always had good feedback about his work. If he could learn to objectively acknowledge these facts, he wouldn't interpret comments and events so negatively.

This way, the next time someone offers him an EXpresso, he could smile and think to himself, "Who cares what it's called, I'll have a double."

This was written for the 125th anniversary of the Douglas Hospital.

The Asylum

When people find out that I work as a psychologist at the Douglas Hospital, I typically get two types of responses. Some people take me aside in confidence and tell me about a family member who was recently diagnosed with schizophrenia, depression or some other mental illness. Others invariably ask questions such as, "What's it like working with all those crazies?" or "What was the weirdest case you ever treated?" I can't imagine that if I worked on a cancer ward, anyone would ever ask me to describe the most excruciating death I ever saw.

It never ceases to amaze me how a profession, or a working environment, can solicit two such disparate reactions. I suppose that our general lack of understanding of mental illness is at the root of this discrepancy. Those who have been touched directly or indirectly by these illnesses see the hospital's mission as a noble one. Those who haven't, well, they simply see it as some would a carnival. Little do they realize that 25% of the population has a mental illness. We certainly all know someone who suffers from problems such as depression, autism, schizophrenia, or an eating disorder.

The Douglas Hospital, as it is now known, was built at a time when the mentally ill were sent away to asylums. They were generally built out in the countryside where once hospitalized, patients could be forgotten and where they most likely remained for the rest of their lives.

Today it is remarkable how few beds remain in our hospital and in similar institutions. It is a testament to the advances in treatment, especially over the past fifty years. But for all the improvements that we've made in the field of psychiatry and mental health, we still struggle with the asylum mentality. When we place stable patients in apartments or group homes, there remains the inevitable resistance from a public that prefers to send them away. How many of them would you accept as neighbours?

My great grandfather died in a mental institution. Had he lived today, with effective medication and ongoing support from a team of professionals, perhaps he would have been able to lead a relatively normal life, as do most of our patients. Unfortunately, he would not live as a totally free man outside of an asylum. He would still be forced to carry the burden of a heavy stigma that someone with a physical disease does not have to bear.

We've come a long way, but until we can accept and support the mentally ill as we would those suffering from any other disease, we still have a very long way yet to go.

An emphasis on stress

Let's talk stress management. We hear the idea everywhere but how exactly can we manage our stressors when we have so little control over the world around us?

▪ What is stress anyway?

There are two parts to stress; the things that we are obliged to deal with, and the way in which we handle them. To effectively manage stress, we must address both of these aspects. For example, if you are given three hours to write a letter, you might be able to whip it off with very little effort. But what happens if you are the type of person who frets over every word and tends to write and re-write each sentence a dozen times? You would be unstressed in the first case, and severely so in the second.

Now let's suppose that your boss asks you to write five letters by noon. In such a case you would be extremely stressed regardless of how well or how efficiently you write.

▪ Handling your stuff

Many people feel overly stressed without necessarily having more responsibilities than others. Here the problem is generally based on performance anxiety or unrealistic standards. If you feel that your work is never good enough, you will feel a great deal of stress regardless of whether the total amount of work you have to complete is reasonable. In such a case the goal is to accept your limitations, imagined or real, and to learn that good enough is good enough. Remember, there are many ways to say or do something; there is rarely only one right way. Learn to let it go. And by the way, it isn't a catastrophe to make the occasional mistake. You probably accept that fact in others; maybe you can start treating yourself with the same degree of tolerance.

▪ Dealing with too much stuff

Often times, we do things quite well but we simply have too much on our plates. This can happen when we say yes to every request. People who work well are especially vulnerable because they become the "go to" person that everyone counts on. If you accept all requests, and deliver well on them, they will continue to increase in number until you crack. If you are like that, you may want to learn to hesitate and think twice before accepting any new tasks, or at the very least, you may need to take on only the real priorities and let the small things go.

And don't worry, this won't make you lazy. Nobody can change that much. You will still be a good and appreciated worker. So go ahead. Look around you and pick up a few pointers from your lazy colleagues. After all, they're not quite as stressed out as you now are they?

…on the danger of thinking professionals have all the answers…and on the danger of the public believing those who claim to.

Gurus

Psychologists and psychiatrists are constantly asked all kinds of questions about human nature. What does it mean when…happens? Is it normal to…? Why do people…? What should I do about…? I'll let you in on a little secret; most of the time we have no idea.

The truth is that most of the nearly infinite variety of situations that people find themselves in have never been studied scientifically. Yet the public continues to ask questions and mental health experts keep on giving them answers. Although this is an appropriate thing to do in most cases, one must always be careful of the guru effect. There is a danger in taking the word of an expert too naively.

Not too long ago, mothers of children with autism were called "refrigerator mothers" because some experts felt that this condition occurred when children turned inward in response to a lack of maternal affection. Schizophrenia too was thought to be caused by bad parenting. We now know that both these conditions are biologically based. These are just two examples of expert opinions that would be considered abusive today.

As a psychologist, I have three tools at my disposal; more than a century of established scientific knowledge, the experiences that my clients have shared with me over the years, and finally, my own personal opinions. Not bad but certainly far from complete. As a result, the advice I give is often no more than an educated guess. There is certainly nothing wrong with this, and I try to give well thought-out and balanced opinions, but people must understand that opinions are not truths.

The problem with psychologists, psychiatrists and related professionals is that since they are identified as the experts of human nature and mental health, the public often assumes that they have all the answers. They may have more knowledge than others, but there is still far more that is unknown than is known. As a general rule, when we haven't studied a subject, we know that we know nothing. When we learn a little, we think we know everything. Finally, when we learn a lot, we realize how little we know. Or at least the good thinkers do.

Go ahead and seek the advice of experts if you want. Just be sure not to treat them as all knowing gurus. More importantly, be sure to stay away from the ones who actually believe they are.

Thanks! I guess

It's amazing how many people congratulated me last month. At first, I had no idea why until I figured out that they were referring to Italy's victory in the World Cup. It's funny how no one would accept guilt by association, yet we all readily accept acclaim by association. Yes, my parents are Italian immigrants and I can make pretty good meatballs, but I'm not sure I deserve any more congratulations for their victory than someone of French, Asian, or any other descent. This got me thinking about the nature of nationalism and the associations we form with any identifiable group.

National pride is a good thing in many ways. It gives us a sense of belongingness, helps define our identity, and makes us feel stronger than when we stand alone. The same is true with any other group affiliation, be they based on religion, culture, language, gender, or race. Unfortunately, these distinctions can also serve to divide us. A simple perusal of any daily newspaper provides ample proof of that. Even my small corner of the world is touched. Someone has spray painted "F——- Italy" on the bicycle path and mailboxes all over the neighbourhood.

What is particularly interesting about events where identifiable groups are represented is how a change of affiliation creates radically different feelings. For example, racial differences tend to be overlooked when blacks and whites play for the same team. Linguistic differences seem to disappear when Anglophones and Francophones play hockey together against the Americans, yet resurface in a major way when they play each other. All players are part of the "we" when a team is still in the competition, or when "we win!" but somehow after a loss, there are often whispers of having too many of "them" on "our" team.

I grew up in a part of town dominated by Italians. As with all groups, many of my compatriots often confused a proud cultural identity with a sense of superiority over others. This is the ugly side of nationalism. I didn't like it and for this reason was happy when I moved away to a more culturally diverse neighbourhood.

Now that I'm away, I can take sincere pride in my heritage and I will hesitatingly accept the congratulations. In reality, however, my true culture is a mixture of all the influences of the people in the world around me. We are all "paesanos" in some ways are we not? I think we can all claim some of the congratulations if we wish. Maybe then we can cool it with the spray paint.

I wrote this for the 5th anniversary of the attacks of 9/11.

The fuel of hatred

Five years since 9/11 and the killing hasn't stopped. Bali, Madrid, London and a foiled plot to blow up ten transatlantic flights; what has the world come to?

In discussing his masterpiece, Lord of the Flies, William Golding stated that the defects in society can be traced back to defects in the individual. How true? But what defect drives this terrorism, one where a person can direct a plane into a building knowing that thousands will die, and to believe that he is doing a noble deed!?

It starts with the big questions. Why are we here and what becomes of us after we die? Can anyone answer these questions? All we can go on is our personal beliefs. These belief systems are distorting and self-confirming by nature. Every event from a flood to the death of a child is seen through our beliefs. The problem arises when our beliefs become strong ideologies which then compete with other ideologies. We cannot accept that ours is wrong while another's is correct. We simply have too much of an investment in being right. We stake our very existences, and our presumed eternal after-lives, on it. Our vision of God can be the only correct one. How can we possibly reconcile these differences? After all, did not both George Bush and Osama Bin Laden proclaim that they were doing the work of God in the week following the 9/11 attacks?

The defect in human nature is in us. It is in us when we think we are always right, when we distort facts to suit our beliefs, when we blame others for our problems. It is especially in us when we don't question ourselves. This lack of critical thinking is the easy way out. It makes things seem clear and simple, an easy answer for all our woes, and spares us from swimming in a sea of uncertainty.

Strong ideologies are almost always dangerous. How many have died as a result of never questioning strongly held beliefs? Was not Pol Pot trying to create a noble and just society when his regime killed two million Cambodians?

A fair and just world is achievable but not through aggression, nor through idealism. It is achievable through a simple principle; respect for our fellow human beings. It is achievable with the humility to admit that most of the existential questions will remain imponderable. And it is achievable if we learn to accept that we don't have the kind of answers that would give us a sense of control over our lives. We do however have something better. We have the control over how we treat each other.

I wrote this shortly after the shooting rampage at Dawson College.

State of shock

I'm still in a state of shock after the shootings at Dawson College. Two of my nieces were in the atrium where much of the shooting took place. All of a sudden this tragedy -the kind that normally unfolds in another part of the world- was hitting me right between the eyes. It took only a few minutes to confirm their safety but it was long enough to feel the emotions that we all go through when tragedy strikes.

How then are we supposed to deal with this? What can we do to help the victims? What is a normal reaction, and when does it become a problem?

■ Helping victims

When tragedy strikes, our first reaction is to offer help to the victims. Teams of psychologists and experts are often mobilized. Unfortunately we can sometimes overwhelm them with such offers. Professional help is good, but the most important and immediate need for victims is to be able to vent and to talk about their experiences with the people they feel closest to. Usually this means friends, other witnesses, and family members. Experts are nice, but when trauma strikes nothing compares to being held by a loved one. Be there for them but give them some space.

■ A normal reaction

Should we question the reactions or emotions of the victims? In truth, there is no universal response, nor is there a "correct" response. Some people can remain stoic and introspective while others might be completely overcome by emotion, crying and shaking uncontrollably. These are normal reactions, as is a tendency to re-live the images of a trauma. All we can do is allow ourselves to live through the emotions. If we don't fight or question our reactions, they will become less overwhelming over time.

■ When it becomes a problem

While the vast majority of victims slowly but surely resume their normal functioning, a few may get worse over time. They may develop Post-Traumatic Stress Disorder where they constantly re-live the trauma in their minds. This tends to happen in people who may have lived through previous traumas or who already felt a little vulnerable. They may begin to avoid all reminders of the event such as men in black trench coats, Dawson College or Alexis-Nihon Plaza. By doing so, they slowly chip away at their confidence and reinforce the idea that the world is a dangerous place. They eventually find themselves completely imprisoned by their fears.

■ Once is enough

We can never erase traumatic events from our past. In the end we have little choice but to confront the discomfort and return to our normal lives. Being a victim once is enough. Hiding and avoiding will only serve to worsen the pain and make new victims of us each and every day. We must never give killers this ultimate victory.

High school can be particularly difficult for socially anxious individuals. I wrote this to encourage those who feel like they don't fit in to take their rightful places, and to not allow their anxieties control their lives.

Finding his place

I recently gave a talk on anxiety in young people as part of the "Volet Jeunesse" of the organization Phobie-Zéro. At the end of the evening, a little boy nudged his mother until she finally raised her hand to ask the last question of the night. She asked what her son could do to make more friends in high school. She said that he was shy because he was quite small for his age, and that he felt intimidated by his classmates.

I then turned to him and asked him his name and why he felt so intimidated. He said that because he was so small he was scared of his much bigger classmates. It was quite touching to speak to him. Here was a young boy who seemed normal in every way except for the fact that he looked several years younger than his age. I then told him about two people. One was my wife who was born with several fingers missing on her hands. The other was a high school friend who was born with a large deformity on his face. Both these individuals were made to feel different yet both turned out to be completely normal and well-adjusted adults. The same cannot be said for many other people that I know who have or had identifiable physical differences. They never quite managed to feel like they fit in as children and still don't as adults.

School aged children react three different ways to classmates who are different. Some will tease and make fun, others will feel uncomfortable and stay away, while the rest will treat them perfectly normally. What my wife and my high school friend were able to do was to overlook the few ignorant ones and simply allow the friendships to develop naturally with their more tolerant fellow students. People who never overcome their differences are those who expect to be accepted by their least accepting classmates. They allow the intolerant ones to determine their future happiness.

What I told this little boy that evening was that he had very little to lose by taking his place socially and interacting with the bigger kids. Those that accept him as he is will become good friends, while those who tease him or treat him differently will show themselves to be people that he wouldn't want as friends anyway.

Be defiant, my friend, and you will find your place.

This was written before the collapse of the overpass in Laval and of the bridge in Mississippi. It explores how our perception of danger is influenced more by experiences than by actual probabilities. This is why post-traumatic stress disorder is so debilitating.

The salience of risks

How do we evaluate the dangers around us? What should we worry about in order to protect ourselves? And why can't people agree on what is and what is not dangerous? For example, some people won't travel by air or drive on the highway yet many of them would happily go sailing even though sailing is statistically a more dangerous activity. The reason has to do with how strongly we feel the risks around us. The salience of those risks is based on many factors that influence our evaluations of them, but past experiences, especially major events, have a big effect.

Let's imagine that you were involved once in a serious traffic accident, one that you barely survived and which required several months of painful recovery. Now let's suppose that some time later you and I are riding together in the back of a taxicab. Which one of us is at a greater risk of being involved in a major accident?

The rational answer is obvious. Our actual risk is identical since we are riding in the same vehicle at the same time. The interesting thing is that since I was never in a serious accident and travel in cars everyday, I am rarely aware of the danger. If asked, I will acknowledge that there is a risk, but I will rarely feel it. On the other hand, if you lived through a previous accident, you will feel as if a serious crash is almost certain to happen again even though your odds are identical to mine. You would be terrified.

That's the challenge for those who have lived through traumatic events such as assaults, rapes or accidents; trying to live with normal risk in everything we do without being too handicapped by our previous experiences with those horrible events.

There will always remain a real risk of similar or other tragedies in our future. Nevertheless, these risks are miniscule. In that taxi, our odds are very good that we will both arrive safely at our destination.

Regardless of our history with traumatic events, we must learn that the risk of re-occurrence, although real, remains very small. We have no choice but to face them if we hope to function normally. Risk is everywhere. Those who want to be sure there is none will often either delude themselves or avoid situations completely. Those who can put danger into perspective will always live their lives more fully.

Getting your wish

How many of you think that winning the lottery would be a dream come true?

Let's suppose that you won ten million dollars in Lotto 6/49 and the next day you were diagnosed with terminal cancer. Would you trade your dream come true for another chance at life? Wouldn't a normal healthy life then become your new dream?...and isn't that what most of us already have?

I remember one day a few years back sitting in traffic on the Champlain Bridge. I was just like most of the other motorists that day who were cursing at the traffic. I then looked across the river and saw the Royal Victoria Hospital in the distance. In a room of that hospital was a good friend of mine. She was a young graduate student in her early thirties. She was smart, pretty, kind-hearted and loved life. She was also suffering from a particularly aggressive form of cancer that would eventually kill her a few weeks later. At that moment I was struck by how lucky I was to be sitting in traffic.

Whenever someone dies, we all tend to say that it gives us a new appreciation for life. It certainly does..., for a little while at least. Following the death of a young person, or after hearing about some other sad event, we tend to have two reactions. First we feel a combination of fear and relief, a sense that we just dodged a bullet. Then we go off, take a deep breath, and vow to change our lives for the better and to stop complaining about our circumstances.

How long does this new conviction last? Well it varies, but most people go right back to their old habits within a day or two. How long after hearing about a death, or a serious illness, or some other tragic circumstances do we start to hear complaints; the boss, the workload, the cost of gas, our aches and pains, anything?

I'm not suggesting that we have no right to complain. Complaining is good. It forces us to address problems. But when we complain about something that we can't fix, it then becomes whining, and whining does nothing but focus our attention on the negative. Perhaps it's just me but it seems that we complain more than we should for a society that appears to have so much.

Winning a financial lottery would be great but most of us have something even better, our health and our lives. Our challenge is to make the most of our win in this ultimate lottery.

Defiance and credibility

I must confess I used to give my seventh grade teacher, Mr. Leclerc, a hard time. Whenever some-one acted up in class, he would write their name on the board. Those kids were given an extra page of homework such as writing out a long list of spelling words. If we kept it up, Mr. Leclerc would add X's after our names. Each X meant one extra page. Although the same few students usually had their names on the board, I was exceptional. For a while people must have thought my name was CamilloXXXXX. That's how I became a good speller.

Despite this, I was still a good student. I liked to joke around but I knew when to be serious and I was always honest. One Friday, Mr. Leclerc stayed late and let us play soccer after class. When he told us it was time to go, I impulsively swore at him, not realizing he could hear me from where he was. I truly meant nothing and was only trying to look cool to my friends. He told me to forget about recess for the rest of the next week. The following Monday afternoon he saw me standing quietly in the hallway during recess and asked me what I was doing. I reminded him of my punishment. "Oh, right," he said. He had forgotten.

Then came The Incident. One day a classmate next to me was making rocking noises with his desk. Mr. Leclerc put both our names on the board. I asked him to remove my name because I had done nothing wrong. The more I argued, the more X's I received. When I kept saying I wouldn't do the extra work he finally lost patience, came over to me, and grabbed me by my hair to throw me out of class. I turned around and punched his arm away from me. Mr. Leclerc took recess away from me for two weeks. The next morning, when recess came, I was outside playing with everyone else. I had no intention of backing down. Mr. Leclerc never said another word.

I do not tell this story in order to justify rebellion against authority. On the contrary, I have utmost respect for it. I tell this story because it shows how much power we have when we have credibility. I always took my punishment without complaining, as the soccer incident illustrates. When it finally came to being punished unfairly, my uncharacteristic defiance proved to my teacher that he had been mistaken.

If you question everything you will rarely be heard. If you are respectful of authority and rarely defi-ant, you will have credibility. That's when people will listen.

Failing Memory

One day I stood in front of a banking machine and inserted my card. It then asked me to please enter my PIN. Somehow, my brain registered "Please insert your card." I then opened my wallet to get my card and saw that it was missing! I panicked. Where the hell is my card, I thought! I tried to remain calm and started retracing my steps from earlier that day. Somehow, I had a vague recollection of having seen it recently. Was it at the dépanneur? The restaurant? After a few more frantic moments, I read the instructions again and realized that it was asking for my PIN, not my card. So that's where I just saw my card. "In my hands, idiot!"

I tell this story whenever a client swears to me that they are losing their memory.

Do you ever run into an old friend at the shopping center and then not introduce them to the people you are with because you forgot their name? Of course you do, we all do. Lapses in memory are completely normal and extremely common. They can occur more often when we are tired, stressed or distracted, but they can also happen to the alert mind.

For most of us, these lapses are taken in stride. Others worry that they are signs of Alzheimer's disease or another form of dementia. However, imperfect memory function is not a sign of dementia. It is simply a sign of an imperfect brain. Like mine…and yours too.

Dementias are very serious diseases. After all, if we lose our memories, we lose our entire lives. But unlike most of us who momentarily forget things, a person with dementia will often act in a way that is consistent with a true loss of memory. They will forget that certain things were even forgotten. For example, I may be anxious about the fact that I temporarily forgot what I had for lunch, but if I had Alzheimer's I would actually start preparing lunch again.

So relax, any serious disease will be much more obvious than the occasional forgetfulness. Just don't forget that the more you use your brain the better it will work, so the best thing you can do for your memory is to constantly challenge it. Read more books and try relying less on speed dial or calculators, for example.

And please don't take offence if I don't introduce you the next time we bump into each other at the mall.

So you think you know someone, do you?

How well do you know someone? Have you ever thought, "Wow, I never would have expected that from him?"

Take a moment to think of the person in your life that you respect the most. Now imagine that same person aboard the Titanic, as it is about to sink. There is one place left on the last lifeboat and a ten-year old boy is about to take it. Then you watch as the person that you respect the most in the world grabs this boy by the collar and pulls him away from the lifeboat. He then jumps into the last spot. Would you still respect this person?

I realize that this is a pretty unlikely scenario but it illustrates an important point about our personalities. Personality is complex and multi-faceted. It is defined not only by our intrinsic traits but also by the interaction of these traits with the situations in which we find ourselves. Each situational context is a unique one that can often reveal dimensions of a personality that were previously unseen.

We can never be certain how a person will react unless we observe them in each context directly. It is true that we can make some reasonable generalizations. Generous people tend to give much of themselves, and honest people tend to tell the truth. But we can never dismiss the situation, especially when it presents a unique challenge, such as a life and death decision aboard a sinking ship.

Who will be there for you and support you when you're down and who will criticize you? Who will spit in your face if you want to leave them and who will accept it with grace and maturity? Who will try to accommodate you in a conflict and who will try to impose their choice on you? Who may surprise you by fleeing the scene of an accident? Until you see someone in these situations you can never tell with certainty what their response will be.

That's why first impressions should not overly guide you. There is little advantage in judging someone quickly based on your initial intuition. Don't be in a rush to make a long-term commitment to someone despite what your hormones are telling you. Give someone time to reveal their true character across many situations. Once that occurs, you will be rarely in for any nasty surprises.

Knock on wood

My elderly parents are still alive and my kids are all healthy, knock on wood.

Have you ever wondered why we knock on wood or engage in other superstitious behaviours? Why, for example, some hockey players decide not to change their socks after a win? Or why at some point their loved ones might secretly pray for a loss, and cross their fingers while doing so?

Many things in life are unpleasant or even horrible to imagine. When we think of them it is natural to want to control destiny and do everything in our power to avoid those outcomes. But most misfortunes are unforeseeable and can happen at any moment. Accepting this fact is not something human beings do easily. Instead, we look to do something that can give us a sense of control such as knocking on wood, rubbing a rabbit's foot, or praying to a piece of raisin bread that bears a striking resemblance to the Virgin Mary.

Wouldn't it be nice if we had that kind of control over our destinies? Of course it would, but wanting something to be true does not make it so. These behaviours have no real impact on our lives and do not ensure safety. However, given the fact that horrible events do not happen to us every day, they will almost always appear to have worked. We can easily knock on wood hundreds of times without anything bad happening the next day. This spurious connection tells the emotional part of our brain that knocking on wood is a good thing. Even though the rational part of our brain knows that it makes no sense, this constant repetition continually strengthens the emotional connection.

Although superstitious behaviours are for the most part harmless, they illustrate well the frequent battle between reason and emotion. Human beings need both to survive. Emotion protects us from more immediate dangers such as an oncoming bus, while reason protects us from longer-term harm. It is what makes us try to eat properly or to exercise more. In this battle, sometimes our emotions win out and we do irrational things. Let's just hope we don't let these odd behaviours overly control our lives, knock on wood.

I wrote this for suicide prevention week.

Jessie's story

In over twenty years of working at the Douglas Hospital, my mother had never called me at work. That's why when I heard her voice on the line I immediately knew I was about to hear some bad news. It turned out to be horrible news. My cousin Jessie had committed suicide.

Jessie was suffering from Bipolar Disorder (which used to be called manic-depression). In the end, this disease killed her just as brutally as a cancer would have.

■ Favourite cousin

I once gave a talk and was surprised to see Jessie in the audience. "I wouldn't miss a speech by my favourite cousin," she said to me after it was over. At the funeral parlor, Jessie's husband reminded me, "You know, she always said you were her favourite cousin." Although meant to comfort me, his words cut through me like a knife.

As difficult as it was for me, what I went through was trivial compared to what her family had to endure, and what they will continue to face for the rest of their lives.

■ Distorted views

Depression distorts our view of the future, the world around us, and most of all, of ourselves. It makes everything appear negative. Minor flaws become insurmountable weaknesses. We see only the darkest side of humanity. And since optimism and depression are incompatible, we see no hope for the future. These exaggerated and distorted views are the main targets of treatment. This usually includes cognitive therapy, or medication, or a combination of both.

■ My family will be better off without me

In her suicide note, Jessie wrote that her family and everyone else would be better off without her. Of all the distortions that depression causes, this one is perhaps the most tragic. It is what allowed her to act on her feelings. Had she been able to see things more clearly she would have realized how untrue her belief was. Families and friends are never better off. Ever.

It is suicide prevention week. There is no quick fix for our high suicide rate in Quebec. Its ugliness likely will touch all of our lives at some point. But I tell this story in hopes that those contemplating suicide will perhaps consider how truly important they are to others before making such a tragic and irreversible choice.

I wrote this for racism awareness week. I was inspired by the common,
yet often unnoticed, ethnic generalizations that slip into many conversations.

The racism in all of us

There has been a lot of talk recently about racism, tolerance, and reasonable accommodation. Such discussions inevitably force us to ask ourselves some unpleasant questions about our fundamental values. Are we, in fact, a racist society?

I must admit, I sincerely believe that Canadian society in general, and Quebecois society in particular, is not especially racist. On the other hand we are far from being as tolerant as we believe.

At the heart of all racism and discrimination are two factors. The first is a tendency to see all values that are different from ours in a negative light. We forget that different values are not necessarily bad values. The other is a tendency to see an individual for the group they represent rather than for their personal qualities. If we happen to disagree with or dislike some of the values of that group, we tend to attribute those beliefs to every one of its members. While it is true that there may be commonalities within a group, no individual shares all the values of their sub-culture. Even when they do, it may not be with the same degree of conviction. Failing to recognize these factors condemns us to focus on broad negative generalizations and blinds us to the inner strengths and personal values of the individual in front of us.

As we become a more diverse society we have fewer opportunities to see group differences. This is something we should be proud of, but let's not kid ourselves; human nature is such that we all have a strong tendency to dislike the unknown and to generalize. Even if we were to become a society that no longer saw race as an issue, we would probably still tend to focus on other identifiable differences such as religion, language, or ethnicity. Pay attention to the conversations around you and you will notice how often generalizations are made. It won't take long before you hear someone's opinion on what all men are like, or women, or homosexuals, or Germans, or whichever group.

While we should be proud of our society's openness, we must realize that we are far from being immune to prejudicial tendencies such as racism and other forms of discrimination. Ultimately I want to be judged for who I am, not for the group I represent. This respect for me as an individual is what I deserve, and it is what you deserve as well. However life is a two-way street. If we demand respect from others, we must be equally prepared to offer it.

Complaining, venting, and whining

Do you complain a lot? Are there people around you who do? When is complaining a good thing, and when is it too much? I think there are three ways of expressing our dissatisfaction; two are useful, one is not.

■ Complaining

The true purpose of complaining is to address a problem in order to fix it, or at least to prevent it from re-occurring. Complaining is important and productive. In fact, most services and products are often improved as a result of complaints. Complaints are most effective when directed properly. For example, it makes no sense to complain to a waitress about slow service when she was the only one who came to work that day. Complaints are also best when used with discretion. Ones that are aggressive, too frequent, or unreasonable, tend to be ignored.

■ Venting

Sometimes our complaints will have no impact on things around us but we still need to express our dissatisfaction. One day I asked a friend why she kept complaining about something. She said, "Because if I don't, I'll explode." She did have a point. It does feel good to get things off our chests from time to time. This is called venting; the purely self-satisfying act of bleating about something even when we know nothing will change as a result. Expressing frustration after five straight days of rain is a good example of venting.

■ Whining

Of course some people don't know when to stop. They go on and on about things that no one can change, like the ageing process, or things that they can't reasonably expect to change, like the entire world. When people complain excessively about things they cannot change, it's called whining, and it serves no useful purpose whatsoever.

So go ahead and complain if you have to. Just make sure it is about something that you can change and that you choose the right target. And when you are confronted by something unpleasant that you cannot change, then it is OK to vent about it a little bit. Just don't overdo it and let it cross the threshold into whining. There is a time when enough is enough and you should keep it to yourself. It'll do everyone around you a favour. Come to think of it, letting it go will probably do you some good as well.

Toenails and relationships

Love is all you need, or so say the Beatles. But what is love and what are the signs of a good relationship? I don't have a secret recipe but here is a short list of what I think are some essential elements.

■ Acceptance

When people ask me about their own relationships I sometimes ask them a seemingly odd question. "Do you feel comfortable sitting naked in front of your partner while clipping your toenails?" Not a pleasant image for everyone, I suppose, but I think we can only do something like that if we feel completely accepted by our lovers. Isn't that a sign of a great relationship? There is nothing sadder than someone who is ashamed of him or herself or is afraid to show a sign of weakness for fear that their lovers will leave them. How can you live with someone if you are in constant fear that they will discover the true you and then lose interest? Do you really want to live with such a judgmental person? What do you have to lose by being honest right off the bat and discovering their attitudes before making a long term commitment?

■ Trust

A relationship without trust is bound to fail. I don't know about you but I have no interest in living with someone who doesn't trust me, someone always asking, "Where were you?" or "What did you mean by that?" in an accusative tone. I can understand someone having the occasional doubt. Trust doesn't have to be absolute. But when everything gets questioned, trouble follows. Mistrust is a self-fulfilling prophecy. Lack of trust leads to tension. Tension often leads to arguments and then to efforts to avoid these arguments. These efforts may include telling lies which eventually get discovered and justify the initial lack of trust.

■ Respect

A good relationship also must include respect for each other. This means a respect for each other's values, interests, or desires. Without respect, we dismiss others and search for faults in all their traits and opinions. We end up trying to control our partners or to impose our opinions on them.

So where does all this leave love? Although defining love is beyond my abilities, if you have the three ingredients mentioned above, I' m sure you're in the ballpark.

Never again…until tomorrow

"Never again!" says the gambler as he walks away from the roulette table after losing another paycheck to the casino. That resolve is usually strong enough to hold up until the next paycheck, but rarely strong enough to get him past it!

Did you ever wonder why it is so tough to correct bad habits and addictions? We all have moments of clear and strong resolve never again to indulge in unwanted behaviours? Shouldn't that be enough to make the desired changes?

Do you drink too much? Do you smoke, overeat, or spend too much money? Are you caught in a bad relationship but unable to resist one last trip to the bedroom? What about stealing from the company or abusing cocaine? Whether the problem is a mild irritant in your life or something more self-destructive, the pattern is similar. Promises made in the evening often are forgotten in the cool light of the next morning.

The reason for this is the ever-present battle between our hearts and our minds or, more accurately, the emotional and rational parts of our brains. When our urges have been indulged there is little emotional power left. Our rational brain takes over and we make the decision to correct our unwanted behaviours. The problem arises when our normal urges inevitably come back. These surges in temptation affect our emotional brain, which then overpowers our rational brain and our resolve crumbles.

Controlling an addiction will never be easy but it can be made easier by recognizing that emotions fluctuate constantly, and our resolve fluctuates right along with them. This means that our addictions are easier to control when we understand and manage the emotions that weaken us.

That is why a simple act of managing the situations around you can help. Will power alone is insufficient when faced with the presence of our temptations. The over-spender is unlikely to resist a bargain even if the intent was "just to browse," and the cocaine abuser who goes to the bar "only to have a drink with friends" will probably cave in once the alcohol and the atmosphere put them in another emotional state.

"Never again" is an ambitious statement. But if you stay away from the situations and people that draw out your emotions, you are more likely to keep that resolve beyond tomorrow.

Investing in honesty

What would you do if a cashier made a mistake and you could get away with saving a lot of money? Would it be more profitable to you to keep quiet or to be honest?

One day many years ago I needed to buy ignition wires for my car. When I went to order them, the owner of the auto parts store checked his computer and looked very surprised at the cost. "I know," I said, "they're expensive. The last time I bought a set they were over sixty dollars."
He said, "Well, they're a lot more expensive now!" He didn't even tell me how much they were yet. Instead he said that he had a cheaper set for twenty-five. Since the car was old, I decided to get those ones. He didn't have them in stock but said he would order a set and have them in two days.

Two days later, when I went to pick them up, he said to me, "Here you go," and said goodbye. I told him that I hadn't yet paid for them. "Oh, okay," he said. "I thought you had." I then gave him the money and he thanked me for my honesty.

Back home it turned out that the cheaper cables simply didn't fit with my engine. I had little choice but to return them and fork out a bundle for the fancy blue silicone wires. When I brought them back, the owner put a set of the expensive wires on the counter, looked again at their cost on his screen, sighed, and said, "Take them."

I couldn't believe his generosity. I never did know what they actually cost but I'm sure they were well over one hundred dollars. Because I was honest about the payment for the first set of cheap wires, I ended up getting the expensive ones for the same cost.

I tell this story because it still makes me feel good even after more than fifteen years. Had I been dishonest when picking up the first set of wires, I would have saved twenty-five dollars at most, even if they had fit properly. Instead I got an expensive set for next to nothing, and a good feeling that is still there many years after the car went to the scrap yard. It turned out to be a pretty good payoff for such a small investment in honesty!

Experience: does it matter?

Whenever we need to hire a psychologist at the institute, the directors invariably ask me to select someone with experience, at least five years if possible. When they do so, I usually ask them to think of the worst professor they had in university, and how much experience that person had. The usual answer is: many years. Why then was he, or she, so bad?

Everyone seems to assume that experience is a good thing. Yet, how is it that so many highly experienced teachers, doctors, psychologists, or whatever, can be so bad? The answer is simple; experience can only help if you start with a solid foundation.

■ The value of experience

Experience is invaluable. It can teach us what works and what doesn't. It can help us be more efficient by teaching us to focus on the essence of things. It can expose us to a wide variety of unusual situations that we could never have dreamed of while in school. Personally, I consider myself a much better psychologist now that I have experience. (Whether I actually am is a question that others will have to answer.)

■ The price of experience

The problem with experience, though, is what it does for confidence. Experience has a tendency to give us lots of it. And while confidence may feel good, it also can stop us from questioning ourselves. You see, even bad professionals gain confidence with experience and the last thing any of us wants is to be taught or treated by a confident incompetent.

■ Building on a foundation

Experience alone does no good, and can indeed be harmful, if you don't start with a solid foundation; a foundation built on critical thinking, acquired knowledge, and the personal humility needed to recognize your limits. With all of this, experience will take you from a raw mistake-prone rookie, to a seasoned professional who constantly seeks to improve and who inspires many others.

There are many potential stars out there but we won't find most of them if we always require experience. Restricting jobs to those who have it increases the risk of hiring arrogant and incompetent professionals who are oblivious to the harm they can do. Of course if you ever complain about the services they provide, they will always remind you of their many years of experience!

Helping people deal with feelings of guilt is among the most challenging tasks for a psychologist. This is a story about how hindsight contributes to such feelings.

Hindsight and two jars of marbles

I once met with a client who saved a neighbour from suicide. He was worried about this neighbour when he didn't answer the door. He ended up breaking in and discovering the neighbour in the bathtub with his wrists slashed. This was a great act and one for which this client should be very proud.

Years later, the neighbour whose life was spared ended up murdering his wife. Now how is my client supposed to feel? His heroic act of saving a desperate man from suicide ultimately led to the brutal murder of an innocent victim.

I think this case illustrates well the nature of hindsight. We tend to focus on the result of our acts regardless of the intent behind such acts. As a result we can be plagued with past events and decisions that turn out badly.

■ An imaginary experiment
Imagine that you were asked to choose a marble from one of two jars. Choosing a black marble would result in the death of a loved one, while a white marble would spare him or her. Now let's suppose that jar #1 had 90% white marbles and jar #2 had only 10% white marbles. Which jar would you choose from?

Unless you can't count, or have strange superstitions, you would pick from jar #1. But what if the worst happened and you chose a black marble? In such a case you would be overwhelmed by the guilt of having caused the death of a loved one and you would certainly wish you could go back in time and start over. Would you then choose from jar #2? Of course not! The only smart course of action remains to select from jar #1.

This imaginary dilemma illustrates the problem with hindsight. We often wish we could go back in time and make different choices. The problem is that those choices were made with the knowledge that we had at that time, not with the knowledge we now have. Given what we knew then, the choice would remain exactly the same.

■ Living with the right choice
We cannot fault ourselves for being unable to predict the future. We have no choice but to accept certain unforeseen consequences. The man described above was plagued by his act because of its ultimate outcome. Yet he did the right thing given the events of that day. The challenge for him, and for all of us who make decisions that turn out badly, is to learn to live with having made the right choice.

Don't count on my loyalty

The Americans have a saying, "My country, right or wrong." It is a strong expression of patriotism and a good rallying cry in wartime; a good rallying cry, that is, if you want blind faith from your citizens. Faith, loyalty, patriotism; these are all terms that we normally regard as positive, but while they can be good traits at times, they can also be dangerous.

■ Loyalty: The Good

The good side of loyalty is quite impressive. In the corporate world, businesses count on it to build success. Without loyalty, insubordination would probably eat away at the company until the inevitable failure happens. This trait is also important in wartime. It was only through the fierce loyal resolve of the allies that the Nazi's were defeated.

■ Loyalty: The Bad

The problem with loyalty however is that it can stifle creativity. Every company must be able to critically examine their assumptions and strategies in order to truly move forward. Unfortunately, the critical thinker can be at times confused with the naysayer and accused of not being loyal to the cause or to the company. Powerful tyrants often eliminate such elements from their entourages and the remaining staff all become yes-men. The results are almost always destructive.

■ Loyalty: The Ugly

There are many causes that we can believe in, but if we are unable to appreciate the legitimacy of an opposing cause, our resolve to fight for ours generally increases. This almost always produces some very ugly outcomes. Blind loyalty to one's cause is a fundamental aspect of most battles, be they personal, political, or military. Whether the confrontation is in the courtroom or on the battlefield, it usually ends only after both sides have spent ridiculous amounts of money or have spilt obscene amounts of blood.

■ I don't want your loyalty. I just want your trust

So how does one resolve this dilemma and find a balance between blind faith and total insubordination? In my opinion, trust is far more important to demand of others than loyalty. Trust means that you will do as you are told because you have faith that your superiors are knowledgeable and well-intentioned. Sometimes things that do not appear to make sense at first are actually quite rational once you have all the facts. Give them the benefit of the doubt.

On the other hand, once you have a sense of how things work, you must be able to ask critical questions without being accused of being disloyal. Does the phrase, "You're either with us or against us," ring a bell? Superiors who cannot make this distinction will probably end up scratching their heads one day and wondering how things could have possibly gone so wrong.

The danger is relative

A recent tragic story in the news highlighted the problems we often face when we evaluate dangers and risks in isolation. It involved the heroic actions of a young man who ran into a burning home to rescue his baby cousin. He then went in again to save a second child and perished. They found him holding this child in his arms. The reason they died was due in large part to the fact that the back door had been nailed shut as a way of discouraging burglars.

This story reminds me of other situations where people place themselves in even greater peril in their blind attempts to avoid real or perceived dangers. Take handguns, for example. Some people purchase them as a means of protection, especially against home invaders. Yet the risk of suicide triples in households with guns. Since suicidal thoughts are not uncommon, having easy access to an effective means of killing oneself automatically increases the mortality rate. In addition, that gun is 43 times more likely to kill a family member or an acquaintance, either by accident or in a fit of rage or despair, than to kill a burglar. I, for one, could live with being burglarized. I couldn't live with having accidentally killed my son.

In the 1970's the world experienced the first waves of bombs on airliners. In order to avoid those dangers, many North Americans decided to vacation in their country rather than travel abroad and risk being blown up over the ocean. Unfortunately the risk of being killed in a traffic accident on our highways was still far greater than that of dying in a plane crash, even at the height of terrorist activity.

There is still no substitute for education. An awareness of dangers around us will generally keep us safer. However, a little knowledge is still a dangerous thing. In truth, there are very few absolutes in our lives. By being reasonable and informed we can live in a fairly safe and secure world. If we focus too much on one scary aspect of our lives, and lose the broader perspective, we may be trading in a reasonable amount of true security for a huge but useless amount of false security.

One more try

How many times do we hear people tell us things like, "My girlfriend and I are back together," only to hear about another breakup a short time later?

The reason this happens is quite simple. No relationship or person is all good or all bad, and our moods will shift depending on which aspect we focus on. When we base our decisions on those ever-changing moods, we tend to go back and forth.

▓ I love you, I hate you

When couples fight, the irritations in the relationship become the focus of attention and stir negative emotions. Some couples break up in these circumstances. The problem is that those negative emotions don't last forever. If we break up in anger, for example, we eventually cool off. When calm, we start to miss our partners. We think about how they make us laugh, or how we feel in their arms. The pleasant emotions that these thoughts provoke may encourage us to give it "one more try."

▓ Something must be different this time

One thing is certain, unless something changes, the problems in the relationship will not go away on their own. If things didn't work out before, they will not suddenly go well after having taken some time away from each other. If the only thing that changes is the emotion that led to the breakup, then it will never last.

The change may be in the communication style, in a new arrangement with respect to activities or work, or in new habits. The change can even be as simple as deciding to accept your partner as they are, but this time without the constant struggle to change them. Whatever it is, this change has to be real.

▓ Living with the whole package

Relationships can bring us great joy at times and frustration at others. Every person we fall in love with is a unique package. We cannot separate the parts of them that we love, from the parts of them that we hate. The only choice we have is to look at the package as a whole and to do so when we are not being influenced by the emotions that can be stirred in response to temporary circumstances.

If the good outweighs the bad, we must learn to let go and accept the parts of our lovers that we wish were different. If the bad outweighs the good, then we must be prepared to live with the loss of those things that we did love about them. If we see only one part of the package at a time, and respond to the emotions aroused by each, then every "one more try," will just lead to one more painful separation.

I wrote this when it started to become obvious that the reasonable accommodation debate was degenerating.

We're all immigrants

In the 1960's, my father was a young immigrant. One day, he was mopping a floor at the airport when he overheard two men talking about the problem of "all the immigrants." He was so upset that he interrupted the men and said, "Aren't you also immigrants?"

He had a point. We are a society of immigrants or their offspring. It is only a question of how many generations have passed since the migrants first arrived. One can argue that even the aboriginals came to North America thanks to the same nomadic spirit in humans that drives all migrations.

Our politicians have decided to have an open debate about reasonable accommodation of religious and ethnic minorities. I suppose it is better than the whispered debates of the past but I can't help but feel a little uneasy. This kind of debate tends to be divisive by nature. Although it can bring out the voices of open and tolerant people, it also provides an open forum for extremists and bigots.

At the heart of the debate is the idea, or even the "fear," that immigrants will change our way of life. Well of course they will, but to what extent, in what way, and how is that such a bad thing? Our society is always changing anyway, even without the influence of immigration. From secularization to the declining birth rate, from the advent of the internet to the language of business, it seems that big changes have occurred without a great deal of influence from ethnic minorities. Do these minorities really represent such a threat in the presence of a strong, vibrant, and dominant culture such as ours?

Just look around you. These "groups" are really nothing more than a collection of separate individuals that we interact with every day. Look at your classmates, at your co-workers, your best friends. How many of them are of different ethnicities? What language do they speak at home? How many have Vietnamese or Arabic names? Are they not an integral part of our cultural fabric? Is Michaëlle Jean, for example, not as much a Quebecer as anyone else?

An open and welcoming society tends to integrate immigrants well. There will never be so many of them as to radically alter our world. Instead, they will subtly enrich us. A closed society, on the other hand, forces immigrants into ghettos. This only highlights our differences and generates an "us vs. them" mentality on both sides. Nothing good ever comes of that.

How many days will you live?

Do people with cancer live longer if they have a positive attitude? A large and well-designed study was just published in the journal Cancer that examined this question and came up with the conclusion that a state of emotional well-being had no effect on survival. The results may have surprised many people since the idea that a positive attitude is beneficial to beating cancer, or at least holding it off, is a popular one. On the other hand, can we really say that attitude has no effect on survival?

■ Calendar days

The idea that a positive attitude helps cancer sufferers live longer has been around a long time. We certainly all want to believe it, and early studies of the question were able to demonstrate a dramatic effect. One study even found that women with breast cancer lived an average of eighteen months longer by simply being part of a support group. Later studies were not able to reproduce the findings, and this new study simply confirms what was becoming pretty clear; cancer takes away everyone at the same rate regardless of whether they keep a sunny outlook or wallow in despair.

What this means is that if we simply count days on a calendar, attitude does not change the final number. I just don't think that is what we should be measuring.

■ Life days

How do we define a day of life? Technically, it is obvious. If we haven't died before the stroke of midnight, we can put a checkmark on our calendar. But what kind of life is it? If I spend the day doing something I enjoy, or connecting with friends and loved ones, or simply appreciating the little things that make us human, like a piece of music, a laugh, or the smell of freshly fallen leaves, then I have done far more than simply existed.

■ A lesson for the rest of us

Everyone has a finite number of days left on the earth. What that number is remains unknown for most of us. While it may not be particularly pleasant to contemplate this fact, I think it is important to learn a lesson from this study. Attitude alone does not prolong the number of days lived with cancer if we measure with a calendar. If we measure the quality of those days, however, attitude makes all the difference.

I think the same can be said for the rest of us as well.

This is a follow-up to the "I say espresso, you say expresso" column.
It involved the same individual and explores how the selective attention of negative
self-biases contributes to depression and unhappiness.

Do you remember my name?

Do you ever wonder why some people tend to be unhappy most of the time? You probably know many such individuals or may even be one yourself. Is it part of some people's very nature to be chronically unhappy and, if so, why?

One of the reasons for this is that such individuals tend to have negative fundamental beliefs about who they are. These biases then distort how they see events and constantly fuel the negative feelings. Here's an example.

I once treated a depressed man. He had very little self-esteem and felt like a failure. One of the things he often said to himself was that he was just a cleaner, and that people at work didn't even know his name. That's how unimportant he was.

About two years later, we happened to meet in a park while watching a little league baseball game. We recognized each other and engaged in some small talk. A few minutes later he looked at me and said, "Do you remember my name?" Since we had only met for a few sessions, it was through sheer luck that I did happen to remember his name. It could have gone either way since I can sometimes forget the names of my own kids!

What's interesting about this story is the fact that this man has probably forgotten our exchange. I'm sure he said to himself, "Well of course he remembered my name, I was his client," and then quickly dismissed it. He would be unlikely to change his belief that he is an unimportant person.

But what if I had forgotten his name? In such a case I'm sure he would have taken it as proof of his belief that he is a failure and an insignificant human being. "See. Even my psychologist didn't remember my name!" He would probably still remember this incident twenty years from now.

Such is the nature of biases, or what are called negative core beliefs. They tend to confirm themselves through selective attention. We dismiss or do not remember things that don't fit our beliefs, and we pay attention to those that do.

Poor self-esteem comes from many sources. The problem is that once it is established, it becomes a bias that feeds itself. That is why people who think they are defective tend to remain unhappy for much of their lives. They are constantly finding proof of it...usually unfairly.

The Christmas star

■ Christmas 1981

At Christmas, 1981, I was a young and newly married graduate student living in Tallahassee, Florida. My apartment was typical; shelves of cinder blocks and plywood, a saggy bed, yellow and green plaid carpeting. The most expensive thing in the apartment was my tennis racket. As you can imagine, fire and theft insurance was rather pointless. It wasn't all bad, though. There were always plenty of cockroaches to keep us company.

That Christmas seemed difficult at the time. It was our first one away from home and we felt isolated. We had very little money but saved $15 to buy a small four-foot tree (a real one, of course). We made decorations with toilet paper rolls and colored tissue. For a crowning touch, I cut out a star from the box that our $69.95 black and white TV came in, and covered it with aluminum foil. Another small piece was fashioned into a cone so that the star could be fitted onto the tree and voila!

■ Christmas 2006

Last year was my son Tommy's turn in the rotation to place the star on our eleven-foot tree (still real, of course). That star has become a family icon. I'm fairly sure that if my house was on fire, the first thing I would try to save would be that star. Well, OK, maybe the family and pets would come before the star…but only by a slight margin!

My wife still cries when she takes that tattered star out of the box. It has come to represent our lives and all that has happened during the twenty-five years between those two Christmases; births and deaths of loved ones, graduation ceremonies, two mortgages, four adoptions, countless fits of laughter; a quarter-century of life!

■ The importance of symbols

It is difficult to know which moments will become important in the future. The act of cutting out that star seemed trivial at the time but it turned out to be the small beginning of something very big. I think of that star when I think of symbols and why they become so important to us. They serve as representations of our lives. It is only by stepping back and contemplating those symbols that we can appreciate how far we've come, and what it took to get there. I now consider 1981 as my best Christmas. It is when the star was born!

With this in mind, I wish you all the warmest of holidays. Enjoy the moments. You never know which ones will turn out to be defining ones in your lives!

I used this example of a traffic jam to talk about the impact of small gestures on the world around us, and how cumulative effects can turn something meaningless into a something big.

Two hours vs. two hours and five seconds

What kind of impact can a simple and insignificant human act have on the world?

One summer day, many years ago, my wife and I were caught in a horrendous traffic jam. After two hours, we finally gave up. We got off the highway and parked on a side street and walked the rest of the way. We eventually passed the scene of the accident that had delayed us. A dump truck had hit an overpass as it was traveling along on the other side of the highway! The traffic jam that we were in for nearly two hours was from rubbernecking alone!

It seems that as each car passed in the other direction, they would slow down to take a look at the twisted truck, as well as at the overpass, which was now missing a chunk of concrete.

Drivers would only slow down for a few seconds before speeding off; most of them took no more than five seconds. If you already waited two hours, why not take the extra five seconds to take a good look at something interesting? Of course, the fact that everyone took those five seconds was the very reason why traffic was so bad that day.

This traffic jam illustrates how a simple act, one that is quite meaningless when seen from the perspective of the individual, can have enormous consequences when cumulative effects are considered.

A single vote will not determine the outcome of an election. One small item stolen will not raise prices. One extra gas-guzzler, or one plastic wrapper thrown out a car window, will not destroy our planet. A single exaggerated insurance claim won't affect premiums. None of these things really matter when seen in isolation.

Who cares anyway, what's an extra five seconds!

We all do it. We tend to focus on our single acts without much regard for the cumulative effect of such acts. In so doing, we manage to deflect blame for many of the world's problems away from ourselves. It is just so much easier to point fingers and demand solutions from others or from governments, than to question the person in the mirror.

This was prompted by a news report on the dangerosity of psychiatric patients. Although it can be an issue in a very small percentage of people with schizophrenia, these types of reports tend to scare the public and further stigmatize and isolate the mentally ill. Something that I argue in this column will only decrease the likelihood of consultation and the optimal treatment needed to prevent tragedies.

The respect they deserve

Every once in a while, there is a story in the news about schizophrenia that gets under my skin. This time it involved a report about a couple killed by a schizophrenic child.

Why does it bother me? It bothers me because the general public has so little contact with individuals who suffer from schizophrenia or other serious mental illnesses that these stories paint an unfair picture: a picture of psychiatric patients as a menace to society. And this is at a time when we are trying to help psychiatric patients normalize their lives, and to integrate them into the community.

■ The effect of segregation
When you know a group well, you tend to see them as a whole. Any aberrant behaviour will be seen as an exception. When you don't know much about a group, any well-publicized event gives the impression that "they're all the same."

Therein lies the problem. Just like with any other form of segregation, lack of interaction with another group begets fear, intolerance and mistrust. We have isolated the mentally ill for so long that the public has very little to base their judgment on except the occasional sensational story.

■ The picture of psychosis
Let's not kid ourselves. Serious psychiatric disorders, such as schizophrenia, are not always pretty diseases. Sufferers often may have poor hygiene, they may have trouble interacting with others, and they may accuse us of persecuting them. They cannot look into a camera and touch our hearts like a loved one with Multiple Sclerosis can. They elicit fear instead of compassion. Yet they are no more deserving of their medical fates than the rest of us. Their best hope is for us to treat them with the respect they deserve, regardless of how we feel.

■ Reduce stigma, reduce danger
It is true that some patients are not treated optimally, and they may, at times, represent a danger to themselves (often) or others (rarely). Lack of resources and problems in health care administration are important problems that need to be addressed, but as barriers to optimal treatment, they pale in comparison to stigma.

Dangerous outcomes rarely occur when someone is monitored properly, but ironically the biggest obstacle to monitoring is our exaggerated fear of these outcomes. Instead of talking to the mentally ill, working with them, and getting to know them, our own discomfort and fear keeps them isolated.

It is this isolation that prevents relationships of trust from forming. Without these relationships, there is less monitoring, a reduced chance of consultation, and less treatment compliance. This isolation is what leads to the occasional tragedy that makes the headlines.

We cannot change the world, but we can influence our small part of it.
This is a follow-up to the "Two hours vs. two hours and five seconds" column.

Changing the world

In elementary school we all wanted to be astronauts. We thought the world was a perfect place where everything was possible.

In high school we started realizing that the world was far from perfect. There was pollution, people dying in war-torn countries, beggars in the streets. We all wanted to start a revolution and make the world a better place. Problems were serious but solutions were clear and simple. They just needed people with the right values to fix them, people like us, idealistic and passionate teenagers who were not jaded by life like the older generation seemed to be.

Then we became adults…and nothing was simple. Problems persisted. We still lived in a polluted world with war and poverty. We all seemed to agree what the bigger problems were, yet we could never seem to settle on the solutions, and the ones that we agreed upon were difficult to implement.

▓ The macro world, the micro world
What now? None of us has the singular power to change the big things in life, like crime, war or disease. In the face of a tsunami can one sandbag have any impact? Should we then give up?

What if we were less ambitious and focused only on trying to change things in our micro worlds; like our social circles, our work environments, or our neighbourhoods? Is the picture any brighter? Perhaps a little, but who really has the power to change everything in their own little corner of the world, especially when it involves the hearts and minds of others.

▓ The power of influence
So what do we do? Does the spirit of the adolescent have to give way to hopelessness?

No. While we do not have absolute control over all the realities of life, we can have a powerful impact. We do not need control when we have the power of our influence, the power that comes from leading by example.

Treat others with the same respect that you yourself deserve, think critically before voting for a slick politician, accept differences in others, give a needy person a break, ride a bike to work from time to time. In short, by being true to the ideals you had in high school, that revolution will start to happen.

Don't be disappointed if you lack the power to change the world. The power of the tsunami is made up of water that falls to earth in the form of single raindrops.

A woman made an appointment with me and brought a clipping of this column to her first session. It discusses the sense of security needed to feel safe in relationships. It is a simple column but for some people, it really hits home. The same column was also posted on an adoption website.

The greatest gift

It is something that most of us take for granted. We rarely appreciate its value unless we happen to be among those less fortunate ones that have to live without it. I'm talking about a sense of security.

Growing up, I was a pretty good kid most of the time but I did get into occasional trouble. My parents were quite strict and I was often terrified of their reaction when I was bad. There were many times when I "hated" them. We sometimes had major disagreements that went on for many days or weeks. Yet it seemed that no matter what, they still took care of me. Over the years, the occasional rough stretches gave way to an overall sense that they loved me.

What this means today is that I have a sense of security in a loving relationship. I know, for instance, that even if I have an argument with my wife or my children, nothing fundamental will change. I am secure in the knowledge that we all love each other and I know that any disagreement will not change that basic fact. That is what security is.

Not all relationships are stable. Certainly many good ones can turn out badly over time, but even good relationships have to face the occasional challenge. How we face those challenges makes all the difference. A secure person will tend to be patient, knowing that the underlying love hasn't suddenly disappeared. They will not add to the problem by overreacting or making accusations, and this normally fosters a resolution of differences.

The people that are most unhappy are those without this sense of safety and security in relationships; people such as those who were raised in multiple foster homes, those who were sexually or physically abused, those used as pawns in bitter separations, or those who were neglected or criticized incessantly. They grow up with a fear of loss, pain, or abandonment that permeates all relationships. They can never really feel safe.

Not having lived in such conditions myself, I grew up never noticing the gift I was given.

Many parents worry about the job they are doing. After all, parenthood happens with no formal training. Yet the most important key to doing it well is also the simplest one. By giving children a sense of security, by teaching them that you love them unconditionally through thick and thin, chances are they will go through life as relatively happy individuals. It may sound simple but trust me, those who live with insecurity would give anything to have been given that same gift.

I bet you won't read this

Would you place a fresh pizza and a slice of chocolate cake in front of an overweight person and not expect him to touch any of it? Would you put a line of cocaine and a rolled up twenty-dollar bill in front of a drug abuser and not expect him to indulge? Why then are we surprised by the number of problem gamblers all around us?

Richard's story

Richard was a great man. His compassionate and understanding nature was obvious from the moment you spoke to him. He was a skilled chef with a highly successful catering business. He was also extremely talented with a singing voice as powerful as that of Pavarotti. Everybody loved Richard.

Then came video lottery terminals. The problems were not immediately obvious, a little loan here and there to help pay for a new piece of equipment, a minor problem with lost receipts. Pretty soon, people began to ask questions. Hundreds of thousands were lost, mostly the money of loving and trusted family members. He burnt so many bridges that he was eventually estranged from his wife, his three children, and everyone that ever mattered to him. Everybody hates Richard.

Cash cow

After treating gambling like a crime for so long, governments now rely heavily on this cash cow as a major source of revenue (hmm, didn't the Corleones also do the same thing in The Godfather?). The social problems it creates are obvious.

Lotto Quebec recently failed in their efforts to prevent reports of suicides on the casino grounds from reaching the public. But we didn't really need to see those files to know that gambling ruins lives. The exact number of suicides caused by problem gambling is irrelevant. Even one is too many. The additional social costs are less often mentioned; things like ruined families, depression, or squandered life savings. Richard's story is but a simple blip on the large statistical portrait.

Whose fault is it anyway?

We all have free will and it can be argued that problem gamblers have only themselves to blame. However, our behaviour is affected not only by internal desires, but also by the presence of stimuli in our environment. Lotto Quebec has ensured that we cannot walk into a dépanneur without being bombarded by enticements of quick fortunes and the promise of a better life. If a few of us develop problem gambling as a result, and a few lives are ruined, well so be it. Our governments will spend some money on posters and awareness campaigns. That ought to take care of any problem that public gambling has created! It would be laughable if it weren't so sad.

The neighbour in this story is Michel Beaudry. He writes a daily humour column in the Journal de Montréal.

Working hard or working smart

I have two sons. One has a strong body, the other a strong mouth.

I live in the suburbs. Ninety percent of my neighbours have a snow removal service. It is efficient and cheap, an especially good bargain in this near record snowfall year. Like the idiot that I am, however, I decided not to purchase the service because, a) snow removal builds character, b) exercise is good for us, and c) I have two boys who have to learn the value of hard work.

After the latest snowstorm, I once again dragged the two boys outside with me so that we could share this valuable quality family time grunting and heaving. Across the way, my neighbour Michel's truck was stuck in the snow. My strong older son Joshua, who doesn't talk much, worked on our driveway while I went over to help Michel. My younger son Tommy, who never shuts up, came along. He did little more than watch while I dug and pushed.

It took us more than half an hour to free the truck. In the meantime Joshua had finished about a third of the driveway. When Michel thanked us, Tommy asked him if he could clear our driveway with his snow blower. Michel was happy to return the favour. Our driveway was completely clear a short time later. The way I see it, Joshua cleared one-third of the driveway with his body and Tommy cleared the rest with his mouth.

■ Preferred worker

This reminded me of a dilemma that is often raised in management. Is it better to have an employee who only works hard half the time and goofs off the rest of the time, or an employee who works hard all the time but accomplishes less than the first guy.

Your preference would depend on whether you felt it would be easier to teach a smart worker to work harder or a hard worker to work more efficiently? The real answer lies in their characters. If the smart worker just needed stimulation, he would be best. If he were lazy, it wouldn't help. If the hard worker learned well, he would be best. If he were rigid and resistant to change, you wouldn't see much improvement. The reality is that people who work both hard and smart are hard to find. They are even harder to make.

Which would I pick if I had to choose between a hard worker and a smart worker. Honestly, I'm not sure I would have a preference. Like my two sons, they both have their strengths and their place in the world.

Giant Wet Cave

OK, let's see if I can talk about vaginas and social anxiety while still keeping it tasteful.

Social anxiety is the most common fear. We all must face it from time to time such as before a presentation, or on a first date. However, there is a difference between normal and debilitating social anxiety. A certain level of social anxiety is necessary. Worrying about what others think makes us aware of our social roles and produces better interpersonal skills. But like other forms of anxiety, it is all a question of degree. Here's a story about what happens when we try too hard to avoid it.

▇ Please, not now!

"It looked like a giant wet cave!" said a socially anxious young man once while describing the worst panic attack he had in months. He suffered from a social phobia, a fear of looking like a fool in the presence of others. He was sitting in his first class of a human sexuality course in university. The first class usually includes a basic anatomy lesson. When the slide came up with a picture of a vagina, complete with arrows pointing out the various parts and their Latin names, the man was struck with a thought. "If I panic now, and have to run out of class, everyone will think it's because I'm uncomfortable with the vagina!" Needless to say, that's when the panic hit him.

▇ The fear of fear and the paradox of anxiety

Anxiety normally protects us. The problem arises when we begin to be afraid of our anxiety response. This fear makes the anxiety mechanism turn on itself. This simple story illustrates well the paradox of anxiety; when we are afraid of being anxious, we create more anxiety. Panic seems to only strike when we do not want it to, and never seems to hit when we allow it to. In other words, all efforts to control or avoid anxiety only seem to make it worse. Debilitating anxiety is actually a reflection of the efforts we make to resist it.

▇ The only true solution

This particular young man was unable to panic in my office, no matter how much he tried. The reason was simple; it didn't matter if he did. What this suggests is that the best way to control anxiety is not to resist it but to question why it would be so bad to feel it. Being or looking anxious in front of others may not be pleasant, but it isn't a catastrophe. If you allow yourself to look a little nervous, chances are you won't. If you try to control your anxiety, however, there will be giant wet caves everywhere you turn.

The truth about lies

No one likes to be lied to. Yet let's not kid ourselves, we all lie. Some of us just seem to do it more often. I'm not sure if we were born to lie but it certainly seems to happen early in life. Any toddler that breaks a vase will quickly point to a sibling. As for other living things, I get the feeling that if my dog could talk, and he ever broke anything more than wind, he would find a way to blame the cats for it.

It is important to understand that there are two people involved in every lie: the one doing the lying, and the one being lied to. This implies that there are times when the one being lied to shares some of the responsibility for the lie. Lies are what people tell us when they do not want to deal with our reaction to the truth. The fact is that some of us give others little choice but to lie.

■ The liar

People who lie excessively do so to avoid facing a negative response. They may want to do something selfish or indulge an impulse without consequence. They may want to gain the upper hand in an argument. Regardless, they may lack the maturity, the desire, or the nerve to face the music.

It may be normal to lie occasionally but if you are a person who constantly lies, maybe you should start facing facts. You can't always get what you want. If you do not learn to take "no" for an answer, you will only end up burning bridges and losing credibility. Getting what you want will become more and more difficult over time. Avoiding consequences has consequences.

■ The one being lied to

If some people are lied to more often than others, then it may be because they are very controlling. They may overreact when they are told the truth. They may stifle freedom and creativity. Regardless, they may not have the maturity to face the fact that the world is not as they want it to be.

We all get lied to and it can't be avoided. However, if you are a person who is lied to excessively, then perhaps you had better learn to accept that you can't always get what you want either. You cannot always control others. If you want people to be more honest with you, you had better learn to accept differences of opinion and to cut them some slack. Otherwise, like the liar, you too will find that you will get your way less and less often over time. Controlling consequences has consequences.

My homeless experience

When I was a CEGEP student I took a course called Poverty in Montreal. We were given the option of doing some field observation and giving a lecture to the class instead of writing a term paper. I jumped at the opportunity to avoid another written assignment. On my teacher's suggestion I decided to spend a night at the Salvation Army Men's Hostel. He told me that that the people I met there would surprise me. He wasn't kidding.

I let my baby-face stubble grow out for a few days, threw on a lumberjack shirt, grabbed my father's old army knapsack, and took the metro downtown. When I arrived at the hostel, I paid one dollar for a cot in one of the dorms.

I spent an afternoon and evening among an odd collection of men, each with a unique story to tell. I met an old man who told me a long nonsensical story about New Orleans, a young man whose bravado seemed to belie a life led mostly on the streets, and a former businessman who had been married with two children and a successful career before his life fell apart. He only shared a small glimpse of the course of events that beat him down and brought him to the hostel, but his was the story that touched me the most.

After many years of working with the mentally ill at the Douglas Institute, I can now look back to that day and revisit each story with a new understanding. I now know that one-third of the homeless suffer from schizophrenia. Was the old man an untreated case? Most likely. Was the young man a typical runaway escaping from neglect or abuse at home or in youth protection? And the businessman, did he suffer from a bipolar depression or other mental illness, or was he simply broken by events around him? I can't say for sure, but I'm certain of one thing; their stories were the tip of the iceberg.

When it came time to sleep. I took my spot on a cot in a room with at least a dozen others. The room smelled of vomit and a variety of body odors. The snoring and the constant interruptions from late arrivers didn't help. Needless to say, I didn't sleep. I just stared at the ceiling and waited for the sun to rise. I then slipped out and headed for the metro where I had to kill another twenty minutes before the first train was scheduled to arrive. Unlike the new friends I left behind and the other homeless men at the hostel, I, at least, was able to escape that life.

My experience that day taught me many things about homelessness and mental illness. The most important one being that these people do not deserve to be ignored or forgotten.

Who finished the f...ing milk?

Did you ever notice that we act differently at home than we do at work or among friends? At home, how often do you hear someone, with his hand on the open fridge door, turn and yell out, "Who finished the f...ing milk?" I doubt if someone would act the same way if the office coffee pot was empty.

The same happens on the road when we honk at people or give them the finger. How would you react if you were to recognize the person in the car next to you just seconds after flipping them the bird? Had you recognized them sooner, most likely you would have politely waved them ahead of you.

The reason for this discrepancy in behaviour is social inhibition. In the presence of others, we tend to dampen our response out of fear of negative judgment. If we are put in a position where we are anonymous, such as in a car or during a riot, or when we are no longer concerned with the impression we give others, such as at home with our families, this lack of inhibition gives some of us license to act like jerks.

Social inhibition is a necessary mechanism that acts as a counter-balance to many of our baser emotions. The irritation or anger we may feel when we find an empty milk container comes out in an exaggerated fashion in the absence of such a mechanism.

There is nothing wrong with expressing frustration. Some people are too concerned with negative judgment. When the inhibitory mechanism is too strong, it prevents them from expressing themselves and addressing real problems.

On the other hand, many of us could use some restraint. A little bit of concern for what others think keeps us civil and helps us control the urge to act on all of our minor frustrations.

Wouldn't it be so much nicer if we took a lesson from how we acted in social surroundings and brought some of that civility to our roads or into our homes?

Of course, it would be nicer still if the people who did finish the milk, or who cut us off on the road, showed similar courtesy in return. Then we'd really be talkin'.

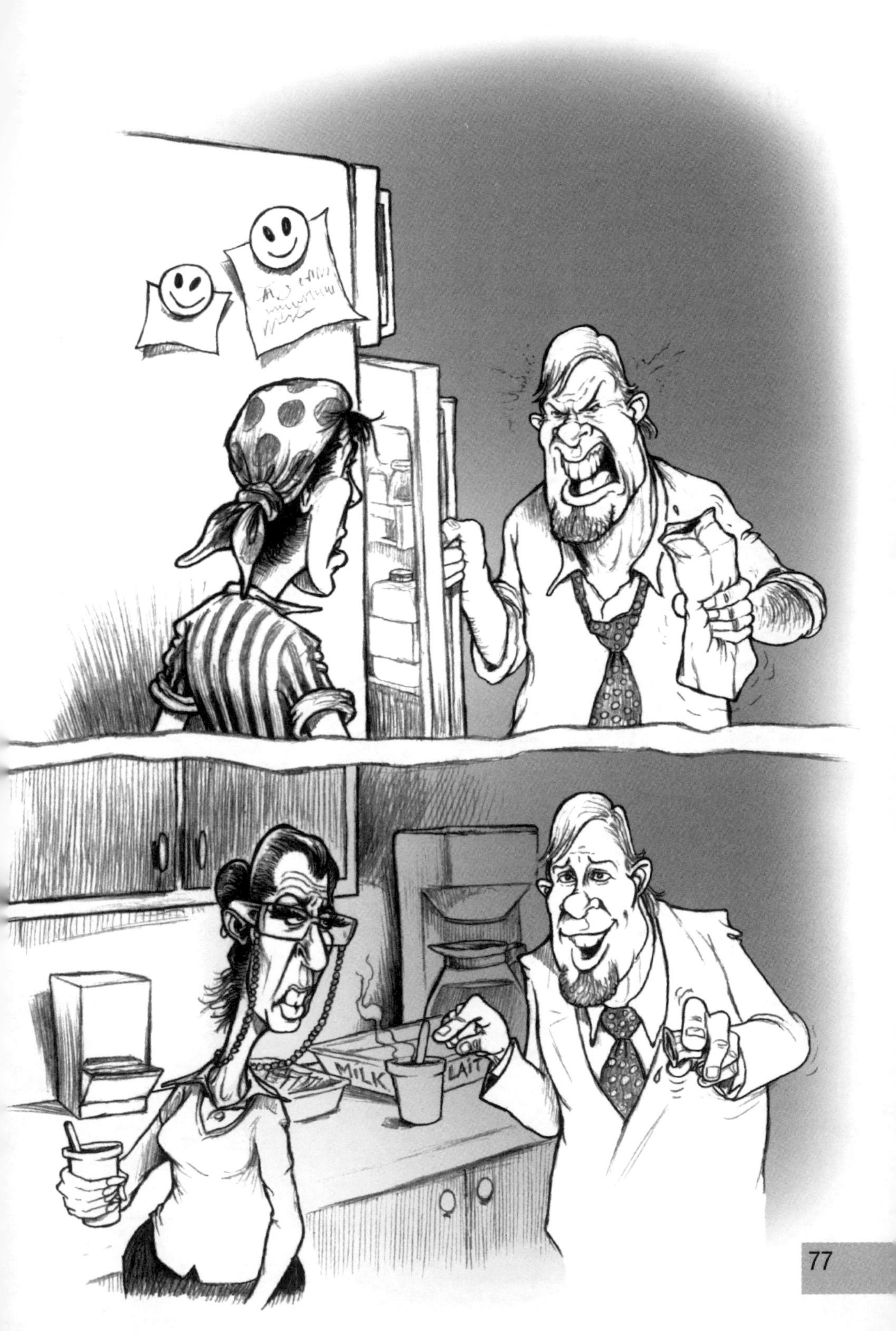
MILK
LAIT

Who cares? It's not my money

I have a confession to make. I was booked to go to a conference today. I had planned the day off and the inscription fee was pre-paid by my hospital budget. In other words, I was going at your expense. Instead, I am sitting at my kitchen table writing this column and skipping the conference.

I simply had too much work and not enough time. The money was spent for nothing and, while it was not a large sum ($75), it violated my conviction that public money should not be wasted. For that, you have my sincerest apologies.

I have a minuscule expense account and I normally spend it wisely. Whenever I go to a meeting outside the hospital, I always look for parking on the street before pulling into a paid lot. Why? Because that's what I would do if I were footing the bill myself.

I tell you this because I constantly see other people's money being spent much more freely than our own money tends to be.

▆ Third party payments

Is anyone really surprised by rising medical and drug insurance costs? We develop these plans in order to simplify the system and to help those who cannot afford to pay for their own essential services. Yet in doing so, we create a system where the "bill-ers" rarely have to face the "bill-ees."

The idea that somebody else is paying seems to make it so much easier to spend. I don't want to single out any one person or profession. The problem is everywhere, both in the public and private sectors. Some workers request new materials or furniture when what they have is functional. Some managers hire consultants to tell them what they already know simply so they can justify an unpopular decision. Some professionals pad their bills when a client isn't paying directly.

This does not necessarily mean that professionals or others are being dishonest. It's just that a system of third party payments makes it easier to bill for items that are less than essential, or to charge for extra time taken without having to justify it. It also makes it easier to ask for, and to receive, luxury treatment.

If everyone spent other people's money as they would their own, we might end up with fewer high-end golf courses, or restaurants, or corporate boxes at the Bell Center. But I bet you some of these luxuries would become more affordable to the rest of us. And so would the essentials.

Perfectionism and colorblindness

Are you a perfectionist or are your personal standards reasonable? Can you judge yourself and the quality of your work fairly? High standards are often good things to hold. When we expect a lot of ourselves we usually achieve more. The problem is that some people's standards are so high that they are nearly impossible to reach. Despite great success in many areas of their lives, they are often disappointed with themselves and are prone to feelings of dejection and depression.

■ Are you a perfectionist?

It is not difficult to know if you are a perfectionist. I'm sure you already know it and, if not, you've probably been told a hundred times. You can also tell because you're never happy with yourself, no matter what you do. When it's done right, you simply feel it is normal and no big deal. When you don't reach your expectations, you feel like an idiot. Worse still is when you apply those standards to everyone else. That's what makes some people angry all the time.

■ Colorblind standards

How do you go about changing your standards when you are a perfectionist? It's not easy, but let's look at a less emotionally charged problem for a hint. If you were colorblind and wanted to dress well for an important occasion, what would you do? Faced with a closet full of clothes in varying shades of meaningless hues, you would probably ask someone else for their opinion. Simple. By recognizing that you cannot judge the appropriateness of colors, you would base yourself on the opinions of others. This is what perfectionists must learn to do.

■ Recognize the biased judge

The problem with most perfectionists is that they judge themselves in a biased fashion. They normally are much more lenient when judging others. They can recognize when something another person does is well done, or at least good enough. In order to feel better about themselves, they must learn to ignore the biased judge inside and look to others for a more balanced picture. This can include good grades in a class, comments by colleagues and superiors, sales figures, or any number of outside judgements or objective measures.

Just as a colorblind person quickly learns that he cannot see colors the same way as others, the perfectionist also must learn that he cannot see the quality of his own work. They must both rely on other people. The colorblind person must do so in order to look good. The perfectionist must do so in order to feel good.

Unimportant priorities

Time, our lives are often all about how we prioritize this limited resource, isn't it?

Once, when I was complaining about a lack of time, a colleague offered some sage advice; set priorities, choose what's more important and concentrate your efforts on that.
He was right, the setting of priorities is a basic tenet in time management strategies. Set them, choose the right ones, and you can go far in life. Like a lot of advice, this is a good idea...to a point.

How does one go about choosing priorities when it seems that everything is a priority, or when important tasks don't get done because we are too busy devoting our time to other important priorities? One can easily use time more efficiently but at some point there is little room left over for more.

■ The dilemma: More with less, or less with less
The setting of priorities is the best way to manage limits and allows us to do more with less. Except sometimes we get so lost in setting new goals that, even with well-organized priorities, things start to fall apart and important areas get neglected. Perhaps that's when it may be time to expect less of oneself and to set fewer goals.

So which is it? Some people need to get more organized and must learn to do more with less, while others are already pretty organized and need to learn to do less with less. Which one are you?

■ My closet is full
Let's suppose you are someone who spends too much on clothes because you like to look good or are a sucker for a bargain. How do you decide if enough is enough? Let's imagine that your closet is so full that nothing more can be added. In order to make room you decide to order your clothes from favourite to least favourite item. You decide that for every new item you buy, you will throw out or give away your least favourite item. Sounds like a great plan. But what happens if you are start throwing out stuff you really like? Isn't that a sign that you are buying too much? In other words, stop looking at how nice the new clothes are. Look instead at how nice the discarded clothes are.

The same goes for time and work. Take on all you want and set priorities. Do the important stuff in the time you have first. If the things that get neglected are really important ones too, that's a pretty clear signal that you have taken on too much. In other words, the best way to know when you have to limit your goals is not to look at what you are getting done, but at what you are neglecting!

A depressed young man once told me he was trying to think positively but it wasn't working. I suggested he examine his beliefs rather than his words.

Think critically, not positively

Fill your mind with positive thoughts and good things will happen to you…or so they say. It seems that we are always being told to think positively. But while it sounds like a nice idea, how necessary is it and can it be done?

Too much negativism destroys initiative and can be a contributing factor to depression and unhappiness. But how does one counter the destructive effects of negative thinking? Do daily affirmations work? Does thinking positive thoughts make you believe them? Unfortunately no.

■ Words versus beliefs
The problem with trying to think positively is that you cannot convince yourself to start believing something that you didn't believe to begin with. There is a difference between words and beliefs. Just saying positive things to oneself is an empty exercise. Words, no matter how often you repeat them, will not have an impact unless you truly believe them. That's where critical thinking comes in.

Critical thinking involves the ability to examine facts from an unbiased perspective. This means having to question your perceptions of events and to recognize your biases in order to be able to see things as they truly are, rather than as you may currently perceive them. This results in a more balanced perspective, one that is normally more positive. This type of change will be believed at a much more profound and longer-lasting level than any unconvincing attempt at positive thinking.

■ The negative slant in depression
People who suffer from chronic unhappiness or depression do not always live through worse circumstances than happier people, nor do they live in a different world. Instead, they may have a tendency to see things more negatively. For example, they may see their assets as insignificant while marveling at those same assets in others. They may greatly exaggerate their own faults while tolerating similar ones in others. When depressed, this negative tendency gets stronger and only makes the symptoms worse.

One of the goals in treating people who are depressed, chronically unhappy, or overly negative, is to use critical thinking in order to help individuals recognize their distorted thinking and negative biases. They learn to question their assumptions and interpretations of events, and to judge the facts from a new perspective. This produces a more realistic picture of their world, one that is not totally rosy but certainly more balanced and far less negative.

In forcing yourself to think positively, you are much less likely to achieve your goal than if you think critically. The goal is not to change what you say to yourself. It is to change what you believe.

Making a good impression: Who cares?

You may have heard that making a good first impression is important. That may be true in most cases but trying too hard could sometimes make things worse. Let me tell you a little story.

■ Albert: Oddball or nice guy?

Albert was socially anxious and very concerned with making a good impression. He consulted because of depression and anxiety after being fired from an important job. The reason for his dismissal was simple. He was hired for his ideas and yet, because he never wanted to say something stupid, he never said a word at meetings. He gave the false impression of having no good ideas to offer.

Albert's next job was a major step down but proved to be a valuable learning experience. Through a series of chance connections, (a friend of a friend), Albert learned what a co-worker thought of him. Apparently when they first met, the co-worker thought Albert was an oddball who never said much and didn't seem too friendly. Over time though, he loved working with Albert, finding him to be super nice, funny, and smart. This gave Albert an honest glimpse into the impression he gave others. It turns out that when he was trying not to give a bad impression, he appeared aloof and odd. Over time, when he stopped trying so hard, the impression he gave was of his true self; an easy going, smart, and extremely funny guy that everyone loved working with.

■ Giving the right impression

We are always told that first impressions are important. In some acute situations like speed dates or job interviews they are, but not in more ongoing situations like relationships and jobs. Have you ever been wrong about your initial impression of someone? How often have you been disappointed in someone while being pleasantly surprised by others?

In reality most of you will not find yourselves with new people every day. Over time people will eventually know who you are and will not judge you on today's performance alone. You must trust that your strengths will eventually show. Be yourselves and don't force it. The true impressions that emerge over time will usually be better than any false impressions you try to project.

■ PS on Albert

Albert eventually did get a new job in a large multinational corporation. He stopped filtering everything he said, and trusted his abilities. After only a few months the company president gave him a major promotion. Albert is now in charge of all the managers that he had previously been reporting to. I guess he did have some good ideas to contribute after all.

Learning through instruction, learning through experience

I once sat with a reporter after we finished filming a short interview. We talked about the challenge of raising children. She told me the story of her son who complained one day after his sister's friend visited for dinner. "I almost threw up while we were eating. That girl made gross noises while she ate!" His mother answered, "That's why I told you a thousand times not to slurp your food and to close your mouth when you eat."

I'm sure that this boy will eat quietly for the rest of his life.

I love this story. It illustrates the learning process at its best. There are many ways to learn but the best one involves two steps. The first is through theory and instruction; the second is through practice and experience.

Sometimes we get discouraged when someone we want to influence, such as a child or a friend, does not follow our advice. Yet that doesn't mean we had no impact. What we say may appear to fall on deaf ears in the short term. But in the long term, after the person matches what you said with a number of life experiences, those words can still resonate and have their desired impact.

The two steps cannot be easily separated. Experience alone can teach us a great deal of things but unfortunately we might miss out on hundreds of learning opportunities without the instruction that makes us appreciate them. Instruction helps us focus our attention on specific events which then click into place and have a lasting impact on how we see and understand things. Take a simple example such as bicycle safety. Doesn't it usually take a nasty fall before we start to follow the rules more rigorously…and to truly understand them?

Just think back to all the important books you read, or movies that touched you, or classes that made a difference in how you see life. Did you realize at the time how much of an influence they would have on you? Probably not. You needed to add some experience to them in order to feel the full impact.

With that in mind, listen to your teachers, parents, and friends with an open mind. Then sit back and experience your lives. You never know which of those lessons will eventually hit home.

Your skills are in you

Sometimes life comes at us quickly and in an unexpected fashion. Did you ever lose a job that you thought was secure? Did you ever change schools or move to a new city and find yourself with little support and surrounded by strangers? Did the break-up of a relationship leave you feeling that you will never find love again?

Every once in a while, we may have to rebuild certain parts of our lives from scratch. It is a daunting challenge to pick oneself up from the ground and face the world. People who lack confidence will see the challenge of rebuilding as almost insurmountable. They focus on the loss of the job or of the friends. When they look at their new situation, they tend to forget the skills that made them successful in the past.

■ On a new planet

If you had many friends on earth and were then mysteriously transported to a parallel planet where you knew no one, what do you think would happen? Wouldn't the skills that helped you make friends on earth follow you to the new planet? Of course they would. Over time, you would slowly make new friends and find your old life again.

The same goes for our lives here on earth. When we possess certain skills that make us successful professionally or socially, those skills will follow us to any new endeavours. Unless the world changes, the results won't.

■ Lucky or good

Many people mistakenly assume that they are in good situations because things turned out pretty lucky for them. When they lose a job or a relationship, they often feel that their luck ran out. Those who believe this will have a hard time seeing a way out. They know that luck cannot always be counted on.

In reality, though, luck often has little to do with it. Except for occasional lucky breaks here and there, a pattern of success is only possible when you are good. If you are a person who handled responsibilities well and was appreciated in a former job, the same will happen in the next one. If you are a person who made friends in your hometown, there is no reason you wouldn't make many friends in your new city.

It isn't a question of luck. It is a question of skills. And those skills are in you...no matter where you go.

I was asked to host the Douglas Institute's third annual Mini-Psych School. Since the first topic was the history of psychiatry, I thought this story about the lobotomy might be worth telling. The column was accompanied by a picture from the film One Flew Over The Cuckoo's Nest.

And the Nobel goes to…Egas Moniz!

In 1949, the Nobel Prize in physiology and medicine was awarded to Antonio Egas Moniz. Moniz was credited with perfecting the prefrontal leucotomy – a procedure that came to be known in psychiatry as a lobotomy. Moniz would drill holes into the prefrontal cortex of some mentally ill patients and destroy targeted brain tissue by injecting alcohol into the openings.

Walter Freeman followed up on Moniz's work by developing a simpler and cheaper technique that did not require anesthesia or operating rooms. It involved sticking a long ice pick under the eyelid, hammering it into the brain through the eye socket and sweeping it back and forth like a windshield wiper. Lobotomies became so popular that tens of thousands of people underwent the procedure.

In order to understand the popularity of the lobotomy, one must first understand that psychotic illnesses, like schizophrenia, were untreatable in the Freeman and Moniz days. Some patients benefited from electroconvulsive therapy – or shock – but the effect usually wore off. Medications were not yet developed. Most patients were trapped in a world of demons, paranoia, and confusion. Many were so agitated or aggressive they had to be restrained with straight jackets or strapped onto their beds.

The lobotomy transformed aggressive and difficult patients into docile and manageable ones. The tide did not turn against the procedure until it became evident that it did not produce any cure. Worse still, many became vegetables from the brain damage. It turned out that lobotomy was little more than another form of restraint, a permanent one at that.

It is tempting to blame Moniz, Freeman and their colleagues for this sad chapter in the treatment of the mentally ill but nothing happens in a vacuum. Their success at the time was helped by the general lack of critical thinking when it came to psychiatric treatments. Since patients with serious conditions often could not speak for themselves, it was easy to see them as less than human. The focus thus shifted to the needs of others around them, such as making it easier to manage a psychotic person's behaviour. The question of how the procedure impacted the patient's own wellbeing, became secondary.

I tell this story because an understanding of past mistakes helps us improve scientific knowledge and develop effective treatments. More importantly, this understanding also helps us improve our attitudes toward the mentally ill and underscores the importance of respecting their rights.

A century and a half

Well I guess it was inevitable. Despite my best efforts at slowing down our earth's orbit around the sun using the power of my mind, I still turned 50.

So what did this old guy do on his "half-century" birthday? I got on my bike and rode my first "century." For the uninitiated, a century is what cyclists call a hundred-mile ride (162 kilometers). It is considered the cycling equivalent of a marathon.

■ Stepwise Goal-setting

Achieving my goal for my fiftieth birthday has taught me a great deal about the process of setting and achieving goals. This particular one took nearly twenty years. It started when I decided to buy a bike. I remember how thrilled I was with my first "long" ride of 12 kilometers. Next came 20, 30, 50 and my first Tour de L'ile at 67 kms!

Twelve years ago, I started riding 100 kilometers every birthday. The symbolism of it made it more motivating. About four years ago, I started thinking about the possibility of doing a century. It was hard to imagine when I considered how I typically felt after just half the distance (81 kms)! Nevertheless, I worked at it all summer, building up to it with many long rides of between 100 and 130 kilometers. I also made sure to tell my goal to everyone I knew. This way I would be too embarrassed to back down. When the day finally came, it was total agony but I didn't care. I even sprinted over the last kilometer!

■ Mapping out a route

We all have goals; to be fit, to be rich, to complete an education, to travel. The problem with most of them is that they are too big to achieve in a single step. Goals are easy to state but unless we map out a route with intermediate steps that are doable, the end point won't be reached.

I like to imagine the steps along the way as climbing a ladder in soft ground. As you take a step, the ladder slowly sinks into the ground. Once back on level ground, the next step is only one rung up. Looking up at how far we dream of reaching could easily discourage us. If, instead, we wait for the next step to get closer by mastering the previous one, it is often a piece of cake!

Make each goal reachable, symbolic and fun and you never know how far you will get.

As for me, after having achieved my goal for my fiftieth birthday, I now turn to the next one. I think for my 51st birthday I'll set a more modest goal. By then, I hope to be able to sit once again!

...on false memories and how real they can seem. This simple phenomenon can have important implications for personal recollections and criminal investigations that were too complex to discuss in such a short column.

What colour was that blue sofa?

I remember my old home where I grew up. I pictured it hundreds of times in my mind. One day, as an adult, I came across an old picture of our living room. The sofa, which I had vividly remembered as being blue, instead was brown in the picture. It was worse was when I had the opportunity to visit the old house some time later. I had a clear image in my head of the front room where I had spent most of my childhood. Yet when I walked into that room it turned out to be completely different. Even the door was in the wrong place! How could this happen? How could my vivid memories of things have been so wrong?

I think my experiences are actually quite common and illustrate the true nature of past memories and what happens when we try to recollect them. All of our brains are imperfect. We recall some things clearly but other facts become blurred over time, leaving gaps in our memory. When we picture things like a sofa in a living room, and try to recall its colour (was it brown...or blue?), we take a best guess to fill in any gap in our memory. Even if that guess is wrong (I think it was blue), we still use it when picturing the room. We may even confuse it with a sofa from a different time and place. After that, we are more likely to see the sofa in its new colour every time we picture the room. Over time we become convinced it was blue. Seeing a true picture years later will always surprise us.

Perhaps the color of a sofa or the exact location of a door is not going to change anyone's life but the same process occurs when we try to recall more important events or even unpleasant or abusive ones. Our memories do not always reflect what actually happened. Instead, the incomplete mix of images, scenarios and general impressions evolve over time to form our current mental pictures. These images, a combination of real and imagined events, become our new memories that feel more and more real over time. This is one of the reasons why eyewitness testimony is so notoriously unreliable. Or why we now take extra care not to make suggestions when questioning a victim of abuse.

This doesn't mean that all our past memories are wrong. It's just that we can't know for certain which ones are true unless we have some proof. I was lucky enough to come across proof in that old picture. Now I know that I was wrong about the colour of my old sofa. On the other hand I can now say with certainty that I was right about one thing. That brown sofa was damned ugly!

A few simple observations about a very complex issue.

Infidelity

It certainly made for an interesting afternoon. One client was in my office to help deal with the consequences of having cheated on his wife, while the one in the waiting room had recently found out that his wife was cheating on him.

As a psychologist, I see many people who have affairs or who are affected by infidelity on the part of their spouses and partners. While there are many reasons for infidelity, the formula is a simple one; the stronger the attraction for another, and the weaker the factors that inhibit us, the likelier it is to happen.

■ Part 1: Attraction (Let's go there!)
The first part of infidelity is quite easy to understand. It's a matter of basic biology. Two compatible individuals, when they get along, and especially if they share laughs and common interests, can easily develop sexual desires for each other. When you have frequent interactions with someone, such as at work or through an association, this becomes much more likely to happen. That's why, despite being frowned upon, office romances are so common.

■ Part 2: Inhibition (Don't go there!)
Despite the ease with which attraction develops, very few people act on it when they are already in a committed relationship. For some, it is a question of moral values. They simply would never consider it an option, no matter how strong the attraction for another.

For others, fear of being caught is what inhibits their desires. When this is the sole reason, those who can convince themselves that they won't get caught, may still risk an affair. Of course most people do not expect to get caught. Just like fast drivers who often get away with speeding, they sometimes get caught when they least expect it.

Others are less inhibited because they may not fully appreciate the impact that infidelity can have on their current partners. If they do not think the effect will be a big deal, or if they cannot empathize accurately with people, they are more likely to respond to an attraction.

Finally, some people may find themselves in a very unsatisfying marriage or relationship. Despite this, the thought of being alone, or of facing a separation, with all that it implies, keeps many people in unhappy circumstances. In such cases, the attraction for another person that comes along can fulfill gaping needs and can easily overwhelm any factors that would otherwise inhibit them.

Such is human nature. Sexual attraction is what ensures the survival of the species. Unfortunately, it does not always ensure the survival of a relationship.

Big Mama in the rocker

Segregation has a way of maintaining itself.

I lived for two years in Tallahassee, Florida. It wasn't the Florida of beaches and palm trees that most of us think of, but part of the Deep South, only twenty miles from Georgia and forty from Alabama. By the early 1980's, much had changed. Schools were integrated and race relations were light years ahead of what they were just one generation earlier. Still, there were significant pockets of segregation throughout the city.

I still remember driving through a "black" neighbourhood with my wife. On one occasion a group of children stuck their tongues out at us and yelled, "White trash!" Uncomfortable as we were made to feel, it would have been easy to perpetuate the segregation by avoiding this and similar areas. We chose not to.

■ Big Mama

I learned something interesting about the process of desegregation during my daily commute to the university. To get there, I would pass through a fence behind my apartment complex and ride my bike along a dead end street. Many of the small homes on the street were condemned or abandoned. On the veranda of one old house sat a big black woman in a rocking chair. Since the image was straight out of a movie, I named her "Big Mama."

In Tallahassee, as in most small cities, it is customary to greet everyone you pass, whether on the street or in a building, with a, "Hi. How ya doin'?" In that tradition, I would always wave to Big Mama when I rode by. She never responded. I suppose desegregation hadn't yet reached her street.

This continued for at least another half-dozen times. One day, I waved as usual and kept on riding. After I passed the next home, I heard in the background a feeble, "Hi," from Big Mama. It was a start.

It took a few more passes but eventually the weak hellos became more and more enthusiastic. Soon, whenever she saw me approach, she would wave wildly and shout out, "How ya doin'?" sometimes even getting up from her chair!

■ A simple lesson

If we treat others as adversaries, they will act like adversaries. Whether it involves race relations, religious or cultural differences, or the marginalization of the mentally ill, segregation always perpetuates itself, with each side making the other one feel uncomfortable. The only way to overcome this is to ignore differences and face discomfort directly. The discriminated against will eventually come around. That's what Big Mama taught me.

I think this isn't a bad lesson to remember at this time of year. Happy Holidays!

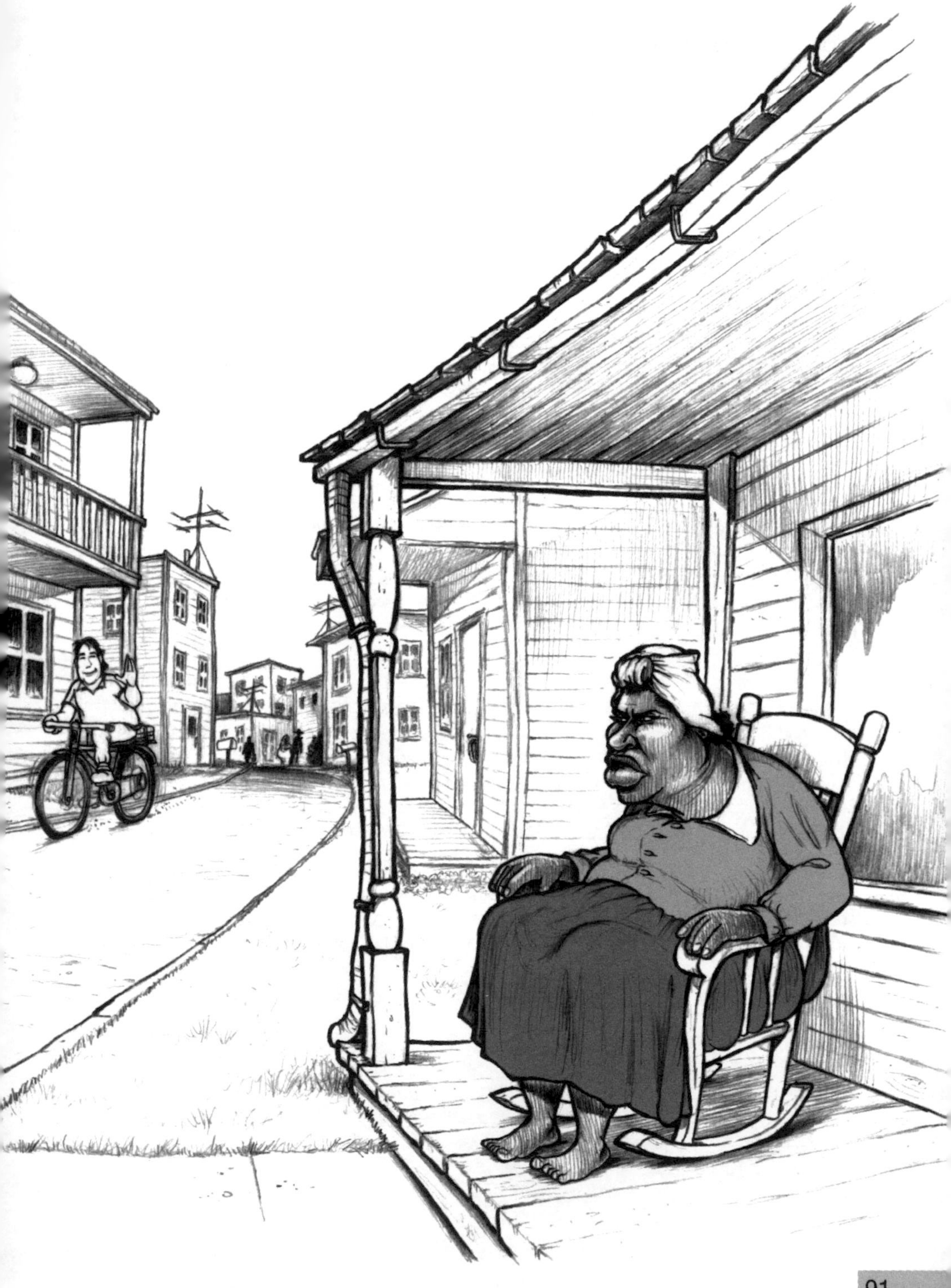

Telling your secret

Is there something you're ashamed of? Something you wouldn't want people to know?
We all do. There are secrets of all sorts. I'm not referring to lies that some people tell in order to avoid trouble, such as an illegal act or an illicit affair. No, I'm referring to secrets we keep because of embarrassment and shame, secrets we keep to protect our image or reputation.

Would you tell people if you had a bankruptcy in your past or a history of mental illness? What about erectile dysfunction? What would you tell others upon your return to work after a six-month leave for burnout?

Should secrets be told? In general, I don't think it matters. Most people can do so at their discretion. Some could care less what others think, while others are mortified at the thought of their secrets getting out. They may keep things to themselves because of a sense of social embarrassment, or a desire not to be discriminated against. There are times, however, when even these individuals may be better off letting it out.

■ Time to tell

Mr. C. was a client who suffered from Parkinson's disease. He wanted to continue working unabated and was determined to minimize the disease's impact on his functioning. Not wanting to be treated any differently, he hid his disease from his associates. He adopted many strategies including the timing of his medication to coincide with meetings, and dictating all memos in order to hide his deteriorating handwriting.

This worked quite well until the disease progressed to the point of producing obvious symptoms. It was at this point that I suggested he consider telling his secret. I asked him to compare what people would think if they knew the truth – that he had a disease that did not slow his mind and his ability to contribute – to what they would think if they made their own assumptions: "Is he losing it? Can he still do his job?" Mr. C. decided it was time to tell.

■ Reality versus imagination

Keep whatever secrets you want to. Just don't forget how fertile imagination can be. By keeping a secret when others suspect something, we allow their imaginations to run wild. In such cases, the potential damage caused by their assumptions is probably going to be worse than any harm caused by them knowing the truth. In these cases, telling your secret would minimize any negative prejudice.

You might even earn some added respect and understanding as a bonus, just as Mr. C did.

Attainment without pursuit

Aaah…the joy of dreams – a better life, great wealth, true love, or how about a Stanley Cup for your favourite team – wouldn't it be great to have everything you wish for?

It certainly sounds tantalizing but if we did have the power to fulfill our every wish, I bet it wouldn't feel very good. This is because attaining something without a pursuit renders it pretty bland, regardless of what it is. The true value of something, be it an object or a relationship, comes not so much from having it, as it does from what we had to do to earn it. In other words, the value is proportional to the pursuit. Did you ever notice how the tomatoes you grow taste better than the ones you buy?

■ The pursuit of life

Think about your life and what you really cherish. If you've earned a college degree or other attestation of training, what do you remember the most? What makes you proudest? Is it not the work you did, or the uncertainty and discouragement you had to overcome? If you had ordered the same diploma online for $20, would you feel as good?

What about having to overcome something even more challenging, such as a long period of rehabilitation following a car accident? After that, a simple stroll down the street would feel pretty special, even if the same act meant very little for a person walking next to you.

■ The pursuit of relationships

The same principle applies to relationships. Just ask an infertile couple or someone who has yet to find love. Living without someone in our life is what makes us appreciate the value of relationships when we finally do have a child or find a mate.

I always joke that an adopted child is worth one and a half "regular" kids. That's because of the emotional roller coaster that comes with never knowing if you will ever conceive, with years of dealing with infertility investigations and failed medical procedures, with the expense of international adoption, and with the political instability and bureaucratic delays endemic to the process. With all due respect to mothers who may have had to endure thirty-hour labour, the pursuit of an adopted child is a far more exhausting ordeal.

Without a struggle, attainment will bring you joy that is fleeting. Joy that lasts comes from overcoming a period of deprivation, or from working hard and overcoming barriers. It may not feel like fun while you're struggling, but it sure pays off when you finally get there. Don't sweat the journey. It'll eventually pay back dividends.

Happiness is not about what you have. It is about what you've earned.

Please me now or please me later

Right now there is a delicious chocolate banana cake on my kitchen counter. I could easily eat the whole thing. It would certainly make me feel good and please me. Yet I also feel pretty good about having lost a few pounds recently. That pleases me too. Unfortunately, these two pleasures are clashing as I write this.

■ Short-term gain, long-term gain

Such is the reality of many pleasures in life. They act on different parts of our brains and often pit one need against another. Some of these needs are immediate and are subject to situational changes, such as hunger, or sexual attraction. They are controlled by the primitive parts of our brains. Other needs are controlled by the more analytical parts of our brains and reflect long-term goals such as maintaining healthy eating and exercise habits, career pursuits, relationships, etc. They generally remain steady over time.

■ Bad habits, bad situations

The list is long; the drug abuser who knows he is risking his career, the diabetic presented with a warm loaf of bread, the gambler at the poker table who hasn't paid his rent, the woman in the unhappy relationship who doesn't want to hurt her boyfriend, the guy in the dead end job afraid of change, I'm sure you could add your own example to this list. We all struggle between choices that please us immediately, or at least are easier to deal with on the short-term, and ones that will end up pleasing us or improving our lives down the road.

■ Listening to your brain

In pop psychology, we often hear the advice: Listen to your emotions. Well, that may not always be the best choice. In reality, your emotions normally give priority to the more immediate goals and are a detriment to long-term ones. That's why we usually get into trouble. When we are in an emotional state, we normally do things in response to it, like opt for the *status quo* or eat the banana bread! The best advice may in fact be to ignore your emotions and do what you know makes the most sense…long-term.

■ Waves of emotion

Knowing that we are controlled by two opposing forces won't fix all our bad habits and address bad situations. But it may help you to know that your emotions act like waves on a shore. If you resist them for a few moments, they dissipate. The result is a better balance between emotions and rational thought, and a greater resistance to bad choices.

Or you could simple wait until someone else finishes the cake!

Control Freaks

Very few kids say, "When I grow up, I want to be a control freak." Yet somehow the world keeps getting populated by them. What's up with that?

■ Basic human nature and the stress response

One of the reasons we have emotions is that they make us react to things. Anxiety and stress are feelings we get when we sense something is wrong. Small threats, like a quiz in class, make us tense. Large threats, like a bear running at us, make us freak out. Our stress response tells our bodies to act, to do whatever it takes to eliminate the threat. This usually makes us run away when possible, or attack back if we are trapped, or study if we are worried of failure. In other words, when facing any challenge our instincts push us to control whatever threatens us. The more important the threat is, the greater the need to control it.

■ Imperfect control

Unfortunately most threats cannot be controlled with absolute certainty. There will always remain some risk. This implies that our instinctive desire to avoid bad things must also face the fact that we cannot be sure to always do so.

Control freaks are the type of people who think in all or none terms. They are perfectionists who keep pushing to try to eliminate all doubt or uncertainty. They want nothing bad to happen and want to be absolutely sure of it. This happens regardless of the type of challenge or threat.

■ The inability to nuance

Because they live in a black and white world, control freaks cannot distinguish between things that are really bad, such as physical harm, and things that are less important, such as not getting their way, or seeing something done differently. They instinctively treat everything like it is life or death. That's why they can't let go.

■ Control freaks: Good and bad

If they know what they are doing, control freaks are great to have around, especially when things really matter. Their anxious need to control outcomes makes our world a better place. In situations that are not so important, however, their insistence on having things their way makes them unpleasant to be around.

Worse still is when they don't particularly know what they are doing and still need to have things their way. That's when they make our lives a living hell.

What makes a good shrink?

Whenever I meet with high school students about careers in psychology I always get asked the same question: What does it take to be a good psychologist?

While finding a licensed psychologist may be easy, finding a good one may not be. Here are the qualities I look for in someone whom I believe is competent:

■ Be normal

It may sound simple but I usually tell people that a good psychologist should be a fairly normal individual. By normal I mean someone who is relatively mainstream in their attitudes, someone who is not overly dominant or passive, someone who does not push any strong beliefs or values on others, someone who does not overreact to things, someone without a "schtick." You know…normal.

■ Be smart

A good psychologist must be fairly intelligent. By intelligent I do not mean one has to understand theoretical physics. I mean the person must have the ability to remember things and to see connections in patterns of behaviour that may not be obvious to others.

■ Be open-minded

Psychologists work with people from all walks of life – people with radically different values, education, cultural beliefs, styles, professions, and circumstances. No two people or situations are alike. A good psychologist must be open to everything and be prepared to respect choices in others. A close-minded psychologist cannot do that.

■ Have true empathy: Be honest with oneself

Another obvious asset for a psychologist is empathy. If you are to have empathy, you must be able to imagine yourself in other people's circumstances. That's the easy part. The difficult part is to be truly honest with yourself in assessing how you would feel in the shoes of others. It isn't possible to be completely accurate when we want to feel empathy but being honest with oneself, especially if you are "normal," goes a long way.

■ Above all, don't have all the answers

The final asset, and perhaps the most important one, is the recognition that they do not have all the answers. Not even close. A good psychologist is a critical thinker who questions his or her own ideas. A critical thinker does not jump to conclusions, or taint observations with bias. A critical thinker knows what is and isn't known.

■ A good shrink, a good anything

If you put all of the above ingredients together you get a pretty good shrink. Come to think of it, these are the same qualities that make good managers, engineers, physicians, welders, teachers, or anything else. How about that? These qualities also make pretty good human beings as well.

Our own self-perceptions may not be very accurate.

Confidence and competence

Take a look in the mirror. Who do you see – a smart person, a capable person, a person who others appreciate – or do you see a loser, a person who is lucky to have friends and a job?

■ I think therefore I am

There is a simple truth to subjective judgments about ourselves and our true worth – we think they are a reflection of reality. The confident person thinks he is competent and the non-confident person truly believes he is incompetent.

Isn't it obvious? When we believe something, it becomes our truth. When it comes to judging ourselves, we think our level of confidence in an area is directly related to our actual level of competence.

But do confidence and competence really go together? In truth, they are unrelated.

■ They think therefore they are not

Look around you. Think of the people you know well. I bet it won't take long to think of some who have little confidence in themselves but who are, in fact, quite smart or good at what they do – people you respect and appreciate. I'm sure you can also think of a number of people who are quite confident in themselves yet aren't particularly competent, people who could use a little humility.

When you think of things this way, it doesn't take long to realize that how people see themselves and how others see them are hardly ever the same, at least in the world outside of our heads. Inside our heads however we think they are related – that what we feel about ourselves is also what others see.

■ I think therefore what am I?

It's not that we are never accurate in our own self-assessments. It's just that they are influenced by personal biases. Confident people will, by virtue of that confidence, believe they are good. They may sometimes be right, but they may also just be full of themselves.

The same goes for people who lack confidence. While at times they may feel this way because they don't have the same level of abilities as others, there are many times when it is just a reflection of poor self-esteem rather than poor skills.

So when you look in that mirror, remember that self-confidence is not necessarily related to true competence. Your mirror may be as distorted for you as it is for others. If you have confidence in yourself, you may not be as good as you think you are. On the other hand, if you lack confidence, remember that you may not be as bad as you believe either.

...on the self-fulfilling nature of mistrust.

Don't trust and get screwed

There are always people willing to say that if you trust others you'll get screwed. Is this true? Perhaps, at times. When we trust others, we can sometimes be taken advantage of. However, if we don't trust, we will always get screwed. Guaranteed.

■ Mistrust: A self-fulfilling prophecy

Very few people realize how much their own expectations affect reality. A self-fulfilling prophecy is a prediction that comes true simply because we made it. Believe it or not, this happens all the time. Especially when we don't trust or when we treat others as adversaries.

■ Frank and Joe

Let's consider two co-workers, Frank and Joe. Frank doesn't trust the new guy, Joe. He thinks Joe looks a little sleazy. It won't take long before Frank questions or accuses Joe of something, "Where was the pen of mine that you took?"
Meanwhile Joe will react to Frank's suspicions and think he is a difficult person – *I didn't even touch his pen!* Soon there will be significant tension in the relationship. At some point down the road, Joe will lie to Frank in order to avoid an argument, or simply because he is no longer interested in helping him. "I'm sorry I couldn't help you today. I was busy with my annual report."

Inevitably, one of Joe's lies will be uncovered by Frank, "But I saw your completed report on the boss's desk last week!" and voila, Frank finds his justification for not trusting Joe. This confirms his prediction – *I knew I couldn't trust him!*

■ A small dose of mistrust

Nothing is absolute. Complete trust can indeed lead to problems. A little bit of suspicion will protect us from a great deal of harm. After all, ignorance may be bliss but naiveté can cost us dearly. That's why it is important to question other people's motives… occasionally anyway. For most of the time however, we must trust. Without trust, people we love or care about will eventually want out. Any relationship without trust will inevitably fail.

Of course there are plenty of people who don't deserve our trust. If we have reason to not trust someone, we are best to walk away. However most people act in good faith and do deserve our trust. If we don't give them the benefit of the doubt, and assume they can't be trusted, we will eventually push them away and end up on the losing end.

In protecting ourselves against harm from the occasional untrustworthy person, we end up harming ourselves by not having the trustworthy ones in our lives.

The Loonie and the can of coke

Would you steal a dollar from someone? How about something worth a dollar?

An interesting little experiment in behavioural economics caught my attention recently. It teaches us a great deal about morality and how far over a line we are willing to step. The experiment was conducted by MIT professor Dan Ariely and his students.

The study was simple. Ariely and his students went around and left a number of six-packs of Coke in randomly selected dormitory refrigerators all over their campus. When they checked back a few days later, all of the Cokes were gone. They then placed plates with six one-dollar bills in the same refrigerators. When they checked back, not a single bill was missing.

This study reveals an interesting aspect of human nature, especially when it comes to how we treat others and how we judge our own morality. It seems that when we are one step removed from direct theft of money, we are far more likely to steal. For most of us, stealing a dollar is wrong. Yet somehow stealing a can of Coke worth a dollar doesn't seem quite so bad.

The theft of a can of Coke may seem trivial but the implications of the aspect of human nature revealed by this experiment can be quite profound.

■ One step removed

It's all about perspective, isn't it? The further we are removed from any direct immoral act, the more likely we are to indulge in it. It is for this reason that many, if not most, people would happily buy hot merchandise. A deal is a deal, isn't it? After all, we didn't steal it. Of course, if we realized that we were the thief's employer we might see things differently.

This is also why otherwise well-respected and law-abiding business executives can commit white-collar crimes. Somehow stealing indirectly through insider trading or crooked investment schemes seems less criminal than a blatant hold-up of a bank, even if they both net the same amount of money.

Similar processes occur in war. In any armed conflict, certain soldiers will commit unspeakable acts of cruelty? Most of them will defend their actions by saying that they were simply following orders. The fact that they were one step removed from the moral choices made by their leaders certainly has a lot to do with it.

It's something worth thinking about the next time you open a fridge door.

The power of beliefs

The process of belief and its impact on us can be powerful indeed.

One of my heroes is Loung Ung, who wrote two books about her ordeal during the Pol Pot regime in Cambodia and her subsequent life in North America. Amid the many harrowing experiences she recounts is a seemingly trivial incident involving a bout with conjunctivitis. I think it is a simple yet moving illustration of how our beliefs affect our emotions.

One of the beliefs in her society was that conjunctivitis was caused by having looked at something you were not supposed to – a sort of punishment for the sin of not respecting the privacy of others. She searched her mind for what she did wrong and tried to hide her infection from others. Her mother accused her of having watched two dogs mating. She herself believed that it was from having looked at dead bodies.

▨ Compounding the tragedy

Of all the wretched horrors Loung had to endure, this trivial incident struck me as most pathetic. When my kids were six or seven years old, they were riding bikes, playing Marco Polo in the pool, and learning to hit a baseball. Loung was pushing dead bodies away from her water supply and watching her sister starve to death. As if all that wasn't enough, her beliefs added insult to tragedy.

▨ Harmful beliefs

There are millions of similar stories in the world. Human beings always seek answers in order to prevent harm and to gain a sense of control over their environments. Beliefs can comfort us, especially when faced with tragedy. In our desire to have these answers we sometimes come up with ideas that sound plausible. Unfortunately these beliefs can sometimes lead to further harm.

The belief that sex with a virgin can cure a man of AIDS has led to enslavement and forced prostitution of countless little girls around the world. The belief that a physical deformity is a sign of the devil has led to the murder of babies in some African villages. And the belief that they are ridding the world of evil has led some people to fly airplanes into New York City skyscrapers.

We could all benefit from being a little less sure of ourselves. Beliefs can push us to greatness and contribute to a better world. But they can also push us to commit unspeakable horrors. A critical mind is the best way to ensure that the former outcome prevails over the latter.

These two columns are follow-ups to Squirrel Psychology and further explore anxiety.

Chipmunk psychology

I had an unpleasant experience once while riding my bike through Parc Jean Drapeau. It is my favourite part of the ride home from work; willow trees, flower gardens … and chipmunks, lots of chipmunks.

Over the years, I had noticed a pattern in chipmunk behaviour whenever they cross a road. It seems that if they see a car or a bike coming at them, they momentarily freeze and return to the side of the road they came from. They tend to do this even when they have crossed most of the road and it would be safer if they just kept going.

■ The fateful encounter

On that fateful day, a chipmunk ran across the road as I approached. He made it 90% to the other side before noticing me. Chipmunks being chipmunks, I knew that he might still decide to turn around and go back. Since he was almost completely across, I assumed he would just keep going if I gave him the greatest sense of safety by steering toward the farther side of the road. "Stay where you are, Little Chippy," I thought to myself, "I'll give you lots of room."

Alas, his instinct to return to safety took over and he turned back. Our meandering lifelines crossed at that place and time and only one of us emerged. I skidded briefly as my wheel passed over poor Chippy. His body wrapped around my wheel and hung on until it hit the fork and released. For a brief moment, his lifeless body flew alongside me before hitting the pavement with a sound reminiscent of Wile E. Coyote hitting the canyon floor. The image of his body, looking like a water-filled balloon pinched in the middle, still pains me.

■ Anxiety protects us…most of the time

The story of Little Chippy illustrates an interesting competition between the emotional and rational parts of our brains. Anxiety, produced in our emotional centers, normally protects us by making us run away from danger and seeking the safety of familiar surroundings. This is what made Chippy try to return to where he came from.

Our more developed cerebral cortex, which learns things and observes patterns, would teach us that taking the shorter path to safety is the better option in this particular case. Unfortunately, when faced with an emergency, there is no time to think and our protective emotions must take over. They are very effective in saving us in the vast majority of situations…but certainly not all of them. For that poor chipmunk, his protective instinct actually got him killed that day.

Sorry about that, little guy, but you should have used a different part of your brain!

Goldfish psychology: Survival of the fraidiest

I remember the first real pets I had when I was a kid; a pair of goldfish I bought with my own money. I named them Goldie and Charlie. I can't remember if I bought them a nice goldfish bowl but knowing my family, I probably took my mother's advice and just filled up an old Mason jar with water. Even though the fish would have had a home that smelled subtly of tomato sauce, who could argue with the cost savings?

One morning I eagerly came out of my room and ran over to the counter to check on my fishies and give them a few flakes of food. Alas, Goldie was lying dead on the melamine counter next to the Mason jar! I was heartbroken. It seems that at some point during the night he jumped to see what was on the other side of the glass barrier. It turned out to be a melamine death!

■ Curiosity killed the goldfish

I may be anthropomorphizing here, but I suspect the goldfish was probably doing what all of us animals do – we explore our environments. If we were living in a natural environment, we would be governed by two survival instincts. The first involves the need to explore – to seek out better circumstances or discover new sources of food. The second instinct is the anxiety response. Anxiety is what makes us vigilant of dangers and watchful of predators. While both instincts are necessary, an excess of one or the other can be harmful.

In my last column, I wrote of a poor chipmunk that, in response to anxiety, decided to return to safety only to be crushed under my bicycle tire. Had the chipmunk been less anxious, it would not have panicked and turned around. Goldie, on the other hand, died from not having enough anxiety. He was obviously not worried about what was on the other side of the barrier and went to take a look.

■ Lessons from the animal kingdom

Lessons from the animal kingdom, be it chipmunks or goldfish, teach us about human nature. Our fundamental makeup is comprised of a balance of traits, including anxiety, which serve us well. However, there are no guarantees. These traits and instincts vary in degrees within each of us and inevitably interact with the circumstances we face – sometimes to our benefit, and sometimes to our detriment.

Speaking of benefits, I'm pretty sure that chipmunk would still be alive today if he were the one living in the Mason jar…smelling a little of tomatoes and basil but alive nonetheless.

A little envy doesn't hurt

Jealousy, not a pretty concept, is it? Envy and its uglier soul mate, jealousy, seem to be the most pejorative of emotions. Yet, we all feel them from time to time.

Sometimes we may be envious of others who are better at things than we are – those who earn their good fortune. At other times, these feelings emerge when we see people who were born into better circumstances than us, or who were lucky in some other way.

■ The more talented ones

I wish I could be in Tiger Woods' body for just a day. I know it might sound a little creepy – especially to Tiger – but I would love to have the feeling of hitting a golf ball over 300 yards. It's impossible not to have some envious feelings when we see someone do something better than us, especially when we try so hard to do the same thing ourselves.

■ The luckier ones

Besides driving a golf ball 350 yards, I would love to drive a Porsche Turbo. Neither of these things is ever going to happen for me – barring a miracle…or a gift from a really generous reader. I know many individuals born into rich families. They can easily afford expensive vacations, nice homes, private golf club memberships, things that I would love to have. How can we not have some jealous feelings when we see such people? After all, they didn't earn those things. They were just lucky.

■ Get over yourselves

When I look at my life, and at the people around me, I can't help feeling envious or even jealous at times. If you are like me, you hate having these feelings and you certainly do not want them to consume you, or to mess up your relationships. But how are we supposed to deal with unwanted feelings?

First, we must appreciate that nobody's life is perfect – including that of a person we may envy. From the outside, we can only see one aspect of their lives. We have no idea what they really feel. In the greater scheme of things, we too have our own little successes and our own luck that we may take for granted, and that others may be envious of.

The second thing to do is to accept envy as a normal emotion and not necessarily a sign of a significant problem. It has its benefits and can sometimes push us to greater success by motivating us. Unwanted emotions, including envy, go away by themselves with time. We need not always fight them or deny them. We must simply let them pass and get on with our lives.

In the meantime, I will be at the driving range. See you in September.

Go ahead, try to ruin my reputation

Do you worry about what others are saying about you? Are you afraid that others will paint unfair pictures of you and make you look bad to the people you want to impress? If so, you might want to try doing what I do when faced with these questions – I don't care!

Ok, ok, I do care what people think of me. I just don't worry about what others are telling them. I only worry about things I can control – the direct contacts I have with people – and wait for them to develop their own opinions of me.

Far too many of us obsess about our reputations to the point where we try to control what other people are saying about us. The truth is, we are usually masters of our own reputations.

When you don't know me

If you never met me and ran into someone who had an opinion of me, you could be quite influenced by that person. After all, in the absence of information, a little light goes a long way. Whether the person tells you I am a great guy or a total jerk, you are very likely to believe him or her.

When you know me

On the other hand, when you already know me well, and have formed your own opinion of me, others have very little influence. If you already disliked me, running into someone who told you how great I was would fall on deaf ears. The same is true if you respected and liked me. That opinion would be hard to shake even if someone tried to criticize me. There is simply too much information on which to base your opinion. Contradictory information would have no influence.

Let them get to know you

This could apply to kids in school, to workers in a new office, or even to separated parents. We all worry about how others may influence our relationships with classmates or co-workers, or what ex-spouses are saying to our children. We want to be respected and treated fairly. This is why we worry so much about having our reputations and relationships ruined.

But others can only influence people who barely know us. Ultimately, in long-term relationships, our reputations depend on us far more than they do on what others are saying about us. The best way to ensure quality in our relationships is to worry about how we treat people. Over time, they will form their own opinions. It is the only thing we can control…and it is the only thing that really matters.

This column explores anxieties we face growing up.

In the minds of minors

"Miss, how come you have hair on your face like a man?" said the six-year old to his teacher.

Did you ever notice how young children think? They are completely in their own little bubbles. The question above was a real one overheard at a local elementary school. Such embarrassing questions constantly come from the mouths of younger children. They are simply trying to make sense of the world and have no idea yet about what is, and what is not, proper to say.

■ The mind of the elementary school kid

In elementary school, most pre-adolescents do not have the maturity yet to think like another person or to imagine what another person would think or feel. They might tell someone on the bus, "Look at my new shoes!" without realizing that the fellow passenger couldn't care less. This is because younger children have yet to develop a theory of mind.

Theory of mind refers to the ability to understand that others may have thoughts and feelings that are distinct from our own. When six-year olds point out physical flaws, they have no idea that this might hurt people. They are simply responding to their own curiosity.

This is why children can be so cruel to classmates who are different. They will point to, or laugh at, physical or psychological differences simply because they stand out. They are blind to the feelings aroused in others because they do not have a theory of mind.

■ The mind of a high-schooler

High-school aged students are quite different. By that time, most of them have developed a theory of mind. This makes them aware of the image they project and they become quite concerned with what others think. This is why many of them develop social anxieties and can often feel out of place.

This newly developed awareness of who they are in the minds of others is what makes adolescents try to conform to their peer groups and what makes them so vulnerable to negative influences such as smoking or drugs.

■ Being different. Feeling different.

The development of a theory of mind will affect the nature of social anxieties that children experience and determine how they fit in with their peers. Since they are surrounded by kids who have yet to develop a theory of mind, elementary school kids will get along well with their classmates and won't get picked on just so long as they ARE not different. High schoolers, on the other hand, have usually developed such a theory and are acutely aware of what others think. They get along well with their peers just so long as they do not FEEL different.

Anger dissipates, love grows

What happens to our emotions as time passes, and how do they impact our relationships? If we were to go by some common expressions, it would seem to depend on which emotion we are referring to.

■ Anger dissipates

According to the stoic philosopher, Seneca, delay is the greatest remedy for anger. This same idea is behind Thomas Jefferson's popular quote 'When angry, count to ten before you speak. If very angry, count to one hundred.' It seems that once we allow the intensity of our anger to dissipate over time, our rational minds take over. This allows us to better analyze the event that upset us. In doing so, we may see the event as trivial, or that it was not ill-intended, or we may come to realize that our angry reaction is not worth the trouble it would cause. This analysis prevents the situation from deteriorating.

Too much anger blinds us and makes us act like beasts at times. The best remedy for this is the rational mind – the rational mind that can only be accessed after a short delay.

■ Love grows

Yet time seems to have a different impact on positive emotions. The expression 'Absence makes the heart grow fonder' seems to suggest that time acts on love in the opposite way it does on anger. As time passes in the absence of our loved ones, we miss them and see them in a more and more positive light.

I think this is because our appreciation of others gets obscured when we live with them from day to day. The little frustrations and irritations that anger or upset us make us take their positive qualities for granted.

■ Love-hate relationships

These two phenomena are inter-related and have interesting implications for relationships. When we are with someone every day, the negatives are ever-present. This maximizes the problems in a relationship. When two people are apart, the anger dissipates and the loving feelings come back into view.

What this implies is that if we can feel close to someone while together – despite having to face any frustrations we may feel – then we are in a very strong relationship. If on the other hand we are only in love with the other person when we are apart – a common occurrence in many on-again off-again relationships – then it may be time to reconsider the long-term viability of that relationship.

I was just expressing my opinion

Being able to assert our selves is an important skill to have. Assertiveness helps us effect the changes we desire and prevents us from being taken advantage of. Unfortunately assertiveness is a bit of a double-edged sword.

■ Two ends of a spectrum

Some people are very shy or overly afraid of upsetting others. They may feel they are less important than others. For such people, learning to assert themselves is an absolute necessity. Without this ability they tend to be at the mercy of others. On the other hand, there are people at the other end of the spectrum of self-importance. They feel that their attitudes are always justified and really don't care what others think. For these individuals assertiveness becomes just an excuse to defend or promote their poor attitudes.

You will often hear an aggressive person say, "I was just expressing my opinion. There is nothing wrong with that." Well I suppose there isn't…but that can't always be a good thing. After all, neo-Nazi's and bigots are also simply "expressing their opinions."

■ First step: Question your attitude

The first and most important step to take is to examine your attitude and properly analyze a situation that might be bothering you. Do you have all the facts? Did you take the time to consider the other person's point of view? In other words, is there really a problem and are you justified in your opinion? This is the step that distinguishes the people who are lacking in assertiveness from those who are overly aggressive in their attitudes. The aggressive types tend to feel justified, regardless of which facts contradict them or how trivial the problem is. The unassertive types constantly question themselves and minimize the importance of their opinions and their feelings.

■ Second step: Question your method

Once you have determined you are justified, it is then necessary to express yourself, even if it makes you uncomfortable. The best method is to prepare your message and wait for an opportunity when the person you need to speak to seems receptive. If you avoid these opportunities, the problems will only worsen. You will accumulate frustration and will eventually get angry enough to blurt out something aggressive. The other person will then defend his or her own opinion rather than consider yours.

While not always easy, assertiveness is a necessary skill to develop. It takes courage but keep practicing. It will pay off in the end.

Unless of course you're one of those people who are overly assertive. In that case, then you should practice keeping your opinions to yourself.

Lower your standards…or raise them

A director recently asked a group of managers: "Have you heard the three-word secret to happiness? Lower-your-standards." At that, he laughed in a mocking was as if to say, "Fat chance. We will not lower our standards. Our clients deserve better."

Yet the saying does ring true. Lower standards are easier to meet and we are more likely to be satisfied with ourselves if our expectations are met. In fact, one of the most common problems seen in depressed and burnt out individuals is a tendency to have unrelenting standards – the feeling that nothing is ever good enough.

■ Lower your standards

Individuals with very high standards are usually super performers and often rise to be leaders in our society. Everyone around them sees their skills and their worth. Unfortunately, they rarely can see it in themselves. They are driven by a sense of trying to overcome weaknesses and trying to meet what they consider to be minimum standards. For these people, the true secret to happiness is to lower their standards.

■ Raise your standards

But what about people with very low standards? They may be satisfied too easily. People who don't question what they eat, for example, may happily consume fast food every day. And why bother exercising if your health standards are low? If you have low standards you are probably a happy individual. Unfortunately, your world may eventually fall apart around you. I certainly wouldn't want you to cook for my family, build my home, or design my car. Over time, your lack of standards will catch up with you and make you as unhappy as the people who are never satisfied.

■ Question your standards

The true secret to happiness is to have realistic standards and expectations. Those with high standards must lower them in order to find the satisfaction and happiness that their successes should provide. Those with low standards must raise them in order to find happiness that is more lasting.

Unfortunately, very few of us really know whether our standards are too high or too low. These beliefs are like any other bias. The person with high standards actually believes he or she has standards that are too low. That is what pushes them to try harder. The person with low standards usually feels his or her standards are high enough. That is what makes them not try.

Now, if we could only get those two groups of people to magically merge, we would have a world full of contented and productive people. Of course, it would also put people like me out of work.

The couple in this story are my parents.

The cost of a crime

■ Tina

Tina doesn't like to drink. One Saturday night, she decided to go out to a bar with some acquaintances. One or two drinks was her usual night's consumption, three when she really let herself go. Whatever happened after her first drink, she will never know. All she can remember of that weekend was waking up in her bed the next morning.

A few days later, after feeling a burning sensation in her genitals, she went to her family doctor. Tina was diagnosed with a sexually transmitted disease. Since she had no sexual partner for the previous six-months, she realized why she remembered nothing of that Saturday night. She was likely the victim of a date rape drug.

The illness was easily treated, the psychological impact far less so. She decided she couldn't trust people and wanted nothing to do with relationships of any kind. Nearly two years have passed and Tina remains in a state of relative isolation.

■ Joe and Mary

Joe and Mary are an elderly immigrant couple who worked hard all their lives and never indulged in luxuries. They were finally able to enjoy the fruits of their labor after retirement and began to travel. Returning home from a trip to Italy, they discovered they were burglarized. Two subsequent burglaries, probably perpetrated by the same individuals looking to capitalize on all the new electronics, sealed their fates. They decided to never travel again. They even hesitate to leave their home to visit people. Like Tina, they now live lives of relative isolation.

■ Once is enough

What is the cost of a criminal act? There is the crime itself and then there is our reaction to it. We are not responsible for bad things that others do to us. Unfortunately, we are made to be responsible for how we respond to them. Tina and Joe and Mary all decided to protect themselves from further harm. In doing so, they deprived themselves of normal lives. This is a far greater price to pay than a stolen TV.

Fear is a normal response to a criminal act. By giving in to this emotion, victims continue to pay a price for what happened to them. A better response is to be defiant and to refuse to pay any additional cost – to refuse to put their lives on hold and to confront their fears head-on.

We may have to pay a hefty price as the victim of a crime. But as far as I'm concerned, we must do our damnedest not to let the criminal take anything else from us. Our sense of security and our freedom is a price we must refuse to pay.

The writer always has clean windows

I'll never forget how clean my windows were when I was a graduate student trying to write my PhD thesis. To help me work efficiently, my wife would go out for the day and leave me in peace so that I could work without distractions. It may have sounded like a good idea, but who can get any work done when the windows are dirty. I'll get to the thesis as soon as I give these babies a quick wipe!

■ Why put off until tomorrow what you could put off until the day after tomorrow?

I think we all have stories of procrastination to tell since it is estimated that 95% of us complain of the problem. One of the reasons for this is that our world has evolved and the connection between behaviour and reward has become quite remote. Few of us procrastinate when we are hungry or thirsty. But writing a paper – which will produce a good grade in a few weeks, which will contribute to a degree, which will hopefully get you a good job, which will then produce the salary which will allow you to purchase the groceries that will satisfy that hunger – does seem like a pretty remote connection.

■ A self-perpetuating problem

Another reason procrastination can get out of hand is because it feeds itself. When we put something off, we end up doing it in a last minute – and extremely aversive – frenzy of activity. Doing things in such a state of panic only increases our desire to avoid it in the future.

The habit of doing things all at once also trains us to wait for a large block of time – and a large reserve of energy – to accomplish the next large job. It is for this reason that we must break projects down into small and reasonable steps. The most important part is to stop working after each step is complete. It is easy to put an hour or two of work into a project every day for two weeks. It is not so easy to work for twenty straight hours in one day. If we fall into the trap of completing large projects once we are "on a roll," we will reinforce the belief that we must find the energy to complete future projects in one large chunk. Ugh! That's something you will put off.

■ A tough nut to crack

While procrastination may be a tough nut to crack, it can improve over time if you work on your habits. But don't feel bad, very few of us are immune to it. I even struggle with procrastination myself from time to time when writing this column. Mind you, my windows are spotless!

Two worlds

Let's imagine two newspaper stories.

Story 1: A young adolescent wants to try out for his high school golf team and plans to bring two clubs to school. The bus driver refuses to let him onto the bus citing a number of assaults that have taken place and not wanting someone on his bus with a potential "weapon." The boy is stranded at the bus stop in tears and fails to try out for the team despite his promising talent.

The media pick up on this story and soon you overhear a discussion at the local Tim Horton's. "I can't believe they didn't let that poor kid on the bus. What do they think he is? A homicidal maniac!" People shake their heads at the ridiculousness of some attitudes or the pettiness of some rules.

Story 2: A child is struggling for his life after being beaten with a golf club on a school bus. It seems that a classmate with a grudge brought a golf club onto the bus, telling the driver he was trying out for the school team.

You hear this story being discussed over coffee. "Did you hear about the kid beaten up on the bus? I can't believe the driver let someone onto the bus with a golf club! There should be a rule against bringing potential weapons onto a bus. People can't be trusted!" The coffee drinkers all nod in agreement.

■ There ought to be a rule / Why do we have such a stupid rule?

Of course I made up these stories but if you read any newspaper or overhear people discussing events, it won't take long to notice two competing themes emerge. On the one hand, when faced with the restriction of a rule or a law, people tend to decry such rules and claim that they are not justified, given the rarity of the negative events they are designed to prevent. On the other hand, when such negative events do happen, people tend to clamor for rules and laws against "that sort of thing."

■ Which world?

There are no two ways around it. With every law or rule, we gain some order but give up some freedom. It is easy to support one side of a debate when we become aware of specific events. It is only by being aware of both sides of an issue that we can make a fairer choice about which world we want to live in – one with more freedom but with occasional unpleasant or even tragic events, or one in which we are limited in our actions by rules and laws that try, successfully at times and unsuccessfully at others, to keep us living in a more ordered society.

We can't live in both.

We can all have them. Those with OCD can be tortured by them.

I get bad thoughts

Do you ever have a thought so disturbing you could not even bring yourself to share with anyone? Do you ever think of running off the platform in the Métro, or of strangling your baby, or of steering your car into oncoming traffic?

If you are normal, then the answer to the above questions is: Of course you do!

I could come up with a long and very disturbing list of thoughts that people can have but I will spare you the gruesome details. Suffice it to say we all have them and they are not signs that anything is wrong with us.

■ Horrific thoughts
Horrific thoughts come to all of us. They are the signs of a fertile imagination, fed in part by the many fantasies, dreams, books, and films we all experience. Sometimes they just pop up in response to cues that we are barely aware of. At other times they can come to us when we find ourselves in an emotional state such as anger or depression. When this is the case, it is not at all unusual to imagine what it would be like to act on those feelings. We can even have some pretty vivid images of these acts in our heads.

■ Why do I have such crazy thoughts?
It is a popular assumption that our thoughts may be a sign of some subconscious conflict and that we might act on such horrible secret desires if we do not resolve the source of the conflict. This is an assumption that freaks people out. It is also completely ridiculous.
Yes, we can act on our negative desires if we actually harbour them, but no, having a bad thought is not a sign of such desires.

Bad thoughts are normally signs of anxiety, not of secret desires. When we fear something, it is normal to imagine that very thing. This is how our brains respond to fear. It is a way of ensuring that we do not act in any dangerous way. The more you fear something, the more careful you are.

■ A window into the minds of others
There has been some excellent research to show that normal people get the same number of bad or horrific thoughts than people who are highly anxious or obsessive. The difference between these two groups is a simple one. Normal people get these thoughts and think nothing of them. The thoughts then go away. Anxious people get them and question why they have them. They then try to control their thoughts. Failure to do so makes them think that the thoughts are stronger than them, which of course increases anxiety and makes the bad thoughts come more often.

The reality is much simpler. A thought is a thought and a desire is a desire. The two are not at all connected.

I wrote this after the Haitian earthquake in response to the desire to help expressed by countless professionals and members of the public.

Can grief be relieved?

Haiti – the latest scene of great human tragedy – and unfortunately not the last. Whenever we hear of such events, and especially when we are bombarded with images of grief and pain too great to fathom, our hearts go out to the victims. The first thing we want to do is help relieve their suffering. As a result we send money in hopes of providing food and water. While this is essential, how does one relieve the suffering of a parent who has lost a child or of a child who has lost a parent?

Beyond the basic needs of sustenance and shelter, how can we help when we see a child alone and crying, or a mother on the side of the road rocking in grief as she clutches a dead baby? One of the reflexive responses we have as a society is to offer psychological assistance by sending in teams of mental health specialists. Unfortunately, while the need certainly exists, the ability to address these needs does not.

When I personally intervene with an individual or a family following a tragic death such as a suicide or an accident, I do so with a solemn sense of responsibility and desire to help. Even though it is always appreciated by grieving families, it is still but a drop in an ocean of overwhelming grief.

This leads us a to an important and somewhat disconcerting question: Is psychological help useful in the wake of tragic events?

■ What we can and cannot do

I believe there are a few things that can help in such circumstances. Professionals can help people express themselves without feeling judged. They can help people remember the full life of a loved one lost instead of only their tragic end. They can help them understand that most reactions, no matter how intense, are usually completely normal.

What professionals cannot do is assume that they can do more than relieve but a small portion of the suffering. They cannot impose themselves on others no matter how much grief they may be going through. They cannot substitute for a person the griever trusts, such as another family member, a friend, or a spiritual leader. They cannot impose their cultural beliefs on people who live in a different world.

Unlike a glass of water that can quench a thirst, a compassionate ear can never undo a loss. Nevertheless, by respecting the victims and their grieving process, we may perhaps palliate a small portion of their pain.

Rock solid instability

Who is your best friend? Is it the same one you had many years ago? What about the person in whom you have the most confidence…or the person you love? Don't we always seem to have a group of people that we feel close to? Yet over the years, don't many of the individuals on that list change?

Can we count on a friend forever? Perhaps not. Can we count on having friends forever? Absolutely!

■ Unstable friends, stable friendship

When we look back on our lives, we can probably remember a time before we ever knew the person who is our current best friend. That person was a stranger somewhere in the world. What about those who were our close friends in the past? Have you noticed that some of them are no longer in the picture?

People change. Circumstances change. Sometimes people drift apart because work or living circumstances diminish the frequency of contacts. Other times the drift happens because of changing and evolving interests. There may even have been a conflict that drove us apart. Regardless of the reason, our list of friends is unlikely to remain perfectly stable throughout our lives.

Yet somehow, we almost always have friends in our lives. Some of the faces may change, but friendship is stable. Just as some people may drift away, others drift towards us.

■ Unstable lovers, stable love

The same can be said for lovers. No one likes the idea of a separation. It is almost always painful. Yet it is also inevitable in many, or even most, relationships. This can be very difficult for people to face, especially if they lack confidence or believe that it was their last – and perhaps only – chance at love.

Dealing with a separation or a loss, whether it involves a friend or a lover, is difficult enough. We only make it worse by focusing on that one relationship rather than on the concept of relationships in general. A person that we loved was a stranger at some point in the past. Similarly, although we may have not met them yet, our potential future lovers do exist somewhere in the world at this time.

If you are the type of person who was able to find love in the past, you can count on that quality to find it again in the future. In an unstable world of people, the one thing we can count on is our interpersonal skill that nurtures friendships and loving partnerships. While we may sometimes lose a friend or a lover, it is unlikely we will ever lose the ability to find friendship or love.

Six math problems

How confident are you when facing a new situation? Here are two ways of looking at the same challenge:

■ Problems 1 to 5:

Let's suppose I present you with a difficult math problem and that something important was at stake, such as a job offer or entry into a university. At first you have no idea how to solve it and worry that you might blow your chance. After ten or fifteen minutes the solution comes to you. Phew! I then give you four more problems and the same thing happens for each of them – it takes you about ten to fifteen minutes of anxious head scratching before a solution comes to you.

■ Problem 6:

Now I hand you problem number six. Once again, at first glance no solution appears obvious. Will you be as worried about finding the solution to number six as you were for number one? Well, it depends a lot on what you learned from the first five problems.

■ I can solve THIS problem

Some people focus on the specific task at hand. When they find a solution, they feel relief that they happened to have the skills to solve that specific problem. In a certain sense they feel lucky. But who knows if they will be able to solve the next problem? For these people, problem 6 causes just as much anxiety as problem 1.

■ I can solve A problem

Other people focus on their abilities in a more general fashion. To them, what they learn through problems 1 to 5 is that they have the math skills and the general intelligence to be able to solve a tough problem when they work at it for a while. These people develop confidence in their abilities and therefore feel less anxious when they are presented with problem 6.

■ Life problems

How we attribute success is what sets a confident person apart from a less confident individual, even if they both have the same general intelligence, education, and ability. When facing life challenges, the person lacking confidence attributes success to luck or to specific circumstances. New situations always cause anxiety since everything has changed and luck can run out. The confident person, on the other hand, does not need to know what the new circumstances are. New challenges are simply different, not necessarily tougher. To this person, past success confirms that the skills required for future success are already in place.

Heads or Tails

Want to impress your friends with your "psychic" abilities? Try this.

Ask some of them to flip a coin fifty times and write down the results. Give them the option of just making it up and writing down a random series of heads or tails on a piece of paper without telling you what they chose to do. When you look at their papers, you can figure out whether they really flipped or not with almost 100% accuracy!

How can you do it? Quite easily, just look for a string of at least five heads or tails in a row. Those who have such a string on their lists really flipped the coin. The rest of them made it up.

The reason for this is because flipping a coin fifty times will almost certainly result in the same outcome several times in a row. It is a simple fact of probability. Yet, if you were to make up a list that looked random in your head, most of you would assume it is highly unlikely to get the same result five straight times. The made up lists rarely have more than four heads or tails in a row.

This exercise tells us a lot about probability and how it affects our beliefs and attributions. The laws of chance interact with the human tendency to want to explain and understand things. We want to have a sense of control over out lives in order to avoid tragic consequences. Thinking we have something figured out gives us a sense of security, even if it is a false security.

■ What are the odds of that?
Things happen all the time. Some of them appear to be out of the ordinary and make us wonder if there is an underlying pattern. How often have you heard about a number of similar cancer deaths on a street or in a city and heard speculation that there must be something in the water or in the soil that must have caused It?

It does seem hard to believe, but unusual things do happen all the time. Being dealt four aces in poker is certainly unlikely, but it can happen. An unusual outcome is not evidence of an underlying pattern.

Important and significant patterns do exist in our lives. Unfortunately the laws of probability keep throwing us curveballs that make them hard to detect. Just because we want to understand why something happens does not always mean that we actually do.

My mother thinks I'm not normal

Am I normal? Well, according to my mother, my wife, my kids, and most of my friends, the answer would be, "Umm...No!"

Now that we've established that, does this mean I am mentally ill?

We often hear the statistic that 20 to 25 percent of us have or will have a mental illness at some point in our lives. How accurate is this number and how meaningful is it?

The problem with statistics regarding mental illnesses is that it makes about as much sense as asking how many of us will suffer from a physical illness at some point in our lives. If we were to include the common cold, 100% of us will suffer from a physical illness, plus of course the one that eventually kills us.

When do we decide that a psychological issue is actually a disease? If mental illnesses are to include broad definitions of what is and is not normal, we can all be classified at some point. How many of us have felt depressed enough to contemplate death at some point...or avoid airplanes or dentists...or have trouble focusing on our tasks...or have bad habits...or have trouble getting along with others? Depending on how far we are prepared to cast the net, the percentage of mentally ill people can be staggering.

A small percentage of mental illnesses are just like any other brain disease. These include schizophrenia, bipolar disorder, and autism, and are likely due to some clear abnormality in the brain. It makes sense to classify these conditions as diseases.

For the rest of us, mental illness categories are extreme cases of everyday experiences. Where we draw the line is purely arbitrary. We need to classify mental illnesses in order to facilitate research and develop treatments, but very few of us fit neatly into these categories.

It makes far more sense to simply talk about how psychological issues affect our lives. When depressive feelings, fears and worries, or interpersonal conflicts cause us to suffer, or affect how we function, then we may choose to seek treatment. This should be the only determining factor rather than whether or not we meet any specific criteria.

As for what my mother thinks, I agree I am nowhere near normal but I do not believe I am mentally ill. My oddness is simply not extreme enough to affect my functioning or to cause me any suffering.

How I make others suffer is a whole other matter.

Recuse yourself

If you were a judge and found yourself assigned to a case where your best friend stands accused of a crime, would you not step down?

What if you were the alleged victim of the accused man? Would you not expect the judge to step down?

These are pretty simple questions with obvious answers but what would happen if you were the one accused of a crime and the judge was a friend of your accuser? Worse still, what if the judge was also paid to rule against you?

Of course, if you knew about the bribe and the personal connection, you certainly would demand that the judge step down, but what if you were unaware of the bias? In such a bizarre scenario you would be guilty every time, no matter what the facts were.

■ Our own biases

The situation I painted is pretty far-fetched but we actually live with similar ones all the time. Many people who lack confidence feel as if we they are losers or defective in some way. This translates into a belief system that acts like any other bias or prejudice.

Prejudice means to pre-decide. Those who feel they are defective have already ruled against themselves. The actual facts in question are irrelevant. All biases are self-confirming. If I think I am stupid and make an honest mistake, I will blame it on my stupidity. If I succeed, I will tend to say the task was easy or that I was lucky. This tendency will feed my lack of confidence.

Self-confirming biases work in reverse for people who think too much of themselves. If I think I am always right, I will always take credit for anything that goes well and find a way to blame other when they don't. This tendency will feed my arrogance.

■ Let someone else decide

We all carry our baggage of biases. Some prejudices work against others while some work against our own selves. The first thing we need to do is become aware that they exist. Once we do so, we must recuse ourselves. Just like the judge who lacks impartiality, we must let someone else decide. Our own self-judgments are simply not going to be fair or accurate. Whether we think too little of ourselves – or too much – we have little choice but to rely on the judgments of others.

…and to trust those judgments.

Learning from your successes

We spend a great deal of time trying to figure out what goes wrong in our lives and how to fix it, don't we? Rarely do we wonder what went right and try to learn from our successes.

■ What did I do wrong?

The natural thing to do when we are unhappy or when problems arise is to examine the situation and try to learn from our mistakes. This applies to many areas of life. When there are traffic tie-ups we try to identify bottlenecks. When countries go to war we look for the causes. When we are depressed or sick, we struggle to understand why and what we must do about it.

These are important things to do but they can only teach us so much. We may not always find the answers to all of our questions. More importantly, not all problems can be fixed once they occur.

■ What did I do right?

How often have you felt better after asking yourself the question, "What's the matter with me?" Perhaps a better question should be, "Why did I feel so good that other time?"

I once worked with a couple that was constantly fighting. After many frustrating attempts at improving communication by trying to examine conflicts, I decided to ask them to try to remember the last time they had a great time together. They both picked the same evening.

In examining a time when they were happy together, we were able to identify the factors that led to that feeling. It turns out that they had a mindset where they expected less of each other and were better able to appreciate the qualities in the other person that made them fall in love in the first place.

Trying to change expectations and behaviours from the perspective of conflict or failure often gets us nowhere. We get defensive and closed-minded. When upset, emotions like anger or depression obscure our ability to see clearly.

■ Learning from success

While we can learn a lot by examining our failures we mustn't miss out on the opportunity to learn from our successes as well. When we get along with others, when we are content, when traffic is moving smoothly, when there is peace, or whatever the positive circumstances, let's not forget to ask ourselves why.

Psychological Ouches!

What do you do when you stub your toe or bump your head? While these things can sting quite a bit there really isn't much we can do except wait for the pain to subside and then continue going about our days. Although most of us would prefer not to experience such pain, we aren't given much choice. It is a reality of life.

This simple reality applies to psychological pain as well.

■ Trauma, loss and Pavlov's dog

Sometimes life hits us with a serious blow – car accident, rape, sudden death of a loved one. One of the toughest things for people to deal with following such traumatic events are the painful memories that keep coming at them like a locomotive. Memories and flashbacks are lingering psychological effects that continue to exact a price from the victims. Just like Pavlov's salivating dogs, the body reacts to any reminder of important events.

These reminders are felt at an emotional level. Normally, an emotional response serves to protect us. It is like a voice in our heads that screams, "Do something!" Unfortunately, when it comes to grief and trauma there is often nothing to actually do. Our emotions push us but there is no place to go.

■ Pavlov's pleasant flashes

When we walk down the street we sometimes smell something, or hear something that transports us back in time. When these memory flashes remind us of pleasant events such as grandma's cooking or the music of our youth, they temporarily make us feel good. We simply experience them until they pass.

■ Pavlov's unpleasant flashes

The same applies when these flashes are painful. They are emotional memories of past trauma that cannot be erased. We have no choice but to learn to live with them and the best way to do so is to treat them the same way as the pleasant flashes, that is, let them be and accept them as normal. They will soon dissipate. Just like stubbing a toe, there really isn't much to do except wait for the bad feeling to pass and then move on. If we try to avoid unpleasant memories they will intrude at unwanted times and in surprising ways, eventually controlling our lives. If instead we accept them, they will weaken over time and lose their emotional punch. This is the only was to get our lives back.

Toilet paper wars

Joe has one of those crazy obsessions. His toilet paper rolls must have the first sheet coming over the top rather than from underneath. That's just the way it has to be! His roommate, Bob, likes to mess with Joe's mind and flips the toilet paper roll over each time he uses the bathroom. One day you may read about Joe and Bob in the newspaper. The story will undoubtedly involve a dead body found in a pool of blood. At the scene of the crime, Joe will be taken away in handcuffs mumbling something about Bob having had it coming.

■ Our little obsessions

This little fictional story, perhaps without the tragic end, is lived in almost all of our homes. When two people live together, they will inevitably run into each other's little obsessions; Should the ketchup bottle be kept upside down in the fridge? Should the car be backed into the driveway or go in straight? Should the TV channel get changed at the first hint of a commercial? And what about leaving the lights on…or the lid up…or hair in the sink…or smothering every damned meal in hot sauce before you even taste it?!!!

■ Dealing with our obsessions

I too am irked when the toilet paper comes out from underneath. But while I don't know what on earth would possess someone to put it in that way, I won't insist on it – not usually anyways.

The problem with obsessions is not with their existence, but with our insistence on them. There is nothing wrong with standards, but in the extreme application of such standards things can get pretty ugly.

The issue is one of mindset. When we think there is a problem, we naturally want to fix it. When the solution appears simple and obvious, at least to us, it should be easy to implement. This leads to a greater expectation that the right thing will be done, which of course leads to greater frustration when it isn't.

■ Change your mindset or change your roommate

If we have a mindset of insisting on things being done the "correct" way, something will have to give. Other people will either have to do things our way or we will have to give up on some of our crazy obsessions. Taking a step back from our automatic assumptions will go a long way in changing that mindset. No one, when being rational, will think that toilet paper configuration is a big deal.

Unfortunately, some people would rather change their roommates than their mindsets. Just ask Joe.

Cancer or fear of cancer

Would you rather have cancer or a fear of cancer?

Whenever I speak to an audience about anxiety, I always ask the above question. Given the choice, the vast majority of them respond they would rather have the fear of cancer than the actual disease. From the outside it's a no-brainer. We can easily see that one of the options is a deadly disease while the other is "just a fear."

This is when I ask the follow-up question. What if the fear made you believe you really had cancer, would you feel better or worse than the person with the actual disease? This is why there is always a small minority of audience members – those with a history of debilitating anxiety – who indicate they would rather have the cancer.

■ Reality versus imagination

Anxiety is a mechanism that works well to protect us from real or potential dangers. Our imaginations help us prepare for as many of them as possible. Unfortunately there are few greater dangers than the ones conjured up by the limitless imagination of the fertile human brain. This is, by the way, the reason movies are rarely as captivating as the books on which they are based. An alien creature in your mind is always scarier than an actor in an alien suit on screen.

When imagination – and the anxiety it produces – is taken out of the equation, we can be more rational about our situations. It is for this reason that unknown threats are usually more difficult to deal with than known ones. In the cancer example, a person with the disease may have a treatable case. Even when it isn't, the patient often can accept the inevitable and adopt a "one-day-at-a-time" attitude.

People who are afraid they have cancer, on the other hand, never imagine that it is treatable. They always imagine drawn-out, agonizing, and certain deaths. There is no opportunity for optimism or a positive outlook in the mind of an anxious individual.

Anxiety is a motor that drives us to protect ourselves from dangers. Unfortunately, without the ability to separate reality from imagination, our anxiety mechanism can go from protecting us to torturing us.

Anxiety is a film that can paint some scary pictures. This is why we must be able to step back from our emotions and recognize that fear is ultimately in our minds. After all, a scary movie is still only a movie.

For whom the school bell tolls

It's back to school time again, a time of year that is heaven to retailers and nightmarish for most kids. Yet learning isn't such a bad thing is it? We have to do something during the day. We certainly can't spend the rest of our lives bouncing a rubber ball against the garage door.

When it comes to education, I think there are three phases most of us pass through.

■ Phase I: Teacher told me to

Little kids rarely question their worlds. They go to school and do homework for one simple reason; their parents and teachers tell them to. Even though they may occasionally understand the need to add and subtract when buying a bag of chips, for example, kids will usually do school work because they see no alternative. "I'll get in trouble if I don't."

■ Phase II: Why do I need to know this crap?

At some point students start to resent the routine and boredom of having to do things just because they are told to. Without the life experience to understand why certain things may be important, they start to question the necessity of education and defy authority. "When will I ever use this dumb quadratic equation and who the hell cares about Mesopotamia?" In this phase, students don't want to study for their teachers and parents, and they don't want to learn for themselves either.

■ Phase III: I want to learn

Eventually students start to get out there and face their futures. Many of them get summer jobs flipping burgers or stacking boxes in a warehouse. That's when they start to worry about their own futures and wonder, "Hey, what am I going to do in life?" That's when the motivation to learn comes back. "So what was that you said about the quadratic thingie there?" Those who learn for themselves and their own futures no longer need to be told to learn. They already want to.

The transition between phases differs from person to person. Some students go quickly from Phase I to Phase III, sometimes even skipping Phase II entirely. Others may take a few years to get to Phase III but eventually do so. Unfortunately, some people never leave Phase II. They are the ones who never quite get it.

Of course I am not referring only to formal education. For those who do get it, the learning process and the desire to learn really only ends when they stop breathing.

I don't like my broccoli this way

John was cutting up some broccoli for a quiche when his wife came home and said he should leave more of the stem on the flowers. He felt criticized and got upset. She then accused him of being overly sensitive and uncommunicative. The end result was two tension-filled days during which John was depressed and imagined himself in an apartment and only seeing his kids every other week. How the heck did a disagreement over the length of broccoli stems lead to that?

■ The belief behind the reaction

While arguments over minor things such as broccoli or who left the cap off the toothpaste are inevitable when two independent-minded adults live together, they are rarely very intense or long lasting. In John's case, however, things got quite serious. The reason for this is because the argument touched off questions of a more fundamental nature – questions such as: Am I a good father, husband, and person?

When a person's core beliefs are touched on, reactions can become quite intense. Any minor event that represents critical questions in the mind of one or both members of the couple will trigger an argument. This argument will typically escalate to a direct assault on the other person. The subject of broccoli stems is replaced with things like, "you never listen to me," or, "You're impossible to please."

If someone leaves the cap off the toothpaste, it is an irritating habit. If they leave the cap off the toothpaste because they don't respect you, it is a completely different matter! Therein lies the problem in most arguments. When disagreements represent the bigger questions, they heat up and are nearly impossible to resolve.

■ Three levels of problem

The broccoli argument could represent a problem at three levels. First, it could mean a simple disagreement over how best to serve broccoli. Second, it could mean that John is too sensitive to minor criticisms or that his wife is too picky and hard to please. Third, it could be a sign of a poor and failing marriage.

As you can well imagine, the level of argument makes all the difference in a couple's ability to resolve it. The first level is easy to fix through discussion and compromise. The other two levels are far more challenging. This is why John and the rest of us in all types of relationships need to step back from time to time and question why we get so upset over small matters. There is usually a bigger assumption behind a strong reaction – an assumption that may not be founded. Sometimes a broccoli argument is only about broccoli and nothing more.

Unnatural acts

Is there anything more natural than running away when you're scared or eating when you're hungry? Of course not. Yet if these acts are so normal why do they cause so many problems for phobic or overweight people?

It seems that whenever we watch TV there is some expert advising people to listen to their emotions and their bodies. While this may seem like good common sense advice, it may do a lot more harm than good. The reason for this is simple – emotions are signals or alarms that make us act. True alarms are good, false alarms are bad.

■ The nature of emotion

Emotions are the engines that drive action. When hungry, we eat. When angry, we attack. When afraid, we run. When sexually attracted, we put on deodorant and practice our smiles in the mirror…and suck in our guts.

The ultimate purpose of an emotion is to increase the likelihood of survival. Some emotions target immediate basic survival – as fear and aggression do. Others play more of a social role and serve to ensure long-term survival – as is the case for guilt, social anxiety and sexual attraction.

■ An immune response

Emotions can act as a psychological immune response. When under stress, our emotions tell us to do things that will be good for us. If I see a bear in the forest, my fear will probably make me run or hide. This is when my emotions are working well. The same goes for guilt. If I have harmed someone, my sense of guilt will make me question my actions.

■ Overactive immune systems

Just as is the case with our physical immune systems, our psychological defenses can become overactive. If instead of a bear, I am afraid of an elevator, should I listen to my emotions? Of course not. Rather, I need to face my fears and learn there is nothing to be afraid of. The same goes for guilt. If I have been trained to feel excessive guilt I may need to learn to ignore this emotion and consider my own needs on occasion.

■ Finding a balance

When our emotions are working in balance, we should listen to them. They are our allies. On the other hand, most people who suffer from psychological problems do so because their emotions have taken over their lives. When emotions are exaggerated, we must learn to resist their call and do what makes more sense to us rationally. When they are ringing false alarms, listening to your emotions is probably the worst advice an expert can give you.

Take this pen and shove it!

We all encounter them; colleagues who irritate us with annoying little habits that get under our skin over time. You know the type – people who constantly "borrow" your pen or a note pad and never bring it back, or who always ask for change for the coffee machine, or who never return books you lend them. When these things occur once in a while we can all live with them, when they happen all the time, it's a whole other matter.

■ Who's the bad guy

Let's pretend your colleague Bob is the guy described above. Nothing he does is worth arguing over. After all, a pen, a notepad, a dollar for the coffee machine, are all minor things. Unfortunately if this irritating habit is never dealt with, one day he will ask to "borrow" your pen and you might say, "Take this pen and shove it up your ***!"

You will soon find yourself in the human resources department having to explain yourself. "But, he…but, but, the pen…the pad…and he borrows books and never…and the dollars…always with the dollars…" When the HR person asks Bob for his version of events he will say, "I don't know, I just asked for a pen and he had a conniption."

There is no doubt about it. You will appear to be the bad guy, not him. Not very fair is it? This is what happens when we let irritants fester. Unless we deal with them in some way, they will eventually boil over in us.

■ Let it go

There are really only two options when we find ourselves around someone like Bob. The first one is obvious: let it go. By this I mean really, really let it go. We all want others to tolerate our little imperfections and occasional absent-mindedness. If we expect tolerance from others, we must be prepared to offer it too. This implies that we must accept minor irritants as a normal part of life. Sort of like bad weather, I suppose.

■ Deal with it before it's too late

Some things are not so little and you just cannot let them go. In such cases you need to address them before it's too late. The key here is that there is no emergency. You can wait for an opportunity to present itself. Many opportunities will be there for you to make a comment or to remind someone to return your things. If you do so before you let your anger grow too strong, your message won't get lost. If you miss or ignore these opportunities, it'll only be a question of time before you look like the bad guy.

One column, 100 parts

My first column for Journal Métro was entitled Parts of Lives. I called it that because my job as a psychologist gives me the opportunity to experience small parts of the lives of all the people I work with. It is a richness that I cherish. Seeing life through many pairs of eyes provides a far broader perspective than seeing it only through one's own.

The perspective gained from living these parts of lives has guided me in these bi-weekly examinations of our nature from as many angles as possible. This has led me to alternately examine both the beauty and the ugliness of human nature, as well the range of aspects in between. This is now my 100th column.

One reality, multiple realities

I must confess I am not a big fan of media shrinks despite being somewhat of one myself. What I particularly dislike about people who write about human nature, or who dispense advice to the general public, is that precious little of it applies to everyone. In an effort to inform about human nature or mental illnesses, we are forced to make generalizations. Yet generalizing about human nature also violates a very basic principle of psychology – every individual is unique. We each carry a mix of temperamental disposition and life experiences that define who we are and how we react.

The nature of the beast

This makes it impossible to dispense any reasonable advice, or to draw any reasonable conclusions, without considering each individual and each situation in all their complexity. What conclusions, for example, can one draw from great human tragedies such as the Haitian earthquake? The inspiring generosity of aid workers risking their lives to rescue victims in a devastated country is juxtaposed against reports of scam artists trying to profit from the misfortune of others by setting up bogus charities.

Major events such as this one beg the question of whether human nature is fundamentally good or bad. The obvious, and troubling, answer is that it is both. An exploration of good can hardly be done without also considering evil.

Reflections on the banal

The examination of the banal can sometimes teach a great deal about the profound. It may not be so hard to see why a person would act in a certain way in an earthquake-ravaged country when we examine how he or she would act in day-to-day circumstances such as when a seat becomes available on the bus.

This is why these columns will pursue their meandering path along lines that may not always be obvious. I will continue to reflect on our behaviours and our assumptions in an effort to make us think and, more importantly, to question our perceived realities. If this happens, then I suppose the efforts on the part of both the writer and the readers will have been worthwhile.

Additional Readings

The following articles were written in other contexts and may be useful to people suffering from depression or anxiety.

The first three examine depression, burnout, and the relationship between the two. They were originally published in 2007 in **Mammoth Magazine**, which is a journal produced by the Center for Studies on Human Stress run by Dr. Sonia Lupien.

The final article is a long document written for the organization **Phobies-Zéro**, on whose board of directors I sit as vice-president. It is on anxiety disorders and treatment principles.

"I'm burnt out. Can I be depressed?"

Are you burnt out, or have you ever felt like you were on the verge of it? What is burnout anyway, and is it the same as depression?

Whatever it is, it certainly seems to have affected a large number of individuals. Burnout claims so many of us that it is by far thesingle greatest cause of sick leave in any company. A significant portion of everything you pay for, from the pants you wear to the blood test your doctor orders, goes to defray the cost of burnout.

■ What is burnout?

Burnout is not an official term or diagnosis in the field of mental illness. It is a term that was originally used to refer to a sense of fatigue and an inability to function normally in the workplace as a result of excessive demands on the individual, especially among helping professionals.

Today, there is no agreement among scientists as to how we should define burnout. Some see it as an exclusively work-related phenomenon, while others see it more broadly.

In the general population, the term "burnout" is like any other popular notion. It continuously evolves. Over time, it can almost take on a different meaning for each individual. Some people, for example, use the term "burnout" when they are feeling bored with their employment and want to seek new challenges. Others may use the term to describe a major depression. They may do so because depression still carries a powerful stigma.

For the most part, though, we normally use the term burnout when referring to the inability to handle the pressures related to work.

■ What is depression?

Depression is a complex phenomenon involving both internal mechanisms and external influences. It is diagnosed when a person has a depressed mood (feeling sad, empty, tearful, etc.), or has lost interest or pleasure in most or all activities. It is also accompanied by several other indicators that can include changes in appetite, sleep problems (either insomnia or excessive sleep), fatigue, agitation, feelings of worthlessness, difficulty concentrating, and recurrent thoughts of suicide or death.

Recognizing yourselves in the above list of criteria is not necessarily a problem. Many difficult situations in life can make us feel this way from time to time. The important question is one of intensity and duration. It is considered depression when it the symptoms last for more than two weeks and when they are sufficiently intense so as to cause either significant personal suffering or a loss of the ability to function normally. *(For more details on understanding depression, see "A sidebar on depression")*

■ How are they related?

Burnout is generally seen as a specific problem related to stress in the workplace, whereas depression is a broader phenomenon that can permeate all areas of our lives. But can we really separate the two terms cleanly? In fact burnout and depression are highly related and the terms are sometimes used interchangeably.

In theory we can see burnout alone. Most people can burn out if we continue to ratchet up the demands on them without giving them the means to meet those demands. In such cases, although they will feel just like any other depressed person, they will quickly return to normal if we remove them from the situation.

The same goes for depression. It may have nothing to do with work or stress. A major depression will often persist regardless of whether the individual remains at work or stays home.

In most real cases, though, the lines cannot be so easily drawn. Let's take, for example, the case of people with a strong sense of responsibility and a tendency to be perfectionists. Such people will normally function very well. They tend to bring high standards to their jobs since they feel bad when they see shoddy or incomplete work. As a result, they take on many tasks and deliver the goods. Employers and colleagues begin to rely on them more and more. If they then reach a point where they must take time off work because of burnout, would they not feel like they have let everyone down? Would they not be depressed and feel like failures? In such cases, the depressive feelings tend to linger even though the person is removed from the stressful situation that may have helped produce those feelings in the first place.

Now, if we see these personality traits in the workplace, would we not also see them in many other circumstances? Would these people not also have a tendency to feel like failures when their kids are having trouble in school, or when they may be going through a divorce, for example?

The relationship between depression and burnout is also evident in cases that would normally be described as a pure depression, and where work is not normally an issue. People suffering from a major depression will feel agitated, fatigued and have trouble concentrating. They feel no satisfaction or pleasure even when a task is accomplished successfully. It is not hard to imagine that their productivity will suffer. Even simple tasks become heavy burdens. In such cases, work-related pressures often become the proverbial straw that breaks the camel's back. Work per se is not the problem but it becomes a contributing factor to depression. The inability to function at work then contributes to the depressed person's sense of failure and guilt. When these people must take time off work they are often described as being on a "burnout leave," even though they meet the criteria for a major depression.

■ How does it matter?
Although for many people the term burnout may carry less of a stigma than depression, the label used is probably less important than the desire to get their lives back on track.

The role of the psychologist or psychiatrist remains the same regardless of whether the person consults for the treatment of depression or for burnout. The professional must assess the factors that contribute to the problem in order to be able to address them. External factors can include specific situations or general circumstances. Internal factors can include both biology and personality. Regardless of whether an inability to set limits and an overly strong sense of personal responsibility contributes to excess stress at work, or to unmanageable burdens in our personal lives, this inability must still be addressed in treatment.

■ What must be done in either case?

Whether you are going through a burnout or a depression, or both, as is often the case, you will still suffer in much the same way and would still benefit from treatment.

One thing is certain, unless something changes, the problem will not go away on its own. If things didn't work out before, they will not suddenly go well after having taken some time off. That change can be biochemical or situational, it can involve a new attitude or new skills, it can even be as simple as deciding to accept your old situation as it was, but this time without the constant struggle to change it. Whatever it is, something must be different.

The two main forms of treatment are psychological or pharmacological. Regardless of the cause, both forms of treatment can be beneficial. Sometimes a combination of both treatments is most effective. It is generally recommended that for mild to moderate forms of depression, the psychological treatment called cognitive-behaviour therapy (CBT) is the best choice. If the response is not adequate, then medication can be added. For moderate to severe depression, a combination of antidepressants and CBT is usually recommended from the outset. In reality, additional factors such as attitude about medication, or availability of affordable psychological services, often play a major role in determining treatments.

Antidepressants target brain chemistry. Most people feel less bothered by events when they take medication and can thus cope much better with situations. Cognitive behaviour therapy seeks to change how we interact with the world by either teaching us new skills or by examining and altering the attitudes that affect how we react to and interpret the events around us. It can help us set limits. It can teach us to question our standards, our attributions, and our biases. And it can help us develop a better sense of priorities and balance in our professional and personal lives.

A sidebar on depression

Depression is a complex phenomenon that is often misunderstood by the general public. Is it a disease in the traditional sense? Or is it simply a reaction to life events? In essence, depression can be seen as either a disease or as a reaction.

The best way to understand depression is to understand the various factors that influence our moods. We are, of course, biological beings. Everything about us is in our brains: thoughts, memories, attitudes, moods, intelligence, and all else that makes us human. One can therefore argue that all psychological problems are caused by biochemical imbalances in our brains. However, our biochemistry has most certainly been influenced by our upbringing and our experiences. It is for these reasons that we must consider both the internal and the external factors listed below when trying to understand depression and its causes.

■ Disease

Some forms of depression can be understood in the same way as any other disease. In such cases, there appears to be something wrong with how the brain is functioning. Brain chemistry seems to be altered in such a way as to have a major impact on mood, and these mood changes do not appear to be strongly linked to any obvious external event. Bipolar depression, where moods can swing from profound states of depression to phases of mania where the person feels almost superhuman, is one example of what would generally be considered a medical disease.

■ Biochemistry

Having said this, it is certainly possible, and indeed probable, that biological mechanisms affect all of us and are important contributors to all forms of depression, even when the brain is functioning normally. For example, although we do not have an exact understanding of how they affect us, we know that factors such as our hormonal and nutritional states do impact mood.

■ Innate temperament

If you've ever had more than one child or any number of siblings, you have seen how no two individuals have the same temperament. We are clearly all born with our own package of traits and tendencies. Some of us are more adventurous, while others are more hesitant. Some get angry easily, while others have a tendency to take things in stride. In the same manner, some people generally seem to be happy most of the time while others tend to be serious and pessimistic.

■ Environmental influences

Although our innate temperament is a major component of personality, our traits are also affected greatly by our experiences. We are shaped by our family values, by our society's culture, and by every experience we have ever had. This unique blend implies that a particular situation can never be understood, or reacted to, in the same way by any two individuals.

■ Life-altering events

Although all events are experienced through our personal values and beliefs, some are so challenging that depression is almost inevitable. The death of a loved one, for example, will normally have a profound effect on all of us. In such cases, strong depressive feelings would be considered a normal reaction. Although we may all require a significant amount of time before we can return to a relatively normal level of functioning, for some people the depression lingers and goes beyond what is normally observed.

■ A history of events

The vast majority of people who consult for depression do not do so as a result of a single event. They have often struggled with depressive symptoms on and off for much of their lives. They normally report a lifelong history of real or imagined failures. Although a significant event may have triggered an episode of depression and pushed them to consult, the vulnerability was most likely always there.

■ The common thread - Personality

The result of – and sometimes the cause of – the factors mentioned above is the personality that defines us. Biochemical variables and innate temperament interact with our development. The personalities that emerge within us then affect how we deal with the world. It is our understanding of events and our reactions to them that makes some of us vulnerable to depression.

Some personalities are simply more prone to depression. Unassertive people, for instance, will often feel trapped in unsatisfying situations, perfectionists will always feel disappointed in themselves or upset at others, dependent individuals will often find themselves in situations where they may be taken advantage of. This is why we must try to understand our personal patterns if we are to protect ourselves from depression. If we have such vulnerable patterns and do not alter them, either through pharmacological or psychological means, depression is likely going to remain a lifelong struggle.

Why we burn out

In the previous article, we examined the relationship between burnout and depression and saw how the terms overlap. Now we will take a closer look at the phenomenon of burnout and some of the specific factors that contribute to this condition. Some have to do with the individual while others are perhaps more related to the world we live and work in.

CAUSES OF BURNOUT

■ We expect too much of ourselves

Some people feel like they can and should accomplish everything they set their minds to. While lofty goals can often lead to great achievement, they also increase the risk of failure. Those who manage stress well tend to see such goals simply as theoretical ideals that define the direction of their work and not the endpoint. They usually know that their efforts will result in great improvements even if the ultimate goal is not met. They can put partial attainment into perspective and be satisfied by it. Those who tend to see goals in a more absolute fashion, the all-or-none people, are more likely to suffer burnout.

■ Others expect too much of us

We live in a world that is increasingly driven by measurable goals and objectives. Just as we will always seek the lowest price for a product, employers will also always try to get the most of their employees. Why would a company not plan on an increase in the expected output of their product if the previous year's targets were met? This phenomenon, along with others such as an inability to hire adequate staffing due to financial or resource considerations, tends to add to the pressure on all employees. We may especially hope to push the less productive workers. Unfortunately, these pressures are usually felt by the productive ones who already tend to expect too much of themselves.

■ Our sense of what is good enough is out of whack

Perfectionism is a double-edged sword. Getting things right is important. After all, we wouldn't want our surgeon to have a laissez-faire attitude, would we? The problem, however, is that that not all endeavours require perfection. Most situations are not life and death ones. Some people do not have the ability to recognize that there are many good ways to do things. Those who spend an inordinate amount of time trying to find the single "right" way tend to burn out much more frequently than colleagues who do not get so lost in less important details.

■ We don't feel like we belong

Some people have a low level of self-confidence. They have a tendency to feel stupid and inadequate in a wide variety of situations, and may have felt so for most of their lives. This impostor syndrome is quite common. Such people will often try to compensate by working extra hard. When expectations and goals are not met, they are more likely to attribute the failure to their own shortcomings rather than to systemic problems or external factors. When the expectations placed on these individuals are not realistic, they tend to feel like complete failures and quickly burn out.

138

■ We may be out of our element

Some people simply do not have the ability or the skills to accomplish their jobs. This is unlikely since most people are selected for a particular job because they were judged to possess the necessary skills. As a result, the idea of not being cut out for the job is often an irrational fear, one that is regularly seen in people who lack self-confidence. Nevertheless, it may have to be considered as a real issue for others. Those who burn out may make generalizations about their lack of skill and feel that they must succeed in their specific role in order to be worthwhile employees. They may not recognize that there may be many other roles in the company that are equally valuable and much more suited to them.

■ Multi-factorial solutions

If the causes of burnout are multi-factorial, the solutions must be so as well. Here is a short list of suggestions that you could consider if you think you are vulnerable to burnout:

- Learn to work well without going overboard. Most of us would have no trouble walking away from a shoe store if the pair we wanted cost $500. We would feel that they were not worth the effort it took to earn that money. Why then can we not also walk away from work that demands too much of us, not in terms of money but in terms of the effort it takes to earn that money?

- Life is a marathon. The racer who runs the first mile quickly because he has energy would most certainly burn out before the end. The secret is to keep a reasonable pace that can be maintained throughout the race. In our professional lives we often have the energy to give a little extra in order to reach a goal, impress a boss, or make a little extra cash, but we rarely consider the longer term consequences of such a pace. Having time to do things that may not seem productive, such as indulging your personal passions and hobbies, or even just to sit around, is essential in keeping your life pace reasonable.

- Recognize when your personal standards are too high. To do so you must learn to rely on the judgement of others. Don't rely on your own biased judgement, especially if you never feel that anything you do is good enough. Try to base your judgement on objective measures of performance, such as grades or sales figures. Ask yourselves how you would judge a colleague with the same numbers. Usually, it will be much less harshly. And remember, just because a task can always be rendered better with more time, doesn't mean it isn't already better than is required.

- Be able to admit to yourself when it is time for a change and choose work that is better suited to your personality. This is far easier that trying to radically alter your nature. For example, a procrastinator will have an easier time answering phones in a customer service department, where they must simply be available and knowledgeable, than they would be in a job where they would have to produce written reports with no fixed deadline.

The last step belongs to co-workers and employers. They must recognize that good employees, the so-called "go-to" ones, must be protected. When an important project must be done and we have two employees or colleagues – a competent but over-worked employee, and a less competent one who has some spare time – whom will we approach to do the work? Just because the good employees normally deliver the goods does not mean they have unlimited resources. Cutting them a little slack will do everyone involved a world of good.

Anxiety Management

WHY ANXIETY

▓ Pain and bears

Do any of us enjoy feeling anxious? I doubt it. Just like physical pain, anxiety is something unpleasant. Nevertheless, it serves an important purpose – it keeps us alive.

Just as we feel pain when something is wrong physically, anxiety is what our body feels when there is a threat to it. Anxiety tells us: Do something! Protect yourself!

This protective instinct makes a lot of sense in the natural world. If you were ever walking through a forest and came upon a bear, you would feel a tremendous amount of anxiety. This is a good thing. The adrenaline rush that came with the anxiety would give you the best chance of surviving. You would use it to run as fast as you could. If you were trapped, or if the bear was overtaking you, you would pick up a branch or a rock and attack. This is called the **fight or flight response** and it is seen in all animals.

In our modern world anxiety keeps us from driving too fast around a curve, or standing too close to a ledge, or carelessly playing with razor blades. It is also what makes us go to the doctor to have that lump checked, or have our brakes looked at by a mechanic. Basically, when we worry about things, we tend to be much more careful, and we avoid danger.

▓ The imaginary bear

If the bear is not real, but you think it is, your body will react the exact same way. People who struggle with anxiety disorders have bodily reactions that are pretty normal. It is their interpretation of danger that is out of whack! Their bodies act as if there is a bear in front of them when in fact the bear is only in their minds.

▓ Residual danger

No matter what we do, we can never be completely safe. Some residual danger will normally remain. If I drive within safe limits I am less likely to die than the speeder, but I can never be sure. If I can live with that, I will be able to drive and function normally. If I can't live with that and want to be absolutely sure, I'm stuck. I either have to avoid driving altogether, or I have to find some other way to control the threat.

WHERE DOES IT COME FROM

▓ Should I question my life?

One mistake people make when they start to struggle with anxiety is to question their lives. They believe that something must be wrong with their relationships or their careers and believe that this is at the root of their anxiety. While this can be a factor in making us more anxious, and can indeed be the root of the problem for some people, it is usually not the case. Life stress is a factor that worsens anxiety. It can even trigger a first panic attack, but it is not normally the real cause. The true cause can be found in how the body responds to a stressor (the anxiety) and how that response is interpreted.

These reactions and interpretations do not have a single source. Human beings are far more complex. We are the result of our biological make-up and of everything we experience in our lives. Here are some of the main sources of anxiety.

Your instinct

Certain fears are innate and made sense at some time in our development. Many fears ensured our survival and became instincts that are now part of our genetic make-up. Ten thousand years ago, for example, it was good to be afraid of heights because tree limbs could break and rock cliffs could give way. Humans needed to be wary of wide-open spaces where they could be easy prey. Being crowded meant the possibility of being trampled. Being away from familiar surroundings made us vulnerable to unknown dangers. Snakes and spiders could be venomous. Double-checking things reduced risks. Being concerned with what others thought of us increased the likelihood of finding mates.

Today, we can see these instinctive survival roots in many forms of anxiety disorders such as agoraphobia, social phobia and obsessive-compulsive disorder.

That was millennia ago, and while we needed the fears to survive back then, they don't make as much sense in our modern society. These days, tunnels are reinforced with steel and are unlikely to cave in. Plus they are unlikely to house a lion.

You will also notice that many people are afraid of snakes despite never having been bit by one, while people are rarely phobic of stoves despite having been burnt many times. This is a testament to the fact that we develop anxiety disorders in areas that have an instinctive root far more easily than in areas that are affected by experience alone.

Your temperament

If you have more than one child – or if you have pets, or siblings, or uncles – the first thing you notice is how different each one is, even when they come from the same parents. These differences can be seen at a very early age. This is because we are all born with our own temperaments – our own genetic variation in the make-up of our characters. These differences can be seen in the crib. Some of us seem headstrong, others more passive. Some of us have tremendous curiosity while others seem disinterested. We are all different. Some of us are simply more anxious than others. That's just the way we are.

The common personality trait in individuals who are prone to anxiety disorders is the way they think in absolute terms. They don't easily let go. As we saw earlier, residual danger remains in most circumstances that create anxiety. This fact clashes with people who think in absolute terms and creates anxiety disorders.

Your environment

We are influenced by everything in our environment. This includes things we observe, things we are taught, and things we experience. This has an impact on what we see as dangerous and how we interpret events.

Our attitudes are greatly influenced by our families, our schooling, our friends, and our society. We would be very different if we were raised in different countries and by different parents.

Let's take the example of families. A parent's job is to protect us. They do this by teaching us what is good, what is bad, what is safe, what is dangerous. It isn't hard to imagine different messages coming from them. For example, one parent might send a child with a sore throat to school, while another might go straight to the doctor's office. Who is right is debatable. Nevertheless, there is a very good chance that the second child is more likely to worry about health as an adult than the first.

The same goes for experiences outside the family. The child who is teased in school, for example, is more likely to become a socially anxious adult.

WHAT FORM CAN IT TAKE

■ When is a fear a disorder?

While anxiety is normal, there are many different degrees of it. In normal doses it protects us. When it is excessive, it imprisons us.

The two criteria that are used to distinguish between normal and problem anxiety are **personal suffering** and **loss of function**. If your anxiety is so strong that you are constantly preoccupied by it, or if it affects your ability to function normally – at work, or socially or in other areas – then your anxiety would be considered a disorder.

You may not like going to the dentist, for example, but if it doesn't stop you from getting your teeth fixed, you have just a fear. If, on the other hand, you don't sleep for two days before your appointment, or worse yet, if you ignore your cavities completely because of your fear of the dentist, then you have a phobia. Similarly, you may not like speaking in front of a class but if you drop out of school because of it, you have an anxiety disorder.

■ The fear: Crowds, dogs, disease, airplanes, fish bones...

The complete list of fears seems endless. These may include buses, metros, elevators, snakes, cats, spiders, elevators, heart attacks, choking, strokes, blushing, shopping centres, sweating, being far from home, being looked at, failing, rejection, and...well you get the picture.

You may be pretty discouraged by your multiple fears, but in reality, the picture is a much simpler one. In fact, all fears can be grouped into three broad categories.

1. **Death or illness**: The first of these is the fear of death or illness. People with this fear might be afraid of having a disease such as cancer, of having a heart attack or stroke, of dying in a car or plane crash, or of being harmed.

2. **Insanity**: The second major fear that is commonly seen is the fear of insanity or of "going crazy." Many anxiety sufferers may be afraid of losing their minds, of spending the rest of their lives "locked up," or of doing something horrible such as harming their children or of steering into oncoming traffic.

3. **Being judged**: The third major fear is the fear of social ridicule. People with this fear might be afraid of blushing, of fainting at work, of making mistakes, of being laughed at, of saying the wrong thing, or simply of looking nervous in front of others.

Many people have fears that fit into two or even all three of these categories.

■ The fear of fear: The imaginary bear revisited

If we were to go back to the simple picture of anxiety in the bear example, it can be summed up like this:

When something threatens me (a **danger**), my body reacts with its protective response (**anxiety**, also known as the stress response). This makes me do something in **response** (run away, or defend myself, or control the threat in some way).

But what if I'm afraid of my own reaction? What if I am afraid of having a heart attack, for example? Then the heart attack becomes the bear. If I enter a classroom or a metro car where I have had problems in the past, I will surely be scared of it happening again. Since my body responds to any threat with anxiety, this would increase my heart rate. I would notice this and be afraid that the heart attack was more imminent. This would be interpreted by my body as a threat, thus causing a further increase in my heart rate.

In this example, the anxiety response becomes the danger that the body responds to like any other danger – that is, with more anxiety. This is the classic fear of fear seen in most people with anxiety disorders.

■ Avoid, verify, control...Do whatever it takes

Anxiety is a simple response. When there is the threat of a bad thing happening, we must control it. Our efforts to control the threat will define the type of anxiety disorder we have.

If a threat can be physically avoided, most of us would. This is a typical phobic response. People afraid of elevators, for example, will simply take the staircase. Those afraid of germs will avoid touching doorknobs. Those afraid of being laughed at will avoid situations where they are the focus of attention.

Sometimes we cannot run away. People afraid of germs, for example, may not always be able to avoid doorknobs. In such cases, they will wash their hands to undo the threat. Hypochondriacs will go see their doctors or seek reassurance from the Internet whenever they have a symptom. In reality, these are other forms of avoidance.

Sometimes people will try to avoid threats by controlling circumstances. For example, if they need groceries and can't avoid going to the mall, they will try to control the danger by putting in place various mechanisms that serve to reassure them. To do so they may carry a mini-bottle of gin in their purses, or ask a friend to accompany them, or only shop in familiar stores, or wear cool clothes so as not to sweat, etc.

Sometimes the threat is with our own thoughts. Certain individuals, for example, have horrific thoughts – a form of obsessive-compulsive problem where sufferers are plagued with unwanted images or thoughts. Since it is difficult to control thoughts, these individuals usually try various methods of controlling them such as "positive thinking" exercises. They may also spend countless hours searching their minds or their circumstances for reassuring answers.

No matter what the threat is, those with anxiety disorders will always do what the rest of us do. They try to control threats in any way they can – they avoid, they try to prevent, they resist. These strategies rarely work against fear and they never work against the fear of fear.

OVERCOMING ANXIETY DISORDERS

Avoidance of real dangers is good but avoidance of imagined or exaggerated dangers isn't. It just imprisons you and makes you miserable. There is no point in cheating when it comes to anxiety by trying to avoid it. All you end up doing is confirming to yourself that there was a danger there to begin with. Your goal is simple: **Prove to yourself that there is nothing to be afraid of!**

■ Face your fears

Most people with anxiety disorders know very well what is truly dangerous and what is exaggerated. It may not be easy but they must learn to face the ones that are not dangerous. By facing their fears most people with anxiety disorders can overcome them.

This can be done gradually. There is no need to torture yourselves. Just remember one thing. **Never leave a situation while your anxiety is high or rising.** This will only worsen the fear. If you can't stay, then back off a little and wait. When you feel better, then you can leave. Better still, go back to where you were when you panicked.

Facing you fears – exposing yourselves to the physical sensations that scare you, or to the places where they normally occur – almost always works. If it doesn't, it is probably because of what you are thinking. Some people may think that they were just lucky to get through it – *"thank God I had someone with me, or my water, or my mints, or my pills, or my facecloth"* – or that they succeeded only because it was a good day. The goal is to learn that there was nothing to be afraid of, and not that you were lucky! You did not escape danger. There was none there to begin with.

■ Remember Pavlov's dog:

It is important to keep one thing in mind when it comes to facing fears. If you have had many panic attacks in certain situations, your body will develop an anxiety reflex. Just like Pavlov's dog, after a while our bodies develop strong reactions in response to sights, smells, sounds and other sensations associated with our experiences. For example, even if you are no longer worried about panicking in a restaurant, the ambiance, or the smell of the grill, or the sound of glasses clinking, can all trigger panic sensations. It may take many trips back before the reflex begins to extinguish itself. Be patient and don't be discouraged.

■ Focus outside your body: Let your body and mind do their thing

People with anxiety disorders are so worried about their bodily reactions, or of their thoughts, that they are constantly focussing on them. This does nothing except make things worse. As we saw earlier, if we are afraid of our reactions, our anxiety response will kick in and only make them worse.

Think of what happens if you run up a staircase. For a while you will feel strong symptoms similar to a panic – your heart will race, you will sweat and maybe even feel shaky. Yet within a few minutes everything is back to normal. What did you do for those few minutes? Nothing. Your body took care of itself. The same is true when you are anxious. What makes anxiety last are your efforts to control it. By trying to resist anxiety, you are inadvertently feeding it.

Obsessive thoughts work the same way as physical sensations. Everyone has crazy thoughts or images in their minds from time to time. They do not reflect "secret desires" or subconscious drives. They are usually just a reflection of fear. Those who don't worry about them quickly forget them. Obsessive individuals, on the other hand, constantly try to control them. This feeds anxiety and makes the fearful thoughts worse.

Anxiety is NOT a sign of insanity or of illness. Let your bodies and minds be. They might react to certain situations or thoughts, but they will quickly get back to normal. Do nothing and your body will take care of itself! So will your mind.

■ Learn what you can and cannot control

The final target of anxiety management is to change your belief that you have no control. In fact, **you have all the control you need, just not as much as you would like.**

Ultimately we must learn that anxiety cannot be completely controlled and that it is normal to feel anxious. Bad things do happen. Anxiety helps us control risks and minimize their occurrence. Unfortunately, there are no guarantees. People who have trouble letting go – those who seek absolute control – have a hard time with this reality. Their efforts to ensure safety only backfire. Since nothing can be controlled with absolute certainty, any effort will fall short and make it seem that the danger is closer. This increases anxiety.

Remember, if there is no danger, it doesn't matter if you have no control.

■ A simple truth

There is a simple truth about anxiety disorders that has profound implications – **people only panic when they don't want to, and they never do in situations where it doesn't matter.** This is because the biggest part of anxiety is created by our efforts to control it. By accepting to feel anxious from time to time, the fear of fear – which makes up 95% of the panic – never comes.

■ A simple choice

If you were to be offered a choice between cancer and the fear of cancer, which would you choose? Most people would choose the fear of cancer. From the outside it is easy to see that one is a real disease and the other is "just a fear." But what if you had the fear? How would you feel? Would you not feel as bad or even worse than the person with cancer?

To overcome an anxiety disorder you must remember that anxiety is a **fear** of a bad thing, it is not the **actual** bad thing. There is a difference between cancer and a fear of cancer. One can kill you. The other just makes you miserable. Don't fight it and it won't.

(**March 2009**)

Notes:

Notes: